Scrittori italiani e stranieri

Aldo Busi

LA DELFINA BIZANTINA

Romanzo

ARNOLDO MONDADORI EDITORE

Dello stesso Autore

Nella collezione Scrittori italiani e stranieri
Vita standard di un venditore provvisorio di collant

ISBN 880429878-2

I edizione dicembre 1986

La Delfina Bizantina

A Giuseppe Bandioli
Piero Bertolucci
Cristina Bombieri
Johanna Winter

Con animo rigido, negli anni giovani
respinsi la legge dolce e ossessiva di Afrodite.
Non mi colpì l'amore, con i suoi strali che dilaniano.

Paolo Silenziario

Pietroburgo:
PRIMA

Da tempi placentari Teodora sognava palloncini colorati, dalla superficie coriacea, infissi in un cielo senza colore, un fondale vago come qualcosa d'incerto se esistere o no. E tenuti per il nodo stesso dell'imboccatura, non svolazzanti, perché non c'era spago allentato da una mano o che si disavvinghiasse da un fuso. Erano palloncini infinitesimali, capocchie simili a gocce d'acqua nera appena sghembe, in cima a pali della luce appuntiti, matite giganti o guglie di chiesa. Queste luminescenze di aria dura vibravano orizzontali come tante teste recise che neghino con il mento. Poi uno dei palloncini prendeva a enfiarsi e lei viveva la meraviglia di vederlo aumentare sempre più e ogni istante era quello dello scoppio rimandato all'istante ulteriore e sempre più dilagava la massa dalla pelle sempre più sottile e tesa nello spazio immaginifico dove lei aveva preso a rincorrere a perdifiato la goccia nera perché s'era accorta che quella vescica aveva l'imboccatura nel suo stesso ombelico e da lì suggeva il polposo gas che la stava svuotando per proiettarla verso incomprensibili galassie.

Si svegliava di soprassalto senza che mai una volta il palloncino fosse scoppiato e lei con esso. La goccia d'acqua nera in cui aveva intravisto un feto ora stava lì, nella scanalatura fra le sopracciglia, e prendeva a scendere lentamente.

Lei tirava fuori la punta della lingua e l'aspettava. Sembrava che il suo rumore fosse *pong!* Ingurgitarla era l'unico modo per non lasciar vedere che soffriva.

Al risveglio c'era quella frase che riecheggiava sul palato dove era passato il sapore canforoso dell'incubo: *pong!* e il rumore si scandiva in *ago della bilancia.*

Era un'ossessione andare in giro con Anastasia – che detestava essere chiamata "mamma". Ovunque andassero c'era una bilancia al varco, meglio se con tanta gente attorno, e Anastasia gliela faceva salire per mettersi immediatamente a scuotere la testa ancor prima che l'ago si fosse arrestato sul verdetto del momento. E per fortuna che era finito il tempo delle stadere.... Anastasia, che non si giustificava mai di niente con nessuno, riguardo ai chili di Teodora si profondeva in scuse davanti al primo venuto con la ricetta in mano. Scuoteva la testa biondo cenere, cotonata a torre, guardando la schienona della figlia e diramando attorno occhiate da matrigna buona che neghi sostanzialmente una maternità. Quella ciccia, sembrava dire, non era opera sua, doveva esserci lo zampino del diavolo. Erano le uniche occasioni in cui ci credeva.

Uscire da casa per Teodora significava trovare sui propri passi non proprio svelti, strattonati dalla stretta unghiata neutra di Anastasia sempre di un passo più avanti, una bilancia da salire e un patibolo da discendere, momentaneamente graziata. Le dieci lire, i ventini che Anastasia non aveva infilato nelle bilance dei farmacisti! Teodora saliva, dopo che Anastasia aveva gridato allarmata «Le scarpe, anima, le scarpe!», e guardava altrove. Altrove era lo sguardo sornione di una reclame sul fegato con le vene rosse e blu come un compitino in classe o di una qualche falsa magra incantata dai propri confronti. Intanto Anastasia faceva tentennare la torre, parlava con il farmacista, si informava sui nuovi prodotti dietetici o indirizzi di specialisti da Chioggia a Cattolica, e seguiva l'ago della bilancia. Teodora si sentiva assediata da schifose bustine sapor cacao-vaniglia al sapone come novità e da fave, fave di Fuca sempre. E quante volte aveva dovuto dire "trentatré"? Un calvario essere "una bambina-cannone" (Anastasia). Probabilmente era stato durante uno di questi infiniti secondi che Teodora aveva tratto dal ludibrio l'insegnamento a essere naturale, a non pesare più insieme con sé la vergogna e le ansie materne. Per risparmiarle la rabbia, continuò però a far finta di caricarsi su le sue pesanti invocazioni in pubblico. A sei anni molte cose, indigeste e tragiche per Anastasia, avevano perso ogni peso per Teodora. Desiderava essere se stessa al più presto, e senza accontentare né scontentare nessuno. Pesare quel che le toccava pesare, e amen. Anche se in fondo tutto quel che Anastasia voleva era mostrare che stava facendo di tutto, che non era vero che ingrassavano sulla pelle altrui... perfino toglierle le scarpe, dal farmacista, dal fornaio, da Asdrubale il macellaio, e sempre quando c'era lì Marietto, il figlio. Anastasia dava al suo turrito imbarazzo l'austerità di una marca da bollo. Lì era come se Anastasia le schiodasse dei ferri di cavallo per far vedere quanto sanguinava *lei*, la fabbra. Come se Anastasia fosse incollata in alto a sinistra in un manifesto, con la croce a biro di vidimazione e tutto, come se la vittima fosse lei, la marca, non quello o quella che ci stava sotto e che le dava un senso.

Avevano cominciato a chiamarla "balena" già dalla sua prima apparizione in grembiulone nero e fiocco rosa sotto il colletto di plastica bianca. Era stata sistemata nell'ultimo banco, da sola, perché un'altra bambina non ci stava. Dal primo giorno di scuola la gente diventò tutto quanto girava un collo e s'arrestava un attimo attonita o procedeva con giudizi tirati alle tempie e preclusi al suo sguardo. Un giorno la maestra aveva sollevato un libro aperto su una sgargiante illustrazione:

«E adesso ditemi a chi assomiglia Biancaneve.»

«A Teodora» avevano risposto le femmine facendo dei risolini dietro le mani.

«Alla balena russa» avevano gridato i ragazzi in coro sbellicandosi dalle risa.

Era una classe mista per fortuna. A Teodora piaceva la precisione dei maschi in branco. Poi, una volta soli, restituiti alla loro paura, se accanto o sfiorandola nel cortile durante la ricreazione, arrossivano violentemente; se lontani, appoggiati alla cancellata, se la mangiavano con gli occhi, pallidi, corretti. Gli uomini amavano da lontano. Gli uomini riservavano delle sorprese, le donne no.

Aveva imparato a scrivere bene il proprio nome di bambina grassa e presa in giro poco prima di entrare alle medie. Per anni aveva riempito pagine e pagine di "balena". Biancaneve assomigliava proprio a lei nelle figure del libro: capelli neri come l'ebano, un legno che si usava molto nelle fiabe, con l'onda sulla fronte e attorno alle orecchie delicate, le pupille nere nel disegno lievemente mandorlato degli occhi, le sopracciglia fini, come pinzettate, e soprattutto la pelle eburnea, anche nel rosa dei pomelli. La bocca era rossissima, a cuoricino, e anche le narici erano a cuoricino, molto dilatate. Un bambino con una macchia di bellezza simile a una goccia di velluto nero sulla punta del naso le aveva detto che aveva le narici come una scrofa e che si vedeva che respirava bene, forse troppo, e rubava aria non sua. Aveva qualche anno più di lei e, prima di perdersi di vista, gli disse che a lei piacevano i bambini anziani. Lui rispose che la sua somiglianza con Biancaneve si arrestava al collo, anzi, al mento, perché di collo ne aveva poco.

Teodora talvolta si era messa una mano sul seno per sentirlo battere – era così che facevano gli specialisti – e non aveva sentito niente. Ne aveva dedotto che, a differenza di Biancaneve, con lei non ci sarebbe stato bisogno di muovere a pietà il servo incaricato di riportare alla matrigna cattiva la prova dell'avvenuta eliminazione della principessina: lei gli avrebbe dato il suo come un di più, e niente sarebbe andato tanto meglio da cambiare il corso di quei seni che l'aveva sistemata da sola in fondo a un'aula oleosa color paglierino. E avrebbe salvato un cervo. Non che a lei importasse molto della vita di un cervo, a lei piacevano i sorci grigi, ma avrebbe dato a Anastasia modo di vantarsi pubblicamente del buon cuore di sua figlia, grande così anche dentro.

A casa Teodora faceva i compiti in cucina perché le piaceva l'odore dei legni e della naftalina di abiti dovuti indossare da un momento all'altro. Le donne dovevano far credere, perfino olfattivamente, di essere state prese alla sprovvista. Gli uomini, invece, arrivavano così come si trovavano e non avevano abiti da cerimonia da tirar fuori dagli armadi. Le donne parlavano molto, si sentivano finalmente così indispensabili dietro i fazzoletti buoni, gli uomini tacevano finché non era venuto il momento di dire l'ultima parola. Le donne piangevano per prendersi anche l'ultima confidenza, avevano avuto tutte una vita d'inferno e poi guai a toglierigliela. Gli uomini non piangevano e facevano un po' di conti. Anastasia non aveva mai pianto, non che lei sapesse, anzi, le tirava lei le somme degli uomini.

Ogni volta che Teodora sentiva i passi di sua madre deglutiva e si tirava su sullo schienale più che poteva: ma non ce l'avrebbe mai fatta a stare eretta come quella figura davanti a cui Anastasia una volta l'aveva trascinata con le buone per dirle che doveva assomigliare a quella Teodora là della chiesa, nel mosaico. Lei non sarebbe mai riuscita a reggere niente per più di un minuto, figurarsi una coppa così grande, e in piedi, e per sempre.

«Guarda com'è slanciata, *lei*» aveva detto Anastasia in un risentito bisbiglio che sembrava tuonare dall'ambone.

Teodora sentiva che avrebbe preferito chiamarsi Pierina o Chiara o Gina, ma tenere le braccia abbandonate lungo i fianchi e stare seduta. O meglio non averle neanche le braccia, come le balene, e non doverle usare affatto per solcare le cose che poi bisognava rimettere al loro posto. L'acqua non aveva posto. Queste cose che invece ne avevano uno erano una fissazione per Anastasia, e perfino a certi scarabocchi colorati che Teodora aveva attaccato con puntine da disegno in camera aveva fatto mettere un passe-partout. Anastasia le disse che una donna è un quadro che non vale niente senza la cornice, che se no resta una pirlimpleina in fônda a la pânsa, na bagâia senza bêrba ch'la se slêrga, e che "tanto vale fare carriera". Teodora cercò disperatamente di ricordarsi da dove era stata presa quella carriera per rimetterla al più presto al suo posto, perché certo Anastasia sarebbe tornata presto a cercarla e Teodora sentiva che era una cosa di cui Anastasia aveva costantemente bisogno per andare avanti, non per sé, ma per lei, cioè per entrambe. Anastasia passava a tappeto su tutte le cose di Teodora per incorniciarle e esigere che avessero il loro posto, quello cioè che, grazie alla longa mano delle sue cornici, aveva deciso lei. Ogni posto, dalla camera al cortile della scuola, ovunque Teodora si trovasse, era diventato il posto di Anastasia. Teodora non era che il segnaposto di una madre che non ammetteva di essere assente e che però era sempre altrove, a pensare al bene della sua bastardona, diceva lei. Teodora si sentiva come un gabinetto occupato in cui lei per prima non poteva entrare. Decise di servirsi di sé il minimo indispensabile, e con le cose, da un certo punto in poi, la cosa migliore fu di non toccare più niente o di servirsene il minimo indispensabile, o di usarle senza smuoverle.

Le sembrò ormai di avere coltello, cucchiaio e forchetta e biancheria intima in sé, dentro, come un bolo allo specchio da ruminare quando proprio non se ne poteva fare a meno.

«La mia bastardona stitica!» aveva detto una volta Anastasia a un dottore di Ferrara, suo vecchio amico. «Digerisce anche i sassi, ma non li scarica, ecco.»

In un certo senso era vero. I sassi, dentro, le servivano d'appoggio per stare seduta anche quando stava in piedi.

I passi di sua madre le portavano ogni volta una novità da dove è morto qualcuno e da un passato che niente aveva a che fare con lei. Poi Anastasia faceva dietro-front con le tazzine colme di caffè e ritornava sospirando nell'anticamera adibita a ufficio o difilato nel salone da cui giungevano rumori smorzati di singhiozzi e penultime parole.

Suo padre sulla soglia della cucina appariva più raramente e appena, non del tutto. Riusciva a parlare bene solo se con la destra si appoggiava a qualcosa, la maniglia, uno stipite. Aveva delle esortazioni blande, Onofrio, e lui le riteneva colorite perché dentro le sue frasi asmatiche ci spronava complicità tipo "un gelato", "il budino", "una boccata d'aria fresca". Ma a Teodora non piaceva l'aria fresca e non usciva volentieri, perché mai come lontana da Anastasia si sentiva vigilata. Lui faceva un dietro-front ovale, non convinto, pencolando un po' con la testa quasi calva; il luccichio della forfora sul colletto liso della marsina sarebbe stato meno imprendibile dei suoni che aveva lasciato cadere fiducioso di dar corpo a una polvere tentatrice. Le voleva bene, Onofrio, ma da lontano, come se temesse di esserle di troppo, un fantasma inopportuno sul percorso appena coperto dalla moglie a passi corti e veloci, energici, passi contati da Teodora sotto i tacchetti a zeppa dei mocassini di circostanza. Lui invece sembrava trasportato né avanti né indietro da un pulviscolo mobile, costretto suo malgrado a un'immaterialità insincera. Un uomo inerme e bigio che doveva sognare segretamente colori color sangue.

Anastasia quelle scarpe chiuse, coi bottoncini tipo suora del catechismo, le portava solo nell'impresa e i tacchi erano allenati alla riproduzione sonora di una condoglianza pro-forma che non guastava, era anzi indispensabile nella conduzione dell'azienda. Anastasia era sicura che in una città turistica come Ravenna prima o poi lei sarebbe arrivata all'export. Pazienza per il naso, ma sapeva fin troppo bene che una donna alta, slanciata, biondo chiaro e occhi viola può e deve arrivare oltre confine con le sue ambizioni. Lei le cornici era riuscita a imporle perfino ai morti, figuriamoci ai vivi.

La novità annunciata da Anastasia stavolta era la seguente: «Da domani lezioni di danza classica dalla signorina Adelaide. Vediamo se riusciamo a far restringere le benedette ghiandolone. Due ore al giorno ogni pomeriggio. E mettiti la trapunta che fra un quarto d'ora dobbiamo essere dal sarto. Sorpresa! ti provi il tutù che ti ho già fatto fare. Bisogna bloccare quel maledetto ago della bilancia. C'è anche la sauna dalle suore.»

Per trapunta intendeva il cappottino. In quanto alla bilancia automatica era piatta, color verdino mela, e quando vi era salita la prima volta l'ago aveva continuato a impazzire, e i numeri sotto senza fretta avevano preso a oscillare fra i settanta e i settantadue chili. Gliela aveva comprata Anastasia in occasione del suo undicesimo compleanno e perché era stata promossa. Quanto alla signorina Adelaide si vedeva subito che le piacevano tanto le bambine e che doveva conoscere Anastasia da tempo, si davano un *voi* pieno di sottintesi che non lasciava trapelare niente da sotto un magma ammodino di mezze verità telepatiche. Sembrava che la signorina Adelaide stesse ad ascoltare non Anastasia ma un'eco remota dentro di sé, l'affabulazione di un elemento di cui aveva dimenticato la formula e che riprendeva a agire a cospetto della vecchia conoscenza. La signorina Adelaide disse solo, facendo piroettare braccia e mani a mezz'aria:

«Oh, i bei tempi, quando le mie ragazze mi facevano ancora dei regalini! Io non dimentico, cara signora Cofani, io non dimentico. Volete sottoscrivere anche voi un vaglia collettivo per la nostra sventurata Amilcara?»

«Amilcara?»

Anastasia questa qua non la conosceva.

La signorina era anziana, aveva un fremito nelle mani improvviso e adorava ballare il tango fra donne, il quale, essendo figurato a dismisura, era classico anche se non lo era. La signorina Adelaide disse che da giovane era stata missionaria laica nelle pampas argentine. I suoi insegnamenti nella danza classica vera e propria sembravano limiatarsi a una ginnastica pre-parto e sovrappensiero canticchiava "son tutte belle le mamme del mondo" con intonazione gregoriana; era molto criticata dalle più grandi ma benvoluta perché così esigente, e le mamme, che Teodora avrebbe giurato conoscessero bene la sua, si fidavano ciecamente: depositavano lì le loro ballerinelle e era sempre la signorina Adelaide a fare le raccomandazioni alle mamme, mai viceversa. Le prendeva in disparte e loro facevano di sì con il capo, rispettosamente, come davanti a una grande e vera artista o a una parete chiusa. Sembravano tutte un po' stregate dalla eloquente secchezza con tocchi di nostalgia della signorina Adelaide. Anastasia no, non si faceva portare in disparte, si vedeva che lei voleva dei risultati malgrado la cattiva fama dei metodi adottati e lo scarso compiacimento che manifestava quando la vecchia ballerina sembrava volerla coinvolgere in rievocazioni in punta di piedi del passato. Anastasia faceva perorare il petto in fuori per avere un passato meno remoto, o fare almeno un fiftififti – sottoscrisse di malavoglia la raccolta di fondi per questa sconosciuta Amilcara, "una martire del movimento".

Sembrava che fra le due donne ci fosse un tiro alla fune che durava chissà da quanti passati per stabilire una triviale gerarchia, chi il quadro chi la cornice, rimettere l'altra al suo posto, chi di padrona, chi di serva. Non si capiva bene, a Teodora non importava capirne di più, ma si sentì il chiodo che sosteneva quadro e cornice, a insaputa di entrambe.

Negli intervalli, intanto che le bambine si detergevano il sudore, dalla porta a vetri della signorina Adelaide proveniva un continuo *ping!* e un giorno dalla tasca della vestaglietta rosa dall'ampia berta della signorina Adelaide cadde una pallina da ping-pong che saltellò qui e là mentre la signorina gridava isterica "Fermatela! fermatela!" e andò a finire fra le scarpette di Teodora, che la raccolse. Non era proprio bianca: col pennarello nero qualcuno aveva scritto una *W*. *W* come evviva? Era la prima volta che una goccia di sudore appariva sulla fronte della signorina Adelaide.

Le unghie della signorina Adelaide non erano smaltate: erano di un blu naturale. Come se lei andasse con le mani a frugare negli angoli cerulei di questo passato in comune e raccattasse solo granelli di turchese per impreziosire il solfeggio delle dita che impartivano i movimenti ai corpi delle bambine, specialmente al suo, su cui sembrava aver posato gli occhi una volta per sempre e con una sua risoluzione.

«Teodorona! la gamba, la gamba! Di più, di più! E quel busto, quel busto! Meglio, meglio!»

Anastasia le unghie le aveva smaltate di neutro, lucide dove non erano scrostate. Teodora notò che entrambe avevano le unghie sporche sotto, e questo le bastò per sentire che il passato di Anastasia era artigliato a quello della signorina Adelaide. Teodora si pentì di avere tutto quello spirito di osservazione contro la sua stessa volontà; sapere tutto e niente di una cosa che non la riguardava era sufficiente, non voleva peggiorare la situazione, non ci teneva a sapere, quando, facendo un po' d'attenzione, era possibile continuare a ignorare. I passati degli altri erano senza capo né coda e perciò s'insinuavano dappertutto e ristagnavano, come carne marcia sotto carne fresca; timidi; come quello della signorina Adelaide o protervi come quello di Anastasia, avevano una sola mira: appestare il presente di chi capitava a tiro. Le vie di mezzo erano l'unico modo per salvarsene: non ignorare era uguale a non sapere. Lei di cose di ieri non ne aveva, c'erano quelle di oggi, poche anche quelle, il presente che prendeva corpo attorno a lei, a onde, crestato di tulle bianco, aggrappato a una sbarra fuori da uno specchio, quasi subito dentro. Teodora gli piaceva. E anche il mambo, proibito, non abbastanza classico. Poi, tutte in sauna.

La signorina Scontrino Adelaide arrivava in solarium nel suo body nero anni 20 con la gamba fino alle caviglie e il collo a dolcevita da cui pendeva una medaglia triangolare con dentro un occhio attaccata a una collana strana, un rosario fatto di ossicini rotondi diseguali o piccolissimi denti del giudizio, e si metteva a far i massaggi a tutte le bambine nuove con rami, aveva spiegato lei, di betulla. Prima di massaggiarle esalava un perentorio “Dounca, bisdounca trî... trî... trî...” come se toccasse alla bambina nuova rispondere un qualcosa. Sembrava che nessuna delle insaponatine avesse mai risposto. I rami di betulla non avendo foglie, se qualche bambina piangeva sotto i colpi, la signorina Adelaide la massaggiava ancora di più ripetendo “E trî... e trî... e trî...”, come se desse tre sferzate per volta. Diceva che la sauna finlandese non l'aveva inventata lei e che faceva bene allo spirito e a tutto. La prima volta che la signorina si avvicinò a Teodora con i rami di betulla, o saggina, in pugno, Teodora la fissò calma e prima che aprisse bocca disse “... trî cunchin i fan na counca” e dai suoi occhi partì istintivamente una domanda: signorina Adelaide Cosa? La signorina lasciò cadere il braccio sul fianco e si portò la medaglietta alle labbra. Fece dietro-front, un paso doble di dietro-front, per sdrammatizzare la sua repressa esultanza.

La signorina Adelaide non aveva cognome, le disse Anastasia, anche se c'era stato un periodo in cui si chiamava signorina Scontrino per via che dava via certe ricevute alla cassa e che prima ancora, da ragazza, era la Schisciada dalle Alpi alle Piramidi, una roba di porci e di manzoni che una bambina non stava bene di sapere. Teodora capì dai mille e uno elaboratissimi casqué che la signorina Scontrino era stata figlia o di se stessa o di nessuna.

Anastasia quattro mesi dopo la portò a un ballo dei bambini, con tutù e nastro rosso nei capelli e scarpette d'oro. Teodora fu presa di mira da tutte le pistole a acqua della discoteca sul lungomare. Le bambine, pur nella baraonda di stelle filanti e coriandoli e gagliardetti sporchi di vaniglia e frittelle, si mantenevano a distanza per non essere sentite e giravano il collo verso di lei.

Lei stava in fondo a tutto come un capace orizzonte con

il torcicollo e le veniva da starnutire, tutti quegli schizzi che le facevano appiccicare il corpetto sulla pancia e di dietro.

Quando la sua contemplazione irrigidita era diventata una specie di allegria possibile nell'isolotto di quel tulle su cui i singoli e i gruppi si accanivano, ci fu la stretta che lei avrebbe riconosciuto fra mille a scuoterle il braccio per obbligarla al saggio già preannunciato. I riflettori furono abbassati e un cono di luce si abbatté su di lei facendole male. Teodora si disse che non voleva scontentare nessuno, né accontentarlo, e ci provò. Danzò come poté, con il pensiero. Danzò immobile minuettando a mente gli scoppi di riso e i fischi che verzicavano dai palchi aperti e ignorando l'accompagnamento del disco procurato da Anastasia al discgiochi, "La schiaccianoci", secondo lei. Danzò perfezionando ancora di più la sua flaccida ma statuaria inerzia, indifferente agli indici puntati verso di lei come baionette orchestrali. Fece l'inchino perché erano arrivati a qualcosa che per loro doveva essere il finale, e da un po' tutti erano in pista.

Anastasia l'aveva trascinata via, ma proprio nell'atrio era occorso un incidente difficilmente interpretabile per Teodora: ecco venire verso di loro nella calca una donna più giovane di Anastasia, tirava dietro a sé un adolescente pustoloso e mingherlino che faceva Paride con la mela e teneva gli occhi bassi sulla tunichetta similromana.

Doveva essere l'epilogo di qualcos'altro successo in precedenza, allorché Teodora aveva intravisto sua madre infilare certo per sbaglio il gabinetto proprio dietro a questo capogruppo che s'era allontanato dalle dee. E adesso la donna si scagliava contro Anastasia, la torre dei capelli franava, stanchi la ballerina immobile e il fruttivendolo dell'olimpo senza niente per cui parteggiare, mentre infuriano le quattro mani dalle unghie dipinte di neutro e di ciclamino. La faccia del ragazzo sembrava rincorrere mozziconi di un segreto che aveva avuto la malaccortezza di tradire, per baldanza o per la falsa ingenuità di chi ha promesso di dire tutto alla mamma.

«Te la do io, a te, brutta sporcacciona» aveva gridato l'estranea. E aveva fatto dei paragoni con le femmine di alcuni animali, tipo il maiale e il bue.

Anastasia e Teodora riuscirono a raggiungere l'automobile e a salirvi sopra e a partire a tutta velocità, Anastasia che imprecava senza darsi pena di spiegare gli insulti sulla sua pulizia personale, a lei, che si lavava tutte le settimane. Forse non erano stati questi insulti il motivo della sua contrarietà, scontati e secondari al resto che infuriava nel vermiglio del setto nasale deviato, che adesso respirava eccitatamente, russava quasi, da sveglio, e per conto suo.

Arrestò l'automobile davanti allo "Studio Čajkovskij" della signorina Adelaide Scontrino e via di corsa su per le scale del convento avvolto in un baccano regolare tipo tasti battuti senza sosta o frinire di cicale. L'ira di Anastasia si poteva tagliare a fette quanto la volontà di Teodora di sospendere ogni attività sensoriale superflua. La fune si era rotta e Anastasia gliene disse più di quattro, di lei, dei suoi metodi da casino – ? – e che l'avrebbe picchiata con la sbarra se avesse potuto staccarla dal muro, altro che i rami di betulla. La signorina Scontrino sembrò ridursi a un foulard e all'abitino di lanetta – rosa – appesi nell'aria, scorporati. Non tentò neppure di replicare, si appiattì, si restrinse, le unghie diventarono color cobalto e le rughine sul collo e sulla fronte vagamente caligginose. Finalmente il tizzoncino vivente tirò un gran sospiro di sollievo, come se per la prima volta in vita sua le fosse permesso di rivelare quanto era timida e timorata di Dio e soddisfatta di allentare per sempre quella fune e gridare sconfitta ai quattro venti. Nel portarsi un fazzolettino alla bocca per premerselo contro, dalla tasca saltellò fuori un'altra pallina, la signorina Scontrino ebbe un soprassalto. Teodora fece in tempo a vedere che sopra il pavimento rotolava stavolta una *Y*.

E una volta in automobile Anastasia lanciò una minaccia:

«Guarda Teodora che questo tutù ti deve servire da abito da sposa, c'è abbastanza stoffa per due divorzi e altrettanti pre-maman. Tu vuoi la mia rovina, il mio ridicolo. Già che non lo dicono abbastanza che ingrassiamo sulle disgrazie altrui, se non cali almeno venti chili ci rovinerai, me e tuo...»

Finì lì bruscamente: lo sdegno e altre preoccupazioni che si accavallavano tutte assieme dovevano aver messo fuori gioco un'eventuale sequenza delle cose. Teodora si sentì scagliata in un universo pieno di gravità in eccedenza, ci si librava nel vuoto senza godere di un minimo di leggerezza in più: pesante e senza un destino proprio. Continuò a masticare la cicca americana nell'interno delle guance, palleggiando l'impasto insapore dalla lingua al palato.

Era come continuare in nascondino il suo segreto numero di danza, perché a lei piaceva ballare, ma qualcosa di sfrenato e in abiti normali, dimenarsi magari in una rumba psichica. Non era stato entusiasmante essere vincolate al *pas de deux* con la signorina Adelaide che non perdeva occasione per fungere da principe cacciatore masticando tabacco trinciato o tirando su con il naso presine mentolate fra pollice e indice. Il ballo moderno era stato tassativamente proibito per una ragione sola: la signorina Adelaide non aveva abbastanza fiato per star dietro al boogie-woogie. «Adesso facciamo un assaggio di casqué» diceva la signorina Scontrino, e si chinava sulla bambina trattenuta nelle sue braccia incredibilmente scheletriche e forti come su un piatto di portata. E classico o niente, aveva sentenziato Anastasia, alla quale tornava a fagiolo che sua figlia imparasse grazia, compostezza e a tener alto il collo senza mai scuoterlo. Meglio niente, aveva concluso Teodora fra sé continuando a uniformarsi agli ordini in francese di Reggio della signorina Adelaide, una zampa di gallina dalla testa ai piedi che non sapeva neanche stare sulle punte.

La goccia di sudore nel bel mezzo della notte era diventata più sostanziosa sulla punta della lingua: peccato smettere proprio adesso che la sauna cominciava a fare il suo effetto.

Teodora continuò a allenarsi in garage e seguiva a mente ritmi sud-americani perché in casa Anastasia controllava l'ufficialità degli umori secondo le ore, l'allegria fuggitiva della radio non era permessa nemmeno in modo distratto: poteva arrivare un cliente da un momento all'altro e bisognava farsi trovare pronte, con le dita intrecciate sull'ultimo bottone della giacca del taier di felpa marrone. Eppure si capiva che Anastasia doveva aver riso a squarciagola più di una volta in passato. Anzi, che aveva dovuto, proprio come adesso doveva simulare il contrario.

«Lasciamo perdere, va!» aveva detto Anastasia in macchina come per tagliar corto, ma dopo «ci rovinerai, me e tuo...» non poteva esserci che "padre". Onofrio stava lì sul portone aperto sul cortile, sembrava una vita rimasta lì a attenderle. Teodora non capì a che cosa alludesse la madre, il tono però era stato bonario. Fatto sta che se la cosa da lasciar perdere doveva aver riguardato lei e un qualche suo futuro o presente piuttosto del solito passato di Anastasia, questa al contrario non lasciò perdere neppure un giorno. Sostituì l'indomani stesso la signorina Adelaide – che di lì a pochi giorni avrebbe inviato una sorella laica con un messaggio in busta sigillata con ceralacca – con uno specialista in endocrinologia di Russi e poi, al ritorno, perfino con un prete, don Basilio, per farla benedire.

Teodora trasformò il tutto in un cha-cha-cha della secrezione interna e comperò un pacco di palloncini multicolori.

Anche Anastasia sognava e si svegliava sul più brutto per rendersi conto che il peggio era già opera fatta nella frazione ulteriore. Ogni volta donna Dulcis, vedova integerrima nonché "pasionaria" di Modena, l'aristocratica antifascista che girava in casa con una verga, veniva a sorprenderla che tracannava l'alchermes dalla bottiglia smerigliata e il giovane conte Eutifrone slanciava in fuori una gamba con lo sbuffo di velluto. Conte figlio e contessa madre si davano il turno nelle notti di luna piena, e il sogno era tanto più orribile perché il completamento dell'incubo non era tanto dentro quanto fuori. Anastasia si svegliava dalla vertigine della caduta proprio un istante prima di andare a sbattere il naso contro lo spigolo del tavolo di marmo, si portava le mani alla faccia e, ancora con il senso di perdita e recupero d'equilibrio, incappava nella realtà in quello che aveva schivato per un pelo nell'incubo.

Però, da quando la chirurgia plastica aveva fatto progressi impensabili, non aveva più pensato seriamente a farselo riaggiustare meglio di quanto non fosse stato fatto a suo tempo dal Tenente Camerata Albigian. Ormai vi si era uniformata, e quel naso informe le era tornato utile negli affari, e anche nello spasso. Una cosa ripugnante in mezzo a tutte le altre attraenti era una calamita in più, il dettaglio irresistibile della bestia più feroce; a letto gli uomini non si facevano tanti scrupoli con una donna con un naso così, da porca. Bastava accontentarsi di trarre profitto da dove una qualsiasi avrebbe tratto solo vergogna, e non tornarci più su.

A causa del setto nasale scombussolato, con l'osso bozzoloso sotto la pelle tesa e lucida e tutta rampognosa sul lato sinistro, una narice sghemba doppia dell'altra, non era stato facile rendere credibile una qualche dimostrazione di sentimenti gratuiti, e questo l'aveva scoraggiata dall'averne. Non poteva permettersi attimi di vera debolezza, ormai eccedenti nel programma della "miniera del suo monte di Venere" – ah, il Tenente Albigian, che poeta! Quella menomazione in piena faccia andava bene per esprimere umori più truci, i soli che permettessero una certa inventiva creatrice pur nella fissità del vincolo fisico. Tutt'al più esso poteva venir temperato dal gioco delle belle labbra piene e dallo sventolio a piacere delle palpebre, fitte e lunghe, visonate. Per l'abbandono, quando necessario, poteva diluire o incupire il viola degli occhi. Lei si portava quel naso davanti come una bandiera o una sfida, aperta più del necessario e senza rimpianti. E poi se era andata bene così com'era al Tenente Camerata Albigian, poteva andar bene a chiunque altro che di femmine se ne intendesse. Ben presto si era abituata a questo giogo che le sfigurava ogni tentativo di comunicare emozioni che non fossero inquieta brama di potere, calore animale e, da dieci anni a questa parte, cordoglio. E poi se a dodici anni ne dimostrava quindici e a quindici venti, a trentacinque finalmente aveva cominciato a ringiovanire e adesso che ne aveva quarantadue ne dimostrava non più di trentatré. Con quel naso, o forse grazie a esso.

Ora però Anastasia sentì che bisognava forzare quella parte repellente del viso, per il resto bellissimo in ogni suo dettaglio, a un'espressione il più possibile vicina alla vera premura. Perché fra l'impresa e il negozio di fiori del Donnetto da cui era costituito l'intero stabile – distante poche centinaia di metri dalla Basilica di Sant'Apollinare in Classe – c'era questo cuneo di cinque metri e l'impresa andava ampliata. Il cuneo era di proprietà della Rakam, ex-giornalaia, una vecchina sudicia e senza parenti, una barbona cenerina che usciva di notte per frugare nei bidoni delle immondizie e di giorno scompariva dietro la porticina sgangherata dove una volta c'era il chiosco di legno intagliato nel cubicolo di mattoni. Anastasia disse a Onofrio che bisognava a tutti i costi mettere le mani sopra quella casa prima che lo facesse il Busone. Onofrio alzò gli occhi al cielo: i fiorai erano sempre stati suoi alleati, solo Anastasia ce l'aveva a morte con questo qui accanto. Onofrio era così lungo che gli costava pochissima fatica trovare intercessione presso l'interlocutore naturale della sua scontrosa rassegnazione. Si sentiva d'impiccio anche quando gli veniva richiesto di persistere nella sua imperfetta indifferenza come via di scampo. Anastasia non gli chiedeva mai la sua opinione né un consiglio sul modo di procedere: gli rivolgeva la parola come a un coccio di specchio con l'audio e dava per scontato un solo riflesso, un'eco.

La vecchia Rakam era inavvicinabile, paurosamente malferma e gracile, di quelle che tirano avanti per dispetto. Bisognava forzare la situazione. Se Anastasia riusciva a impossessarsi della casa a ridosso dei suoi muri, era inevitabile che prima o poi avrebbe fatto sloggiare anche Fiordidietro – un ometto giovanile e odioso, che per maniere affettate e vocina senile sembrava la brutta copia di qualcuno nei fiori degli anni, altrettanto spocchioso e viscido e petulante: del signorino Eutifrone, che aveva imparato a sculettare prima ancora che a camminare, un mica giusto di uno in diretta concorrenza con le donne che non aveva badato a spese pur di respingerle in retroguardia e montare lui a cavallo con il principe azzurro, montando di fianco dopo averle mandate a gambe all'aria con uno sgambetto finito in disgrazia... Se invece era lui (quanto lo odiava! non per una ragione speciale, ma così, per simpatia, e perché tratteneva più del dovuto i garzoni che dovevano poi passare anche da lei) a arrivare per primo sulla proprietà, la sua corsa longitudinale nel senso dell'edificio avrebbe finito per risucchiare anche l'impresa. Le esigenze dei clienti – mai diretti, o quasi mai, a parte qualche strambo che non voleva dipendere da nessuno – erano così aumentate negli ultimi tempi che era impensabile starci dietro con soli sei modelli medio-fine e tre preventivi globali. Mollare, accontentarsi, significava automaticamente far largo alla concorrenza tanto più specializzata anche in trasporti di massa che aveva preso a salire dal Sud, vere e proprie società per azioni (la "Daquialà" s.r.l. per gli atei, la "Dalàaqui" s.p.a. per chi sperava nel giorno del giudizio).

Ci sono tanti turisti facoltosi che arrivano qui per San Vitale, il Gallia Placidia o solo per la tomba di Dante, intere scolaresche, ex-combattenti, anziani già in parte mutilati. E s'era visto che, dopo le prime timidezze del lontano dopoguerra, tutto veniva pianificato su scala industriale, persino i fiocchi e le maniglie e le imbottiture erano vincolate a preordini da ecatombe. Come quando c'era stata quella storia dei sei del fortunale. Da mettersi le mani nei capelli per lei. Uno a Rovigo, l'altro a Modane, in Francia, due a Santhià, in Piemonte... Sei modalità di spedizione e tutto, la ferrovia, la dogana... E Onofrio che era svenuto proprio quando aveva preso in consegna la prima bolla di accompagnamento. Per fortuna c'era stato il Sindaco che dava tutto se stesso per un volante.

... e una sera Anastasia aveva aspettato Brunilì Rakam fuori dal portone. Brunilì era comparsa nei suoi soliti pantaloni con la balza e golfino incolore tarmato sopra maglietta giallo vomito bisunta sopra camicia a riquadri con colletto ingrommato, uno sportone di nylon in pugno così lungo che le sbatteva contro i tacchi delle scarpe da uomo troppo grandi per lei con i piedi trattenuti da molte paia di calze e sulla cui punta aveva incollato due pon-pon in strass d'argento perché la femminilità è dura a morire.

Brunilì si vide Anastasia torreggiare davanti come un pezzo di oscurità ferale pronta a un ghignoso abbraccio. Aveva lanciato un grido e con un balzo all'indietro si era precipitata alla porticina, il catenaccio che cercava disperatamente di infilarsi nel primo anello. Brunilì non si sarebbe mai e poi mai aspettata alla sua età qualcosa di così orribile e raccapricciante come il sorriso di compassione di Anastasia. La quale si diede della stupida per aver osato contro ogni buon senso l'espressione di un sentimento che, provato o no, le era precluso, per il quale mancava di allenamento – dall'allenamento nasce la predisposizione naturale – e aveva fallito come una principiante. Dalla strada vide dietro la tendina di pizzo a roselline la faccia da pesce sega truccata del Pungitopa che sottolineava in una perfida penombra una superiorità non ancora comprovata. A lui non sarebbe andata meglio che a lei, pensò Anastasia. Entrambi streghe, entrambi la più bella del reame e i più intraprendenti e con gli stessi desideri su cose e garzoni – ma adesso non più di stalla: di droghieri, macellai, fornai – che non si potevano spartire.

Per il suo dodicesimo compleanno Teodora si ritrovò in camera un magnifico specchio grande quasi tutta la parete centrale. E una nuova bilancia, marca Disneyland, con su l'animale sacrificato, Bambi che bruca. Essere bocciata non serviva a niente.

Una mattina che faceva ancora buio suo padre era andato a svegliarla. Si era preso la confidenza di darle un bacio vicino alla bocca.

«Vèstiti che fuggiamo. Un pacchettino del necessario ce l'ho io.»

Teodora non ebbe neppure il tempo di riflettere sul necessario, forse con una spinta era possibile fuggire un po'. Da una settimana tutte le classi, una dopo l'altra, andavano nella sala delle conferenze a assistere a un film muto per lei desolante, "La corazzata Potiomkin", e uno sonoro, una scalogna, "Moby Dick, la balena bianca". Sembrava che tutti, le femmine specialmente, tornassero da un oblò-serratura oltre il quale c'era stata lei a solcare i mari.

«Fa' piano, Anastasia non deve sentirci. Vedrai come ce la spassiamo.»

Avevano viaggiato tutta la mattina sul furgone nuovo di fiamma, le tendine dietro tirate giù a sipario, con le sgargianti ondulazioni di vellutino lilla-violetto traslucenti sotto l'alba, un bel teporino per tutto il percorso, anche nel bar dell'area di servizio dove si erano fermati, e lei aveva mangiato due tazze di cioccolata e quattro paste più una spremuta di arancia e Onofrio le aveva comprato anche un pacchetto di cicche americane, e lì, per ridere, davanti a tutti, le aveva fatto provare a fumare, e aveva tirato fuori dal taschino del gilet un rossetto e le aveva detto di mettersene un po', contro le screpolature.

Il rossetto era rosso squillante e a parte questo sapeva di cacao. Quando era uscita dalla toilette con la bocca nuova, armata contro il freddo, nello spiazzo c'erano uomini grassi con pance grassissime che scendevano dai camion e altri magri con sederi enormi da furgoncini di rappresentanti e per un attimo restavano stralunati a fissarla, non tanto negli occhi quanto un po' dappertutto. Uno le tirò fuori persino la lingua, con insistenza, sembrava spalmata di magnesia, e poi sfregò pollice e indice velocemente come a dire *"quanto costa?"*. Onofrio adesso s'era messo a pulire il parabrezza con carta di giornale, sembrava prendere tempo, mentre tutti quegli autisti la percorrevano, con gli occhi ancora rossi dal sonno, come un tunnel scoperto. Teodora non si sentì a disagio, forse avrebbe gradito un'altra tinta. Le sembrava che quando non puoi farci niente, tanto vale prenderci gusto. Ma non le fu possibile, quegli sguardi a sciabolata le sembrarono un brano di poesia già imparata a memoria in una vita precedente. Rispose con tutta la tenerezza di cui era capace a quegli uomini irretiti: abbassò gli occhi e pensò di trovarsi in piedi su una sedia.

«Intanto che stai con me, niente bilance» aveva detto Onofrio.

E l'aveva abbracciata e le aveva sporcato di saliva un angolo della bocca per la seconda volta e poi il suo sguardo luccicante si era propagato attorno, come in cerca di spettatori, per fargliela vedere lui che era il più felice di tutti quelli che guidavano. Doveva essere particolarmente fiero di lei e li coglionava.

Poi lui di nuovo al volante aveva preso a aggiungere storia a storia, l'emigrazione, l'America, la quarantena in porto, la disinfestazione in massa come il bestiame, parlava di gangster, di italie piccole, cappotti lisi – marsine – e poi di colpo di fortuna finalmente. Lei che lo aveva a fianco non capì dove quella fortuna era andata a farsi benedire. Onofrio aveva i lineamenti in forse di uno scalognato a vita. Specialmente quando rideva sembrava buttare terra su altra terra e non si capiva qual era la terra che stava sotto e quella che stava sopra. A Ravenna, una volta riemigrato, aveva ricominciato come spalatore; uno attraversava gli oceani perché era stanco di coprire buche e al ritorno cosa si ritrovava? un'altra buca da scavare; e poi, grazie ai convincimenti di Asdrubale che gli aveva fatto conoscere

Anastasia, era passato dall'altra parte della fossa, quella sopra, e adesso ci pensava qualcun altro. Così si erano sposati, e era nata lei, una neonata di sette chili e quattrocento grammi. Era stata battezzata "di nascosto dal dazio", aveva detto la mamma a Asdrubale... E a lei, da un anno e mezzo in poi, aveva cominciato a dire che era stata sventrata per lei, e che adesso di bifide ne aveva due.

A mezzogiorno erano arrivati fra montagne e neve e abeti disabitati. Era passato prima in una pensione, aveva buttato lì una frase esorbitante, "tre giorni coi pasti", e a lei aveva detto di aspettarlo lì, che si sbrigava alla svelta, che poi avrebbero telefonato alla mamma e mangiato eccetera.

L'aveva aspettato sino alle tre del pomeriggio nella cameretta col matrimoniale, guardando fuori dalla finestra, e lei non aveva mai visto la neve prima. Si sentiva pronta a qualsiasi sacrificio, ma non era la parola giusta.

Era la prima volta in una vita, e poi avrebbe attaccato con le seconde. Suo padre le era sembrato un perfetto estraneo quanto un altro, un ideale.

Doveva essere un piccolo villaggio quello, o una grande città bassa e nascosta da qualche parte insieme alla sua gente, perché non esisteva tracciato di strade e tutto era così ugualmente bianco in alto e in basso. In giro dovevano esserci altre stanze con la stufa a legna, perché dentro al bianco c'erano grigi di fumo monotoni. Ne seguì uno per un bel po', perché era diverso da tutti gli altri, e ne fu stupita: era bianco, ma ciò che la colpì come un presagio senza senso fu che non era possibile che il bianco si stagliasse nel bianco, mentre quel fumo là sì. Poi finalmente arrivò quello più sbuffante del tubo di scappamento. Aveva fame e le gomme americane erano finite.

«Adesso telefoniamo e le diciamo che siamo qui. In vacanza. Ti piace qui?» e aveva fatto così due volte coi palmi sulla coperta per provare le molle del materasso. «Tu e io a pattinare.»

«*A pattinare*?»

«Correre sul ghiaccio con le scarpe speciali, come in televisione, come in Alaska, baby.»
«*Beby*?»
«Quelle ballerine con le piume di struzzo sul capo e i lustrini sui costumi.»
Pensò che suo padre doveva sentirsi male. E che non doveva essere tanto facile nemmeno per lui accostare la lingua biancastra e gelatinosa alla coda rossa della bocca di una figlia.
«Ma io non sono mica capace.»
«Come no? Ma se sai stare persino sulle punte e fare la giravolta! E come ti squassi tutta. Ti ho visto, sai, nel garage, indiavolatona!»
«Ho fame.»
Evitava di chiamarlo papà. *Indiavolatona* era un complimento come *bastardona mia* o una brutta parola?
Al telefono Anastasia era furibonda, ancora cinque minuti e avrebbe avvisato la polizia, il maresciallo Codebò.
«Vado a pattinare con il papà» aveva detto Teodora guardando il perfetto estraneo che con le labbra tirate e orlo giallognolo dei denti buttava fuori terra su terra per dare a intendere che rideva fuori da sé.
«Ma quale papà e papò, gh'a te vegna 'n... Passamelo subito, che ci sono due clienti in un colpo. A pattinare! Tre giorni! L'arteriosclerosi!»
Onofrio cercò di spiegarle che si sarebbe arrangiata comunque, c'era il Sindaco, e di farsene imprestare uno dalla "Riposinpace", che era solo due giorni, che la bambina stava bene e era contenta e si pesava. L'aria di montagna, l'ossigeno...
Teodora lo sorvolò con la rassegnazione di chi sente dire bugie a fin del proprio bene. Ripensava assorta al tono di quella frase risentita, "ma quale papà e papò!". Ma come quale, questo qui, il suo, quale altro, il perfetto estraneo a portata di mano che ti fa provare a fumare.
Onofrio restava sempre in ascolto con la cornetta stac-

cata dall'orecchio, in un pulviscolo di forfora, poi passava la cornetta a lei e lei di nuovo a lui. Teodora disse sempre "sì". "Sì" leggeri come interi discorsi di un uccel di bosco. Fu una telefonata molto lunga e agitata, sempre a ripetere le stesse cose, e le cotolette di maiale con le patate che si stavano raffreddando sulla tovaglia di plastica a quadrettoni rossi e bianchi. Suo padre era riuscito alla fine a piazzare una frase intera, una sintesi covata forse per milioni di badilate:

«Ma che vadano al diavolo anche senza di me» e c'era una strana gioia nella voce informe, non del tutto corposa, che sbagliava tutte le note osando l'esultanza di mettere uno stop. Poi si fece dare un grappino e le disse, baby, se ne voleva uno anche lei, per scaldarsi.

Teodora aveva già attaccato la sua cotoletta, senza levare gli occhi da quell'uomo che le proponeva gli alcolici e guardava in su, verso la visiera del cappello e ritornava al tavolo con passo dinoccolato in una spensieratezza sempre più faticosa. Non aveva mai camminato così, era da film degli indiani. Tirò su un piccolo sorso dal bicchierino svasato con su due prugne.

«Sai che cosa s'intende per *prugna*?» buttò lì lui, ridendo delle sue boccacce. Quante volte Anastasia le aveva raccomandato di non andare in giro in automobile con suo padre, che aveva le crisi epilettiche? Una all'anno, e per fortuna sino a ora fuori dalle onoranze, e che nessuno lo sapeva altrimenti sarebbe stata la rovina, immagina il carrozzone che sbanda a metà viale e...

Teodora non era tanto sicura che nessuno ne fosse al corrente e che gli importasse qualcosa delle crisi e quando e come. A lei, quando c'era dovuta andare dietro a quello del preside, non sarebbe dispiaciuto se il funerale diventava una gimcana. Ma Anastasia passava il suo tempo a prevedere il peggio, a mettere argini a piene che per altri sarebbero state solo rigagnoli o a ricamare burrasche future. A forza di arginare, Anastasia era più che mai in balia di se stessa e il resto aveva perso le sue difese naturali. Era già una rovina, e malgrado ciò si prosperava. Peccato che si potesse prosperare meglio.

«Incosciente!» era stata l'ultima parola che le aveva gridato al telefono. «Teodora, ti raccomando, fatti mettere immediatamente sul treno e raggiungi la stazione più vicina in taxi e... Ma dove siete di preciso?»

"Pensione Stella Alpina" non era difficile da ricordare.

«Io non lo so. C'è tanta neve» era un altro modo per articolare un "sì" e dall'altra parte sentì un mancamento di naso.

«Passami Cofani» aveva ordinato lei. Il cognome del marito lei lo usava come quando con l'ultima munizione si vuol far intendere di avere ancora tutta una cartuccera.

Erano i soli clienti della "Stella Alpina", gli altri dovevano essere tutti via a sciare, a pattinare, o non esserci affatto – Onofrio non toccava cibo, Teodora vide quanto era pensieroso e le porzioni davvero piccole. Chissà quante altre bambine avevano fatto lo stesso viaggio quella mattina con lo stesso cadavere al volante dirette alla medesima destinazione di un altro. A fine pranzo, si sarebbe rimessa un po' di rossetto.

«Sai quanti ne ho accompagnati in vita mia?»

Lei faceva fatica con coltello e forchetta vicino all'osso, tutto era improvvisamente troppo fuori di lei, scivoloso, concreto, con una sua materia non assimilabile, non subito. Afferrò delicatamente la cotoletta fra pollice e indice. *«Quanto costa?»* Lui la guardava insicuro fra inappetenza e risoluzione di portare fino alle estreme conseguenze un desiderio grottesco come rinascere un po' prima di morire.

«Senza l'America, quattromila e duecento circa. Uno che vive ha il diritto di essere stanco morto con un mestiere così. Peggio di una talpa. Ci divertiremo,» non c'era punto di domanda nella voce adenoidale. «Dài, altrimenti pattiniamo con la luna.»

Andarono a piedi. La città esisteva. Teodora stringendosi nel cappotto di zibellina col cappuccio si fermò davanti a quella che era proprio una vetrina piena di sezioni di tronchi tirati a smalto da cui si diramavano corna di stambecchi e di cervi. Onofrio le stava dietro e anche lui, nel riflesso del vetro, apparteneva all'esposizione di teste recise con l'occhiata sgualcita e folle. Lui allungando la testa sulla spalla le chiese qualcosa a proposito della biancheria, intima, se aveva portato con sé le mutandine o altro, di ricambio, e che se no ce le aveva lui da darle, della mamma. Teodora fece di sì col mento, guardando davanti a sé nella vetrina. Onofrio era una goccia nera che non c'era bisogno di inseguire, che non andava da nessuna parte, che stava, anzi, come l'orma a portata del piede. Poteva venir scambiato più per suo nonno che per suo padre. Forse lui sentiva che presto avrebbe accompagnato se stesso, sarebbe sbandato, perché occupava i due posti principali del carrozzone, si sarebbe schiodato andando a sbattere contro un cipresso o un paracarro e prima voleva togliersi lo sfizio di pattinare. Sembrava, lì dietro a lei e lì dentro fra gli addobbi e gli uncini della vetrina, così alto e magro nella palandrana carta da zucchero, uno che ritornasse da molti luoghi contemporaneamente senza aver trovato un buco di suo gradimento e diretto a un posto della mente simile a un fuoco fatuo, portandosi dietro tutte le sue storie senza capo né coda, una pappetta, un passato di verdura, tralasciando gli intervalli degli svenimenti e delle botte alla nuca e del sangue che fuoriesce dalle orecchie. Lei l'aveva visto qualche volta che aveva avuto la crisi, definita epilettica per fare alla svelta e non toccarlo. Gli epilettici non si toccavano, bisognava lasciarli dov'erano, anche se sbattevano la testa sul pavimento tante volte più del necessario, Anastasia diceva, che doveva ritornare in sé da solo o pace. Poi Onofrio restava malinconico per giorni, quella malinconia consapevole e testarda che intralciava ogni istante della febbrilità di sua madre, che non aveva tempo da perdere, dietro a quanti l'avevano perduto del tutto e una buona volta per sempre. Onofrio perdeva tutto un po' alla volta, ma sembrava senza fondo, la sua fossa non era mai scavata abbastanza. Anastasia le chiamava crisi epilettiche ma potevano essere dei semplici salassi naturali in una costituzione per niente cagionevole, e poi mica sempre cadeva sul duro e anche se ci cadeva, sotto la forfora doveva averci fatto una specie di callo-cuscinetto.

No, non aveva ancora nessuna voglia di accompagnarsi, si serviva della morte come altri vecchi delle caramelle per attirare i bambini, le caramelle essendo al liquore bisognava diffidare. No, non era l'incolonnamento mesto di un rito, era una pantomima, ma Onofrio ci teneva tanto e lei vi si sarebbe uniformata.

Anche Anastasia si uniformava a ogni rito, giudaico o mussulmano o cattolico, e ne mimava i gesti esterni, da conoscitrice delle pretese comuni della polvere religiosa. Bastava non farne parte, non crederci e ogni rito *era* una pantomima. Già il nome dell'impresa, "Resurrecturis", denunciava la sua totale indifferenza: se l'era fatto consigliare da don Basilio per non tradire con qualche slogan sbagliato la sua ripugnanza per l'al di là. Anastasia avrebbe preferito "Passalà" o "Pussavia": non era convinta che sarebbe toccato anche a lei, e poi era un bel giro dell'oca passare di là per stare sempre di qua, lei non aveva tempo da perdere, e poi tutta quella gente lì che in un colpo solleva i coperchi delle bare e si ritrova tutta nuda davanti a tutti... No no. Se i dentisti si curavano i denti gratis e avevano le migliori dentiere del mondo, e i fornai avevano il pane gratis e i medici erano dispensati dal raffreddore, che beneficio in più si poteva avere a essere impresario di pompe funebri se non *quello*?

E ecco che i pattini le vengono infilati seduta su una lunga panca di legno sotto grandi lampioni asimmetrici che illuminano a giorno l'accecante tardo pomeriggio; altri uomini e bambini se li stanno misurando accanto a lei, c'è un banco all'aperto per il nolo, ma quasi tutti ne hanno di propri. Teodora oppone una timida resistenza per educazione, le sembra un preliminare superfluo. Non ce l'avrebbe mai fatta a fingere di non aspettare, di non rendersi conto. Nemmeno a prendere un taxi e poi un treno, e non perché non disponeva di soldi.

Decise di aver fiducia; lui aveva così bisogno di sentirsi vivo un'ultima volta, e a lei una prima volta mesmerica né piaceva né dispiaceva, era dovuto. Il sesso, tanto, era il sesso degli altri.

«È facile. È come danzare. L'equilibrio lo devi dare per scontato. Non volevi fare la ballerina da grande?»

«La mamma voleva che io facessi la ballerina. Io da grande voglio stare seduta» e si sistemò per bene sulle sue pietre.

Lui rise, scoprendo sino in fondo il tartaro del suo malessere travestito. Non avrebbe mai più imparato a ridere come un vivo.

«Fatti onore, ricordati che porti il nome di un'imperatrice!» disse lui, parodiando Anastasia. Il laghetto davanti era fregiato di fantasmi filiformi che s'intrecciavano senza fine nella basilica radente del ghiaccio. E cos'era quell'odore improvviso di bestia macellata, da dove proveniva? La sensazione andò, indiscriminatamente, a disegnarsi sul mosaico in una melagrana, tanti chicchi lasciati cadere su un sentiero per ritrovare la strada di casa. Era difficile tener dietro a tutte le fiabe.

Teodora abbassò la testa, forse si era ferita inavvertitamente, forse stava perdendo sangue. Invece niente sangue. Aveva una candela a cernecchio sul labbro e era troppo presa dai pattini e dal risucchio della lingua sul muco per rendersi conto che voleva dire essere una ballerina imperatrice nel circo delle aspettative di una madre di origini pietroburghesi – ma Anastasia, quando andava via da sola, non aveva mai inviato una cartolina da un posto così, e nemmeno da Leningrado, sebbene ogni volta dicesse che stavolta ci sarebbe andata sul serio, e esibiva il depliant dei luoghi dei suoi *avi*. Aveva un modo di esprimersi a volte, sembrava recitasse un testo a memoria o che qualcun'altra le ventriloquasse le corde vocali. Una volta c'era stata una cena alla quale era intervenuto il geometra Antemio con la moglie semicalva e il fiorista, al quale Anastasia aveva fatto l'invito a voce trattenendo due volte il fiato. Aveva fatto tirare fuori la posateria d'argento e spolverare il grande quadro anastatico con le bambine accoccolate come margherite appassite attorno allo Zar e alla Zarina. Il fiorista, che dilatava le narici quando parlava e risucchiava in dentro le guance inventandosi una stizza aristocratica di tipo partito preso, aveva detto che la vecchia Rakam, si diceva, era una delle tre figlie naturali di madre sconosciuta e figuriamoci i padri, e che era tipico di chi non ne ha vantare le proprie origini, e che le era andato di volta il cervello quando si era accorta di essere non una giornalista ma una giornalaia, ecco perché aveva ceduto la licenza e lasciato andare in malora il botteghino e faceva la barbona... Era stata l'unica volta che Anastasia non aveva acchiappato al volo l'argomento dando sfogo al suo odio, subitaneamente rintuzzato in una gentilezza sfinita. Normalmente, in un caso analogo, con incredibile prontezza di riflessi, avrebbe agganciato i parenti agli *avi* con nostalgico umidore. Da lì in poi la conversazione sarebbe stata diretta da lei, sullo stesso tema ma sempre un po' più piccolo, come quella odiosa bambola di legno che ne conteneva un'altra, perché poi, raggiunta la sagoma appena visibile dell'argomento, lei potesse far colpo lasciando capire una remota, non impossibile regalità... In quanto alla bambola, era stato un regalo con l'invito a dimezzarsi della metà della metà.

Adesso Teodora, passando un polpastrello sulla lama di un pattino calzato, chiese:

«Perché la mamma ce l'ha su tanto con il mese di ottobre?»

«È tutto quanto sa della rivoluzione e non glielo si può togliere. È sempre ieri, per lei. Quando non sa che fare maledisce quel mese lì. Dài, adesso alzati, prova.»

La prese per un braccio, c'era tremore nella stretta, in effetti si stava appoggiando a una maniglia senza tener conto che avrebbe finito per spalancare una porta aperta.

«Perché si ostina tanto? Io non mi sentirò mai russa.»
«Chiedilo a lei. Cosa ti senti?»
«Niente. Aria.»
Era la più bella delle nazionalità. Lì e adesso poteva permetterselo, era dicembre, senza Anastasia. Ma subito pensò al rientro, e che un altro ottobre con la rivoluzione non sarebbe più arrivato e che lei sarebbe stata condannata a vivere per tutta l'aria della sua vita in una specie di residenza, palazzo d'inverno per eremite, a fare i conti con quella gigantografia e quattro icone per stanza, più svariati poggiapiedi *ucraini* ricoperti di damasco sottile come carta velina e ventagli tarmati dentro cornici di lacca cinese, per tacere del samovar elettrico che Anastasia usava per fare il nescafè ai cortei. E che ne sarebbe uscita solo il giorno in cui avrebbe saputo pronunciare bene "je suis", perché Anastasia, ahimè, il russo non lo sapeva ma la figlia il francese doveva impararlo, perché a lei non avevano insegnato nemmeno quello.

Eppure Anastasia era la prima a non prestare la minima attenzione a tutte queste cose e tradizioni *di famiglia*, mentre pretendeva che su di lei e sugli altri agissero come un cappio allentato attorno al collo, tipo uomini avvisati mezzo salvati.

Il fardello di quel passato russo-romagnolo non la riguardava affatto, sembrava che sua madre l'avesse riscattato da un monte di pietà per conto terzi per poi buttarlo sulle prime spalle a tiro. Ma una madre è una madre e le spalle fanno parte di una figlia. Onofrio non le era stato di nessuna utilità per chiarire la propria mancanza di curiosità, Teodora si atteneva a un contegno di discrezione esperito, per comodità, come un contratto.

Una volta aveva sentito Anastasia rimproverarlo giù dal pianerottolo, e gridava ferita, una ferita plastica, con fondali evocati dall'ampiezza delle braccia tese entrambe: «Te non sapresti distinguere un'icona da una figona», disse esattamente. Stare in alto le donava, aveva un debole istintivo per le scale. Litigavano spesso, anzi, solo lei. Lui guardava in alto e piegava la schiena un po' di più. E alla fine si permetteva di scrollare le spalle. Era la sua ultima parola. Lui le spalle era l'unica parte che era riuscito a tener fuori dal matrimonio. E siccome Anastasia non voleva sentire niente della sua *corsa all'oro* e che era ritornato dall'America "senza il becco di un quattrino più becchino che mai", così lui soprassedeva quando lei, in vena di puntini sulle i, tirava fuori il nonno insediatosi a Ferrara con la famiglia e morto insieme a suo figlio, padre di Anastasia, nella bonifica dell'Agro Pontino. E la nonna, la mamma di Anastasia? Anastasia aveva tratteggiato la malaria da cui una figlia di dama di compagnia era stata infettata, dal marito, rientrato in fin di vita – si sa, i doveri coniugali non erano proprio un chinino... – con gli incanti dovuti alla cronaca di un'incoronazione all'ultimo minuto. Onofrio cambiava stanza, e una volta che lei era al secondo piano le aveva persino detto: «Io e te sappiamo dove ci siamo conosciuti. Io, te e Asdrubale. La dacia, la dacia!» Asdrubale, il padre di Marietto con tante efelidi, aveva fatto da testimone alle nozze di Anastasia con Onofrio Cofani. C'erano ancora foto in giro, anche usate come zeppe per le poltrone del nuovo impero. L'altro testimone non se lo ricordava nessuno all'infuori di Anastasia, o non ne parlavano volentieri, eppoi la cerimonia era scattata di sera. Era stato il Camerata Albigian, già quasi sotto falso nome, il solo uomo che la mamma avesse mai amato veramente, un amico fidato, un confidente, per quanto introvabile nelle foto sull'altare, o a distanza di tempo irriconoscibile anche per lei stessa, molte volte invisibile a tutti, lei compresa, un gentiluomo che non badava a pane bianco e a calze di seta. Era stata l'unica volta che Anastasia indulgeva in una fiaba con la figlia. Il Tenente Albigian viveva *alla macchia* come in una botte di ferro, con gran dispendio di mezzi e di protettori, era stato a Fiume con il Sommo Vate e adesso era attivamente ricercato da parecchie polizie di tutto il mondo, ma era anche l'unico anti-comunista serio, per questo... Teodora si provò a fare un po' di calcoli, anche se odiava la storia: doveva esserci molta gente in giro che la tirava per le lunghe, anzi, per le lunghissime a diventare altrettanti clienti. Ma non si poteva fare la tara alle fiabe... «No, non era una dacia, e allora?» aveva scagliato giù lei al piano terra. «Se ti va posso anche far attaccare dei manifesti ai muri. Te, alla mia bifida, ci devi tutto. Se fosse per te, saremmo ancora qui a piangere pane.» Tutto sommato andavano abbastanza d'accordo. Era la copia di una coppia, erano una coppia. Ben assortita, non fosse per questa incomprensione di fondo sulle *origini* dell'una e la fine, chiamata sogno americano, che aveva fatto l'altro. Entrambi vi si aggrappavano senza alcun bisogno apparente, pareva a Teodora, come naufraghi che per avidità di nuova disperazione scambiano la terra ferma con l'antico mare dal cui relitto si erano messi in salvo in modo irreversibile. Si alimentavano l'un l'altra della tracotanza dei falliti di successo.

Fu Teodora, ora, a aggrapparsi alla manica della palandrana e si alzò in piedi, con una sensazione gradevole di lasciar sopra la panca le pietre dentro in più. Un senso di vertigine l'avviluppò in un turbinio di brividi spumeggianti, privi di malignità. Si mise a ridere forte, tentò di rimettersi subito a sedere, lui la trattenne dandole una spinta verso l'alto, prendendole un seno nel palmo della destra. Lei rimase in bilico sulle lame fendighiaccio, le caviglie un po' in fuori, e da qualche parte una fisarmonica prese a suonare una mazurka per accompagnare questa sensazione di squartamento che ritornava. Sentì il cuore batterle forte e che no, non era un di più adesso che sapeva di averlo.

Una bambina graziosa e minuta la vide da lontano e le si avvicinò con grande eleganza di movenze nei fianchi e nelle braccia, e le fece un amabilissimo sorriso di superiorità. Teodora le fu grata di prestarsi al ruolo momentaneo di rivale, si sentì meglio equipaggiata per l'impresa. Lei era abituata agli ammiccamenti delle magre che potevano permettersi di fare tante cose con il collo, ma mai come ora sentì l'importanza del suo, incassato, che smistava gli enormi battiti. Lei non si era mai sentita ridicola come avrebbe desiderato per lei Anastasia, e non era per paura di diventarlo che non si decideva a staccarsi del tutto dalla manica con i tendini profferti di uno che bisognava aiutare a sostenersi. Avvertì che suo padre desiderava tanto che lei scambiasse il suo senile sdilinquimento per una spensieratezza del carattere celata per forza di cose da una vita. Sentì anche che il disagio, l'infelicità di lui non lo allontanavano dalla sua determinazione, ma che facevano parte della questua, come la voce rotta di un mendicante. Teodora temeva le leggi della fisica, non altro: la lastra di ghiaccio non avrebbe retto, lei sarebbe sprofondata fra i flutti e lui se la sarebbe sbrigata facendosi cogliere, spensieratamente, dalla sua crisi epilettica annual-mensile, lei sarebbe annegata per dare una mano a un vigliacco. Ebbe la sensazione di scorgere Anastasia ora qui ora là, da diversi punti del paesaggio chiesastico, sempre con le braccia sollevate in un'invocazione, scuoteva testa e ginocchia, fraseggiava minacce in pubblico a Onofrio per dissuaderlo, che la bimba si sarebbe rotta il bacino o un femore, che la pigrizia era la sua disgrazia, altro che le ghiandole, l'abulia per comodità, e per ribellione a lei, che si dannava l'anima per garantirle un futuro rose e fiori e che, basta con tante menate, lei sua figlia la voleva indietro indivisa.

Si staccò dalla stoffa e socchiuse gli occhi: vide la signorina Scontrino sbattere le ciglia impettita, con la bacchetta in pugno mentre con l'altro faceva girare la manovella del grammofono, altra sua mania anti-moderna. La musica che dalla lezione si abbatté sul laghetto la scosse in profondità e le fece temere il peggio. Si chiamava Wagner e era troppo anche per una bimba senza nessun orecchio per la musica, a parte bossa-nova, twist e cha-cha-cha. Teodora sentì uno svenimento progressivo del corpo, e Anastasia con le sue grida e i suoi scongiuri non riuscì più a coprire gli stridori possenti nella palestra con lo specchio grande tutta la parete, stridori della signorina Scontrino che le imponeva busto, testa, gambe, tutto dritto e di più e meglio. Anastasia non era donna da accontentarsi di gridare e basta, se non interveniva doveva essere impedita da una ragione più forte di lei, non poteva rinunciare a dare manforte. C'era solo una spiegazione possibile: Anastasia lì, malgrado ammiccasse dalle finestre fra gli alberi, doveva non esserci affatto. Per questo non si rassegnava a non poter scendere in strada e stava forzando lei a darle una presenza anche lì, nella neve e nel ghiaccio e fra le fronde da cui i suoi occhi incandescenti di assenza saettavano senza darsi pace un punto di viola più brillante del tramonto.

Anastasia reclamava di essere ovunque Teodora fosse, Teodora non poteva scomparire per più di dieci minuti senza dirle dove andava e perché e quando sarebbe rientrata, e se non era meglio se la faceva accompagnare, anche per il bagno. Sua figlia era l'ultima roccaforte di un alibi dell'esistenza per il resto smantellato e provato del tutto falso. Con lei attorno o reperibile, Anastasia sapeva di poter contare in ogni istante sulla propria buonafede, che quel che faceva lo faceva a fin di bene; nei momenti più intensi della sua ansia isterica riusciva a concepire per sé un giustificativo con su il timbro dell'innocenza. E adesso Teodora era scomparsa, ma lontano da lei, non come quando era vicina a lei. Il vento stesso da Ravenna trasportava fin qua un'angoscia livida, senza cognome, di una donna con le spalle al muro, una madre senza la figlia di cui a suo tempo avrebbe fatto volentieri a meno, ma Anastasia era cresciuta sotto l'educazione di Mimì, una maestra e altro di vita che tuonava contro gli aborti e che bisogna essere proprio sceme sia a restare incinta sia a non saperci restare, e Anastasia, quando Teodora era venuta al mondo, questa se l'era tenuta per vedere quello che si prova a non mandare i figli per sempre a balia... E adesso che Teodora era fuori dal raggio del suo mondo, la madre scatenava burrasche lontane per giungere a lei almeno sotto forma di brezza e involarla.

Adesso Teodora guardò papà e papò con una supplica diretta, più facendo da tramite a una istigazione elettromagnetica della madre, e Onofrio, colpito da un lontano etere, stava già per rassegnarsi e rifarla sedere e toglierle quei pattini per far immediatamente ritorno a casa. Girò la testa da un lato, riconobbe l'espressione della padrona in contumacia nelle iridi che Teodora senza volerlo le prestava e lui singhiozzò l'ammissione di una voglia inebetita, che non voleva sentire ragioni, perché la vita stava finendo. Si vide davanti il carrozzone già in viaggio, con la sua bambina pigra e disgraziata e provocante, la scatolina intonsa di "Can-can pour Elle" che lui le aveva procurato in una merceria di lusso che teneva le taglie forti, a lei, complice mancata di qualche ora di dissolvenza dei sensi prima di accompagnarsi definitivamente o, appunto, rinascere... Quel corpo di Teodora grande come un attimo di giovinezza. Lui poteva perdervisi come in un'infanzia da congiungere al momento estremo e lei l'avrebbe non respinto, come una madre dotata di una benevolenza in più da elargire e da nascondere poi per sempre nell'adipe muliebre e smemorato degli una tantum...

Teodora capì tutto questo, poco confusamente: ebbe la visione di vedersi con gli occhi del padre scivolare via dalla portata del suo braccio, le gambe che stentavano a stare raccolte, il senso di biforcazione totale della sua persona che si schiantava esattamente a metà sulla lastra, le due metà che si separavano per sempre pattinandosi via l'una dall'altra, che non si sarebbero ricongiunte mai più, dimentiche l'una dell'altra fino a che ognuna non avrebbe sentito l'imperiosa vaghezza di ogni entità in sé intera. Si riprese in un baleno: voleva convivere tutta in sé, rinunciando al destino delle femmine che è quello di essere o metà o una e mezza. Si disse che poteva far fronte a qualsiasi cosa senza pattinare via nessuna parte di sé, e che la mente non era un acciacco da curare con la femminilità, anche se era una donna. Aprì gli occhi e si accorse che pattinare era la cosa più facile del mondo, come girare su se stessa sulle punte se eri da sola nel garage-ripostiglio. Ghiaccio invece di linoleum, abeti invece di pezzi di lamiera. E cominciò a pensare di fare uno scherzo a Anastasia che continuava a scuotere l'aria e a inveire ritorsioni congelate fra gli aghi di pino: escluderla, lasciarla dov'era, a Ravenna. Passò leggera e stranita accanto a questo e alla bambina-artista e poi arrivò Onofrio a braccio teso e girarono in lungo e in largo per ore, tenendosi per mano, finalmente soli: Anastasia era stata definitivamente fugata, staccata dalle fronde come una serie di pupille natalizie e rimessa dentro la scatola marina della non appartenenza al paesaggio di montagna.

Era la prima volta che Teodora lo vedeva così inesausto, così poco scheletro. Correndo, lui riprese i ghiacci eterni, si dilungò daccapo sull'Alaska, dove in gioventù era stato a caccia di animali favolosi per una ditta di pellami e a sognare Parigi – ? –, le slitte, le renne, gli orsi bianchi, le foche, gli iglu, eschimesi, castori, notti senza buio, giorni senza luce. Era come se soltanto adesso svuotasse il sacco della sua cacciagione e rivelasse al mondo un'identità tardiva, più vicina al concime generale dei sogni che non alla radice particolare di una realtà. A lei non importava molto che lui la credesse così ingenua da spalancare gli occhi nei momenti giusti, lei sapeva qual era il colore predominante dei suoi pensieri a merletto, e che questo escludeva che poi fosse approdato a Parigi, ma lui non avrebbe mai ammesso di essere sbarcato a Ostenda e di essere stato solo a Bruxelles. Teodora gli regalava la sua meraviglia come un'estrema unzione.

Onofrio era stato un estraneo, un'ombra di notte sulla porta della camera da letto di Anastasia, che dormiva da sola, un'ombra sempre ricacciata indietro e senza scuse, che aveva bussato per anni invano nelle ore più crudeli dopo ore dell'insonne pregustazione del castrato. Di lui Teodora non sapeva nient'altro se non quello che vedeva: che si spazzolava le scarpe da sé, che spesso mangiava da solo in cucina fuori orario, che si consacrava in garage alla sua fiamma ossidrica, che talvolta giocava a dama con il Sindaco, uno il cui unico merito era di essere stato eletto vice-sindaco per la sua parlantina e di aver conservato in seguito i diritti civili, patente compresa. Era anche al Sindaco, un retore nato, che Onofrio mostrava più volentieri le sue sculture, pezzi di lamiera e ricambi raccattati in giro e saldati assieme con religiosità. C'erano tutte le stazioni della Via Crucis, non meno di tre tonnellate di ferramenta, tubi di scappamento, valvole, marmitte, fanali, un volante per fare la Maddalena. Il Sindaco elargiva le lodi, sebbene le automobili le preferisse intere e di buona marca, e in cambio Onofrio ogni tanto gli faceva guidare il carrozzone. Onofrio non aveva altri amici fra i vivi, e anche il Sindaco era ormai una via di mezzo. E adesso, d'un tratto, aveva accanto lei, Teodora, frizzante, quasi canterina, accaldata e fresca, acerba e piena, inaccessibile e pronta, un tabù che ti dà una mano, la dolce figlia che resta imprigionata nella retina qualche istante in più quando un padre la consegna a un marito e deve sorridere, la vita stessa che si riallaccia a te per il fatto di dirti addio per sempre ma dicendotelo a letto... Un marito non sarebbe stato d'accordo, ma Onofrio era al colmo della morte, inebriato e del tutto incontentabile, la buca si chiamava "Stella Alpina", stavolta e lui ci stava dentro in luna di miele.

Mangiarono delle salsicce con la senape e continuarono a pattinare sotto la luna sino alle undici in un'infinità di incantesimi portati e riportati via da un coro di pattinatori. Quando fu il momento di restituire i pattini al chiosco, la loro intesa era tacita nei minimi particolari. La luna era rossa, presentava il culo di tre quarti e non sapeva che altro fare, forse protendere lo spicchio oscuro e aspettare di venir falciata del tutto. Se le sarebbe provate davanti al fuoco del caminetto.

Teodora fu la prima, e la sola, a riconoscere l'energia vendicativa di una portiera che veniva sbattuta poco lontano.

La reale Anastasia stava là ritta, a gambe divaricate negli stivali, militarmente là, una furia in garitta, una leonessa pronta al balzo e allo sbranamento, immobile, in attesa che anche Onofrio si girasse per scaricarglisi addosso come un fulmine a ciel sereno.

Teodora non fece in tempo a reggerlo o a spingerlo verso la catasta di sdraio appoggiate contro la parete di fusti del chiosco. Onofrio prese a fremere e a dibattersi in piedi, e poi era crollato a faccia in giù sopra un ceppo e schiumava bava bianca sempre più rossa dal naso e dalla bocca. Anastasia gli frugò nelle tasche, tirò fuori una scatolina e dalla scatolina il paio di mutande rosse, traforate, le scagliò lontano. Gli era andata bene.

E un'altra considerazione di Teodora fu che Anastasia non era una che stava agli scherzi e che non era una mamma di spirito. Era carne della sua carne, e che erano un'ubiquità inscindibile.

Qualche tempo dopo il Sindaco fu definitivamente integrato nell'impresa con funzione di autista a cottimo. Scambiava il volante per un microfono, il carrozzone per un pulpito e il clacson per una *claque*.

Una sera arrivò *brevi manu* un altro messaggio in busta ceralaccata della signorina Scontrino, una raccomandazione e un'informazione, e dopo un paio di settimane fece la sua comparsa un'altra collaboratrice domestica, l'Amilcara del vaglia, sbucata dal nulla, da Reggio, con ogni probabilità in seguito a quella busta, quando Anastasia non aveva più bisogno di essere convinta di "venire incontro a un'infelice provata dal destino, ma che ha scontato la sua pena ed è una cuoca eccellente". La casa era diventata "una gabbia di agitate" (Anastasia) e la gabbia andava più che mai a gonfie vele, c'era un po' di esultanza e non era male passare dalla "miseria della vita" e da "quando è venuta la propria ora" che per Anastasia era l'ora degli altri, a quei sughi deliziosi in tavola, quei brasati di asino, il gelato al rabarbaro e alle sbarre di meringhe, all'alchermes – un'iniziativa di Amilcara che non finì di stupire la padrona di casa...E un bel giorno Teodora di suo, a un gesto di Brunilì fuori dal riquadro senza vetro della finestra al primo piano, ci mise solo le mani per raccogliere a cesto la vestona: ne cadde dentro una melagrana secca a modo suo utile come un segno interpretato per il verso giusto.

Anastasia non c'era e Teodora raccontò la cosa a Amilcara, quasi per scusarsi di non averle mai raccontato altro.

Amilcara non stava più in sé dalla contentezza, contò su un cedimento di Anastasia e telefonò subito al numero del parrucchiere-estetista-di Ferrara, perché non stava bene farsi vedere lì in città per una donna con un lavoro così. Teodora per telefono ripeté alla madre la storia della melagrana, e Anastasia faceva tacere il phon e la baciava tre volte in fronte e tre sulla bocca, dimenticandosi di uno sulla guancia per Amilcara. Poi le disse anche, già che c'era, di star dietro un po' a suo padre, che con la fiamma ossidrica non incendiasse garage e casa.

Onofrio ormai viveva perennemente là, esautorato su una sedia a rotelle e sulla branda accanto, in contemplazione delle sue "Il Santo Sepolcro", "Pasqua" o "Resurrezione" e le rare composizioni profane, tipo "Pasquetta". Il Sindaco, con una scusa o con l'altra, era sempre impegnato al volante anche quando non c'erano funzioni, faceva dei sopralluoghi, e Onofrio aveva imparato a giocare a dama da solo.

Da Ferrara Anastasia rientrò più massaggiata e turrita che mai, impeccabilmente contrita e mortificata, pronta al lavoro, e con altre due icone, una chitarra tutta manico e un cucciolo, un mastino napoletano nero petrolio che voleva far addestrare dal Tenente Albigian non appena sarebbe riuscita a mettersi in contatto con lui o con uno dei suoi emissari. La balalaica era per Teodora, e anche il cane, e tutto, tutto intorno era per lei, per la sua testardona. Teodora era così passiva di fronte ai regali che Anastasia le specificò quale dei due serviva per imparare a suonare e quale, un giorno, per difesa personale. Ma non si scoraggiò: era piena di progetti, così effervescente, sebbene compressa per professionalità, che dei fini ribelli le scintillavano persino sulle punte delle unghie. Ora, còlto finalmente il bandolo dell'unico piano possibile contro la Rakam, già passava alla definizione di un disegno ulteriore, più vasto in cui teatrare alcuni intrighi di qualità superiore fin lì interdetti al suo debole per le trame complicate. Si vide con automobile blindata e cane d'attacco sbaragliare quelli che nelle magioni entrano sempre dalla porta principale. Era la rivincita della... Qui la visione di Anastasia scoppiò.

La funzione principale di Amilcara, oltre a stare in cucina, era di ripulire Onofrio Cofani, diventato incontinente, e il suo giaciglio, e aveva ripreso, seppure nella sua selvatica opulenza di donna nel fiore degli anni con capelli neri sciolti all'annegata, l'ombra che questi aveva lasciato vagare sul corridoio e i cardini sordi di Anastasia. Tutto della selvatichezza di Amilcara restava intatto, dal corpo all'ombra. Di notte anche loro due avevano cominciato a bussare vanamente piano alla porta e a far rintronare nel silenzio delle prime ore i passi a piedi nudi dell'uno che mandava avanti l'altra.

Siccome Anastasia non voleva togliere a Onofrio l'unica passione o passatempo rimastogli nella sua progressiva idiozia – la fiamma ossidrica e i rottami –, fece rivestire il garage di pannelli di stagno e di resina anti-incendio, dando prova che la generosità è quasi sempre frutto del senso pratico di togliersi un pensiero.

Teodora non si stupì di udire nel mezzo della notte una melodia salire dal sottoscala: quello che Amilcara stava zufolando con tristezza infinita era "Il tango delle capinere", quello preferito dalla signorina Adelaide. Poi passò al "Tango della Lima", una roba non peruviana, per specialisti. Amilcara aveva un solo difetto nell'ugola crepuscolare: fischiava arie appassionate per poi scoppiare in una risata spudorata, quasi equina, tutta per conto suo, e il sospiro finale volteggiava su per la tromba delle scale, come una ripicca. In quella casa, chi per una ragione chi per l'altra, vegliavano tutte e tre, prefiche a modo loro, fisse su lacrime mummificate, toccandosi la pancia.

Tutto doveva essere cominciato con una tazza di brodo all'ora giusta. Anastasia aveva chiamato Teodora e con l'aria più naturale del mondo le aveva detto:

«Prendi, porta su il brodo a Brunilì, povera crista anche lei. Sta' attenta a non rovesciarlo per le scale, sono marce.»

Anastasia sapeva che la porticina sulla strada era chiusa con il chiavistello e che era impensabile varcarla persino per l'ufficiale giudiziario e l'assistente sociale. Teodora non usciva volentieri di casa, stava tutto il giorno a gonfiare palloncini colorati e poi li faceva scoppiare con una spilla da balia. Anastasia la seguì fin sul portone e rimase in attesa, sicura che la figlia sarebbe tornata indietro con la sua tazza di brodo sfumato. Erano intanto trascorsi tre minuti buoni. Considerò la lentezza e la goffaggine di Teodora che doveva tenere le braccia tese davanti a sé. Trascorsi cinque interminabili minuti andò sul portone e vide che Teodora non c'era più e che la porticina stava dischiusa. Anastasia vi sgusciò dentro, ma i cardini avevano cigolato come bestie al terremoto e uscì difilato. Molto destino stava a bagnomaria in quell'acqua calda e dado, e Anastasia sentì di essere quasi interamente nelle mani commoventi di un handicap.

Non si sa come né quando, ma Teodora in cima a quelle scale di legno tarmato c'era arrivata davvero, svincolandosi nello stretto labirinto di pacchi di giornali tenuti assieme da spaghi allentati o rosicchiati, riviste in bianco e nero e marrone, il tanfo della carta vecchia e umida e dei colori sbiaditi nell'aria, e quell'aria che usciva dai muri, che trasudavano il verde-rame delle notizie non lette, puzza d'orina d'insetti e marciume di larve e carognette in decomposizione, fra scarafaggi giganti che saltavano al suo passaggio impacciato, gonna e maglione che le si impigliavano dappertutto, un fruscio di ali fra i capelli e un paio di pupille gelide su un travicello, e faceva fatica anche a proseguire, e quella scodella da tenere in bilico, e i gomiti che le facevano già male. E in cima alcuni pipistrelli a testa in giù. Avrebbe giurato di aver pestato una nidiata di topolini tanto un passo sprofondò con dolcezza insolita sotto la scarpa. Fra quelle muraglie in bilico forse si erano trasferiti i topi del garage, adesso con Onofrio dentro, e anche lei era sloggiata con il suo sanmartino di samba e cha-cha-cha. Lei adesso aveva il suo specchio in camera e tutto sarebbe stato come prima se Amilcara non avesse disseminato la casa di listelle di compensato con briciole di grana al centro di un cerchio di colla topicida, altrimenti i topi non sarebbero mai stati sfrattati. Amilcara in questo era femminile, quando ne vedeva uno lanciava un urlo femminile e poi si stava a riascoltare per ore, meravigliata di se stessa, e correva al cespuglio di salvia e ne staccava una foglia da sfregarsi su denti e gengive, certo una specie di esorcismo o di pro-memoria.

Finalmente era arrivata in cima alle scale, un gran dolore alle scapole, ma con la scodella integra e un po' fumante. Sul pianerottolo c'era un ammasso di assi farinose, l'archetto di legno e il ripiano dove una volta la gente appoggiava i soldi, c'era anche la porticina che stava sotto l'archetto, e da lì Brunilì aveva preso la gobba. Brunilì, abbassandosi, l'apriva e chiudeva mille volte al giorno perché lei stava sempre a guardare sulla strada, come in eterna attesa di una notizia definitiva, quella che non aveva ancora avuto dalla stampa o che non aveva ancora riconosciuto per tale. Guardava nella speranza di vedere finalmente prender corpo in lei un desiderio da desiderare. Poi doveva esserle successo qualcosa di grave, tirò fuori il canarino giallo dalla gabbia e lo sostituì con una civetta con mascherina. Aveva forse capito l'abisso fra giornalista e giornalaia e l'aveva preso per buono?

Teodora bussò. Nessuna risposta. Poi aveva sussurrato:
«Compermessoooo.»
Niente. Forse doveva alzare un po' la voce:
«Brunilì, ti ho portato il brodo da parte di Anastasia.»
Teodora si stupì di poter parlare tanto e senza essere stata interrogata. Anastasia continuava a rimproverarla di fare la sordo-muta e che certo per lei rispondere era una perdita di tempo perché doveva rinunciare a masticare qualcosa...
Era entrata nella stanza adiacente dove adesso i giornali toccavano il soffitto o comunque la sovrastavano pencolanti e minacciosi. Era una vera e propria foresta di carta con scricchiolanti sottoboschi in fondo ai quali vide farsi largo la luce del giorno e lei, la vecchia striminzita imbacuccata in un mucchio di stracci maschili e di coperte. Era in piedi davanti alla finestra rotta e le presentava la schiena. Stava incollando con impasto di acqua e farina bianca un foglio di giornale sul riquadro senza vetro. E contemporaneamente lo stava bisbigliando dalla a alla zeta. Doveva certo essere così assorta da non averla sentita, non si decideva a girarsi. Brunilì finì con calma il duplice lavoro e poi si girò, dando l'impressione che non tutto girasse con lei, che la matassa dei capelli ritti color ruggine restasse al posto di prima, come se Brunilì non avesse un davanti e un didietro. Nella faccia Teodora non vide niente che non avesse già visto nella nuca. Era come se Brunilì – ammesso che quella fosse un'espressione e non una messa-in-piega feroce – ritornasse da un giro del mondo, delusa, annoiata dal voltafaccia di una mola che presenta sempre lo stesso raggio da qualsiasi punto la si osservi e per quanto le si giri attorno. Era feroce e tediata.
«Metti qui. Prendi. Per domani. E questo è per te, come al solito.»
Teodora fu turbata da quella novità presentata come un solito. Da un arbusto piantato dentro un portapacchi per biciclette la vecchia strappò un fiore di carta plissettata

colore granata. L'arbusto era senza foglie, senza niente all'infuori di quei fiori infissi con gli spilli nella corteccia dei ramoscelli lanternuti. Si gelava là dentro.

Teodora aveva fatto un dietro-front con il mal di mare, il fiore in una mano e un pezzo di carta patinata piegato in quattro nell'altra. Quando Anastasia dischiuse il pezzo di carta destinato a lei e lesse, il naso emise un rantolio di disappunto, un sospiro taurino. In questo sforzo di compiacere a qualcuno fino in fondo dopo tanti anni di indipendenza, seppur vincolata a un fantoccio di marito, Anastasia, soffocando i suoi istinti di giustizia sommaria, sentì per la seconda volta in vita sua qualcosa disannodarsi con violenza all'altezza delle reni, una serpe infinita che sibilava e schiantava sull'ultima vertebra, un virulento colpo della strega, e l'istinto di far tutto con le sue stesse mani, subito, senza rivolgersi a nessuno, vincendo la sua repulsione per il sangue vivo. Sentì di odiare la Rakam da sempre, non meno di quanto aveva odiato donna Dulcis, la perentorietà dei loro capricci era proprio la stessa, e il resto del mondo una filanda dove vengono fabbricati gli esaudimenti. Avrebbe potuto salire su e ammazzarla in quattro e quattr'otto con una scure poco affilata, come quella nipote con una sua zia nubile che si era piantata in famiglia per servire e, per ragioni di età, non faceva altro che farsi servire – oh, al mandamentale Amilcara aveva fatto scorta di begli esempi, e lei stessa ne aveva dato uno, a una certa Grantutto... Il pezzo di carta comandava "Soufflé di formaggi valdostani con strati di pesche sciroppate e noci, velatura di tartufo. Ingredienti per quattro persone... Prendete...". *Quattro*? Vino consigliato: un Riesling non invecchiato, amabile e fumoso, un fiasco, del '68 preferibilmente.

A parte questa imprevista facciatosta gastronomica, tutto fu molto più semplice di quanto anche un fiorista invidioso avesse mai potuto pensare. Il brodo doveva esserle piaciuto, o aveva gradito il gesto, o Teodora le era risultata simpatica. Sembrava proprio che, dietro tutta la rabbia e il disgusto per l'umanità delle gazzette, non ci fosse che questo desiderio da esaudire nell'ex-giornalaia: una tazza di brodo tiepido da una vicina – per aprire lo stomaco, purtroppo. Ci fu quindi una sfilata di fiori di carta plissettata in una mano e di elaboratissime ricette per quattro nell'altra. Amilcara si trovò di punto in bianco a essere un'inviata dal cielo.

Quando dai fiori finti si arrivò ai fiori veri e poi alle melegrane settembrine, Anastasia decise che era ora di stringere i tempi per migliorare la fascia dei clienti. Insieme alle ugoline anatre Belial e alle lepri in salmì alla Berlicche, nonchè ai "rigatoni allamiamaniera" e *à la bourguignonne* d'agnello ma in vino d'Averno, a aragoste alla Belfagor, a dentici alla Caina, gelato alle gemme di saggina, salì un bel giorno anche una notaia fidata e un'Anastasia disposta a tutto precedute da Teodora. Brunilì firmò il passaggio di proprietà guidata dalla destra disarticolata di Teodora, che vanamente rinculava verso il retro del puzzolente labirinto, trattenuta per un braccio dalla madre e stregata dalla stilografica brandita come uno stiletto dall'amica notaia, anche questa raccomandata dalla signorina Scontrino che accennava *en passant* a un eventuale scambio in natura, notaia contro don Basilio, ma con comodo.

Firmò, dunque, Brunilì, e come contropartita consegnò senza dire parola un volumetto rilegato a mano, "I menù di nonna Salomè", dispense da cui si poteva variare i menù fino a zero e più anni A.C. Anastasia l'aveva sfogliato con raccapriccio e benedisse quel giorno che aveva raccolto la supplica con sigillo della signorina Scontrino, che aveva un debole per le anime perse dentro a corpi smarriti che rischiavano di sfuggire al suo controllo e ai graditi regalini di riconoscenza che i corpi fanno per sgravarsi l'anima, e Anastasia era andata davanti al manicomio giudiziario in quella stradina dell'ostia, dietro alla chiesa della Madonna della Ghiara, dove a stento c'era posto contemporaneamente per un'automobile e una matta. E ce n'era appunto una, lì fuori, con una sportina di corda, una mora che andava avanti e indietro vestita di nessuna stagione, e non si decideva a prendere nessuna direzione e guardava dentro a tutte le macchine che la facevano schiacciare contro il muro. Aveva gli occhi bombati come i coleotteri e labbra esangui che potevano essere state ripassate dalla pietra pomice. Lanciava sguardi banali e assassini a tutti gli uomini che rallentavano e sguardi interrogativi a tutte le donne al volante. Era svestita in modo sciatto e formoso, in prigione doveva aver messo su qualche chilo, tutto le stava stretto, e sul fianco della gonna color banana superstagionata la cucitura era saltata e sotto la pelle nuda. Quella donna scarmigliata e probabilmente senza mutande portava però un paio di sandali giganteschi e immacolati, verdi, a scaglie, di vera pelle di serpente o coccodrillo. E adesso, sin dal primo giorno dopo la firma sullo strano vitalizio, insieme a Teodora e al "cerbiatto alla scherano con semi di cumino", salì la prima pozione di *Helleborus*, una spezia insapore, un'iniziativa di Amilcara, sembrava, rintuzzata dai mugugni di Anastasia che continuava a dire "Chissà quando ce ne libereremo". L'encomiabile iniziativa di Amilcara si sposò al gesto di prendere il volumetto, strapparne l'introduzione o "nota del curatore" e di farlo a pezzettini minuti. Era l'unica maniera per avere un merito e fare bella figura e, forse, far avanzare anche il corpo dentro l'ombra.

La sera stessa Teodora sentì di nuovo i passi di Amilcara su per le scale, ma erano diversi, erano tacchi veri e propri, erano i passi di un esattore che va a riscuotere, le sembrò strano, e poi non era ancora notte fonda, e Teodora tese l'orecchio al ticchettio, all'altro, sulla porta con le tre mandate all'interno, in cui Teodora non aveva il permesso di entrare nemmeno per sbaglio. Invece sentì gli scatti delle mandate che ammettevano e di nuovo inchiavardavano. Nel giro di poche ore e con tre fiamme del fornello a tutto gas, Amilcara aveva fatto sue la causa e la casa della padrona. Per lei si sarebbe gettata nel fuoco, le disse la cuoca all'alba, esausta, sopraffatta dalla bestiale resistenza al piacere di Anastasia, che pensava a ben altro... E che, nel caso di autopsie , l'*Helleborus* era quel che ci voleva, insostituibile: non lasciava traccia, altro che la stricnina. Anastasia considerò quante cose si imparano stando al fresco, il veleno, per esempio, che una ottiene trattando opportunamente le *Nazionali semplici.*

Per zelo Amilcara, che adesso buttava fuori la sua risata equina al primo piano, cominciò a viziare anche Onofrio con gli stessi mangiarini, più interpretando una mezza preghiera di Anastasia che un suo chiaro ordine o doutdes. Anastasia sapeva come essere efficace senza esporsi più del necessario con il personale, tanto più se ha scavalcato il letto. La gente servile è intraprendente, un bandolo e alla matassa ci arrivano per conto loro. Il loro problema è farsi ben volere, lei lo sapeva, ah!, e prevenire i desideri senza costringere i padroni a formularli. Per questo lei a suo tempo aveva applicato l'ottusità come mezzo di sopravvivenza in vista del definitivo trionfo. Regolarsi alla lettera, né di più né di meno; sotto padrone niente libere iniziative; *sopra*, strafare a piacere, perché le serve ci tengono e alle padrone conviene. Amilcara era cotta di lei e pensava lei a tutto, dal veleno alle bazzecole. Tuttavia Brunilì tardava a dare segni di morte.

Onofrio, a fine estate, in quel sudario di stagno era diventato una scultura di ossa mobili fra le tante roventi. Evidente che soffriva le pene dell'inferno. Bisognava fare qualcosa anche per lui. Non stava succedendo un bel niente.

Amilcara riprese comunque il suo sottoscala – non più per libera scelta o modestia in agguato, ma perché Anastasia sapeva amministrare ogni concessione di volta in volta, a seconda delle iniziative e progressi delle stesse, e detestava l'eccessiva familiarità dei tic con pretese abitudinarie fuori dal merito. Amilcara viveva – dormiva – in fremente anorgasmicità ragliante, padrona di niente ora che la padrona si defilava al rumore dei tacchi, mentre la serva, paga della propria brama di comprensione, si stimolava enormemente le ghiandole salivari. Era un affetto che bruciava sulla punta della lingua.

Nell'insonnia e negli zufolamenti, quando non pensava al grande corpo scultoreo di Anastasia, meditava il suo eventuale terzo dissanguamento per legittima difesa con l'unica arma che donna indifesa abbia mai posseduto: i denti, e la determinazione a por fine il più alla svelta possibile a situazioni che rischiavano di andare per le lunghe. Al processo – unico perché si trattava di due compari insieme – l'avevano condannata più per il fatto di essere una lesbica inconscia, cosa che lei aveva recisamente negato, che altro. Fuori dall'aula giudiziaria c'era un'orda di femministe disposte a mettere a ferro e fuoco il Palazzo di Giustizia, e invece di un verdetto si emise una perizia psichiatrica, una pacchia per qualsiasi legislazione in difficoltà. Era stata dentro pochissimo, i tempi erano troppo favorevoli perché il fattaccio costituisse reato e non una legittima difesa, per quanto stravagante, e anche perché i giornali di moda dicevano che tanto non si capisce bene che se ne facciano gli uomini di quei cosi lì e che male c'è e che i veri gentiluomini sanno stare allo scherzo. Aveva ricevuto tanti di quei vaglia postali in carcere che era uscita con un gruzzolo che mai e poi mai si sarebbe sognata di mettere da parte facendo la cuoca stagionale a Cattolica. I sandali di vero serpente li aveva comperati dalla Castenaso Grantutto, la sua Tuttamore, che ne avrebbe avuto per un po', lei, col fatto che non sapevano mai se sbatterla nella sezione femminile o maschile e che non aveva appoggi; i sandali erano molto cari, la incuriosivano, erano, come dire, femminili, ecco, era come andare in giro su degli ufo. O avere ai piedi due cazzi a cui far mordere la polvere. Lei sì che aveva staccato le cose giuste al momento giusto... Rispondendo china sul finestrino dell'alfetta a quella signora vestita di visone che la chiamava finalmente per cognome e nome «Sto parlando con Baricella Amilcara?», così affabile e sulle sue nel tepore della carrozzeria, Amilcara – che batteva i tacchi dal freddo e si stava dando della scema – aveva sentito che rimettersi ai fornelli per Anastasia e figlia e marito semi-infermo era la sua vocazione da sempre e salì a bordo del posto fisso pieno di emozioni. Anastasia, che si fidava cecamente della signorina Scontrino, scoprì che valeva la pena di togliere qualcuno dalla strada per farlo entrare di sua spontanea volontà e per un bel po' nella prigione *en plein hair* dei propri interessi a breve e media scadenza. Non aveva fatto così anche il Tenente Camerata Albigian con lei? E non aveva visto giusto, lui e chi era venuto dopo di lui? Lei era stata scrupolosamente all'altezza di ogni raccomandazione, era stato un piacere per tutti darle una mano e, da un certo punto in poi, un pericolo per chiunque non dargliela più.

L'effetto dell'*Helleborus*, riportato da una Teodora ignara afferrata dalla madre per una scapola – a fatica, per via dell'osso risucchiato chissà dove dai plessi di lardo – era stato dei più buffi: Brunilì aveva cominciato a scagliarsi contro il giornale teso sulla finestra e a sfondarlo con la testa per rimettersi immediatamente a incollarne un altro senza smettere di sillabarlo e così via, con la vista che le faceva sempre più male per via della velocità con cui il mondo girava su se stesso nero su bianco, quasi nero su nero. Tanto che i capelli le si erano cementati sopra il cranio come una bustina da muratore – e avevano preso una certa piega, una loro sagoma composita sulle tempie, azzurrine, che sembravano lievitare sotto grumi di acqua e farina. Brunilì non aveva unghie. Teodora non disse che aveva avuto la sensazione di un respiro in più e insolito dietro a una qualche parete di giornali né che Brunilì si era tolta dal reggipetto, se uno ne aveva, due palline da ping-pong e che su entrambe, a pennarello nero, c'era un'acca.

Onofrio, invece, aveva messo su persino qualche chilo e Anastasia passò dalle mezze preghiere a uno sguardo di rimprovero, di sorda amarezza. Amilcara si scusava, non capiva proprio, le *Nazionali semplici* erano state debitamente lasciate a macerare ventiquattro ore nella *Varechina di nove stelle su dieci...* Furono aumentate le dosi di quello che veniva chiamato "il sedativo", o "libera iniziativa". Amilcara in cuor suo maledisse le case di detersivi che si sponsorizzano con le ricette esotiche e, in particolar modo, gli autori delle prefazioni. Perché, e questo Anastasia non lo sapeva, anche Amilcara si atteneva alla lettera e seguiva un testo a memoria.

La camera di Teodora brulicava ora di melegrane vecchie essiccate e nuove spaccate, che rotolavano nei suoi cha-cha, e mai che ne avesse morsa una.

E poi una mattina un richiamo squarciò l'aria:

«Onofrio è puparazzante sul cinofilo!»

Tutte corsero fuori al richiamo monarchicheggiante del Sindaco e videro Onofrio in cortile, senza carrozzella, che faceva le moine a Basilide, entrambi gaudenti nella spruzzatura di nevischio. Quel cane era troppo festoso, non gliel'avevano allenato bene se si lasciava irretire da uno spaventapasseri. E Anastasia concretizzò in un baleno quanto aveva subodorato per tredici lunghi anni: che Onofrio si rigenerava a contatto con la morte e che periva solo a contatto con la vita. E che rifiutarsi di giacere con lui, umiliarlo, negargli ogni possibile contentino per rifocillarlo solo con antipasti morali di *Helleborus* e *Helleborus* medesimo l'avrebbe fatto sopravvivere all'infinito.

Corse in camera sua, che lei chiudeva sempre dall'esterno quanto dall'interno, si cambiò più alla svelta che potè, si spruzzò un po' di *Violetta di Parma* sotto le ascelle e scese giù in cortile, in visone, parata in un'espressione di struggimento incontenibile. Sotto aveva una colata di pizzi rossi. Mise tutta la sua esperienza in uno sguardo e fece cenno a Onofrio di seguirla di sopra, ma lui fece no con il mento. Ormai alle forti emozioni del colpo di grazia da Moulin Rouge preferiva il funebre tran-tran di una vendicativa rassegnazione. Anastasia scomparve di nuovo in camera sua, cocente di rabbia, insieme al suo raziocinante "ho trovato" inservibile, tardivo. Chiamò il Sindaco, gli disse che stando così le cose rischiava di perdere il cottimo da un giorno all'altro. E che si poteva vedere di ufficializzare il cottimo...

«Dipende da te» e gli diede in mano una scatola di Minerva, più che altro per fargli capire di non far complimenti con la fiamma ossidrica.

Anastasia capì che avrebbe fatto meglio a lasciar andare le cose per il loro verso ancora un anno prima, quando era fuggito con Teodora, quella massa grezza di vita da cui Onofrio avrebbe succhiato i miasmi più vitali – un suicidio garantito per lui, e un'esperienza per la bambina, che almeno si sarebbe sbambolata fuori un po'.

Il Sindaco sulla porta della cucina, in seguito raccontò a Anastasia di aver preso la scusa di una partita a dama nella notte – "Orsù, Onofrio, le pedine damanti fra cavalier ruggenti nel sacro delle lamierate passioni", o qualcosa di simile – e di aver poi fatto "il suo dovere". «Il tuo interesse» aveva osservato bonariamente Anastasia.

Era la prima volta che, volente o nolente, per amore del volante passava dalla teoria alla pratica, e la sua mente sconvolta di politico all'ultimo sangue si era tanto esaltata, davanti a quella grande scatola incandescente – e, secondo il racconto, con Onofrio legato alla branda – da perdere, a insaputa di Anastasia, un registro retorico, per l'appunto quello aulico.

Quando arrivarono i pompieri e il maresciallo Codebò, Anastasia espresse in lacrime l'opinione che suo marito aveva voluto cremarsi da sé per non dare disturbo. Furono raccolti un paio di etti di leghe fuse e si riempì un'urna funeraria che, per ragioni di rito perché la cremazione era involontaria, a sua volta fu messa dentro una bara.

A Anastasia non era sfuggito che già all'andata al camposanto il Sindaco, alla guida ormai in pianta stabile, stropicciava con nervosismo un pezzo di carta e stava mandando a mente qualcosa di fondamentale, perché bisbigliava. Lei aveva già avuto modo parecchie volte di ascoltare saggi del suo stile infiorettato e non sospettava che l'aver appiccato l'acqua di un'idea al fuoco di un'azione lo aveva traumatizzato a tal punto da svilire la sua oratoria littoria. E come ricompensa immediata, una volta al centro del camposanto e fattosi da parte il prete, Anastasia con un'occhiata gli diede il segnale di tenere la sua benedetta omelia. Il Sindaco diede un colpetto di tosse, si scatarrò ben bene le corde vocali – non l'aveva mai fatto prima, Anastasia temette una sputata per terra –, dispiegò il suo pezzo di copione e prese a leggere con voce squillante, senza esitazioni:

«Per il miglioramento economico del becchino nel contributo per l'asilo ansiani è una domanda attibile per continuasione di volontà maligna e non contingensosa opportuna. Gli autisti non sono commestibili per dare di più come ambito di situasione sociale e elevassione di giusto criterio di caso momentaneo...»

Quella era una vera e propria perorazione bolscevica, forse il Sindaco sotto sotto era un francotiratore e improvvisamente, forte di un possibile ricatto, rivelava la sua vera natura, un comunista emiliano malgrado i tre decenni di fedeltà alla Casa e il giuramento di servire la causa del Maestro di Predappio a rischio della propria vita... Un rinnegato, un voltagabbana... uno che adesso sentiva di avere il coltello per il manico, un infiltrato... Anastasia lo fulminò con quanta ira poté, ma ormai il Sindaco era slanciato nello sfruttamento a tappeto della sua grande occasione e non se ne poteva più arrestare il manifesto tradimento radicale. I macellai, i droghieri, i notai, gli avvocati, i commercialisti, i maestri di scuola e i professori di Teodora, le suore, gli assessori, le autorità tutte, gli inviati delle sezioni combattenti non partigiani, i quattro presuli di Salò – i camerati Amba, Rabà, Cicì, Cocò –, tutti erano paralizzati e non credevano alle proprie orecchie, qualcuno levò i tacchi degli stivali rimessi a lucido, scandalizzati da quel comizio di chiaro segno partitico internazionalista, così fuori luogo a una tumulazione.

«... e estinsione di strusionismo e equilibrio oniformalmente atomico e ogetività tangensiale sopperibile per collimare carense settoriali nella lottissasione e coperture di esse medesime...»

Il vecchio parlatore nel suo discorso di quaranta e passa minuti recuperò tutto il suo passato mai venuto alla luce di sindaco emiliano classico post-bellico e dimostrò di saper toccare tutte le corde del sentimentalismo di massa e con ogni modestia rinunciava a pronunciare la zeta per non sconvolgere le certezze del popolo, la zeta essendo, insieme alla erre moscia, lo strumento linguistico principale per opprimere e sfruttare il proletariato, il sibilo dei padroni... Anastasia fremeva di sdegno, una serpe in seno, ecco cosa s'era covata, a chi s'era rivolta: a un moralista inquadrato nella ninna-nanna di Nenni. Parte di questa considerazione ebbe un senso in quanto non la tenne per sé ma la passò al geometra Antemio, il quale la divulgò seduta stante come un proclama in sordina, un tentativo di Anastasia di prendere le distanze almeno fra i sicuri vassalli, per rassicurarli che lei in quello sproloquio comunista non c'entrava per niente, anzi, era tutto un imprevisto. Il discorso del Sindaco lasciò dietro di sé e nelle anime più semplici un vuoto tormentoso, impressionante come un pugno di mosche. Questo pacificò Anastasia, che se ne fregava delle anime semplici e aveva a cuore la fiducia dei suoi, tanto che pensò fosse solo un allocco e un buontempone, non una spia, e alla fine si asciugò una lacrima, e chi di dovere seppe che era di natura indissociabilmente sabauda. Ma a lei il sospetto che lui avesse ucciso per fare bella figura altrove, e non con lei, non passò mai più.

Il maresciallo le fu di gran conforto sin dall'inizio dell'inchiesta e ritornò a riconsolarla per alcuni giorni senza staccare però gli occhi da Teodora, poi Anastasia si chetò e adesso veniva solo il figlio diciassettenne del maresciallo Codebò a porgerle i saluti del padre. Glieli porgeva dalle due alle quattro e mezza del pomeriggio. Poi fu un vero e proprio via vai di amici del vitello di Codebò che passavano, da soli o anche a due per volta, senza degnare Teodora di uno sguardo, a scambiare quattro chiacchiere con la vedova in gramaglie e in camera. Anastasia faceva sempre più fatica a trovare pretesti per spedire Teodora e Amilcara in giro per qualche urgente e improvvisa commissione, come portare messaggi chiusi alla signorina Scontrino che abitava dall'altra parte della città, nell'eremo in centro – e Amilcara era molto sorpresa di trovare la signorina Scontrino così fredda con lei, dopo che l'aveva raccomandata tanto, e Amilcara, che chiedeva notizie della sua Angelina, a balia chissà dove, si sentì dire dalla signorina Scontrino che era meglio se ne faceva un'altra, invece di pensare agli angeli. Cosa aveva voluto dirle? che era al corrente che in prigione aveva preso il *vizio*? che era imperdonabile passare da lesbica di famiglia a lesbica pubblica? da inconscia a conscia? e che l'aveva radiata per sempre dalla sua protezione?

Anastasia non dette mai la minima spiegazione sui suoi giovanissimi visitatori e nessuno aveva bisogno di sentirsi dire che, *in fine*, erano tutti clienti futuri come gli altri e che lei gli stava solo usando un certo riguardo d'anticipo.

Anastasia in quell'inizio di primavera sembrava essersi del tutto dimenticata dell'affare Rakam, delle proprie mire espansionistiche. Si alzava con un'ottusità nuova nelle membra, un languore che le restituiva di giorno in giorno la vecchia sicumera dell'infallibile bellezza ritrovata. Sì, era proprio un sollievo ritrovarsi vedove completamente. Anastasia rifiorì, se mai ce ne fosse stato bisogno, e il suo naso trionfava per tutte le occasioni che le si presentavano di farsi valere nella sua specialità di orifizi suppletivi. Era grazie a esso che Anastasia doveva fare continuamente scorta di cacao e di meringhe. I clientini presero a consultare i depliants con la sensazione di trovarsi fra legni di liquerizia e maniglie di cioccolata più confezione adeguata e che il bello della pasticceria doveva ancora venire. Un altro biglietto della signorina Scontrino alludeva al fatto che Anastasia stava perdendo tempo e che era ora di finirla con la baldoria; allegato, un opuscolo della Clinica "A Lume di Naso" di Bologna, e, sullo stesso, oddio, un salutino estemporaneo del Tenente Albigian!

Il Sindaco fu inviato dallo stesso sarto che aveva confezionato il tutù di Teodora, e che aveva bottega nel retro di un negozio di paramenti sacri, nella zona del vescovado. Il Sindaco esibì un ritaglio di giornale: un signore in doppiopetto pied-de-poule, calvo, faccia da ippopotamo congestionato e occhi ranocchiosi. Il Sindaco lo voleva tale e quale l'Onorevole, più berretto della stessa stoffa, e i guanti pure. Non volle sentir ragioni, e grigio metallizzato, alla Pininfarina, per conciliare l'eleganza parlamentare, seppure evocata, alla severità della guida estrema, al cui compito si considerava ormai deputato per sempre, che a Anastasia piacesse o no.

Un giorno che la pozione così poco mortale per Onofrio doveva essere stata particolarmente abbondante, Brunilì si rizzò sulla sedia, poi sul tavolo in una nuvola di polvere e dall'alto fece volare a terra un doppio foglio di giornale. Smontò con trasognata destrezza, lo raccolse e lo porse a Teodora, affinché lo leggesse e poi lo incollasse lei stessa alla finestra. Agli occhi della golosissima vecchia doveva essere un regalo regale, da regina che abdica a principessa incoronata, un addio protocollare. Teodora lesse a alta voce solo il grosso trafiletto e poche righe: "Svelata la millesima profezia di Nostradamus sulla decadenza senza fine della Provincia: tale Bertino Primo salirà al soglio pontificio e tutto finirà come una bolla papale di sapone, il mondo indietreggerà dall'organico all'inorganico, nessuno si accorgerà di niente e la morte continuerà più di prima a trionfare sotto sedicenti spoglie mortali. E, la vita, diventerà una congiunzione che non congiunge più niente. *No comment* del Papa, che dichiara... ". Seguivano quattro colonne.

C'erano due vassoi che andavano e venivano e lei non era tenuta a aspettare che Brunilì finisse i suoi sproporzionati pasti per quattro. Sapeva che mai e poi mai doveva favorire né assaggiare niente delle vivande, perché Brunilì era una fattucchiera capace di tutto, anche di avvelenarla. E era strano come in quella stanza, malgrado tutti gli arrosti di Amilcara, persistesse un odore di lesso con contorno vattelapesca.

Anastasia non intendeva affatto cominciare i lavori di ristrutturazione dopo un'altra primavera. Fu con un polpettone di elefante lasciatosi morire d'inedia nell'entourage di Moira Orfei di passaggio, inviata dal cielo in città, e pistacchi – l'ultima delle ricette sfiziose rimaste nel libro custodito da Amilcara – che la segosa, smorfiosa, coriacea vecchia rimase finalmente incastrata nel foglio della profezia incollato alla finestra da Teodora stessa e mai sfondato prima, la testolina incatramata di biacca penzoloni sulla strada foriera di desideri non riconosciuti per tali nemmeno in ritardo.

Anastasia, torreggiante e a testa bassa, andò lei stessa dal Violacciocca, insaccato in una leziosità che non trovava sfoghi mondani adeguati, a ordinare una corona di gigli e fiori di cappero con la fascia:

A Brunilì, le sue adorate Anastasia e Teodora.

La civetta privata di mascherina si abituò subito a casa Cofani – seppure Anastasia fremesse per ripresentarsi al più presto con il suo nome di ragazza... – come a un ambiente ideale e stimolante, poiché nel frattempo i sorci avevano fatto una rimpatriata generale e ormai s'erano abituati al frisson civettuolo. Ne acchiappava a decine, quasi avesse capito che la sua sopravvivenza era inscindibile da un certo spirito di iniziativa su implicita istigazione del padrone, e nel tempo libero si faceva portare a spasso da Basilide, in attesa di qualche automobile che togliesse a qualcun altro il disturbo di farlo fuori. Latina era l'ultimo dei nomadi domicili coatti con piscina e pista d'atterraggio del Tenente Albigian, il quale fece sapere che, adesso, in vecchiaia, pensava di dedicarsi alla pedagogia pura.

Anastasia pensò alla solita telefonata anonima, dopodiché ebbe l'illuminazione che, proprio per questo, non poteva essere uno scherzo, che non poteva essere stato altri che lui, si fa per dire, in persona.

Al funerale – uno sparuto corteo di ex-combattenti, della Resistenza questi, e altri bocciofili e giornalai e robivecchi e barboni che tagliarono via prima della messa –, Anastasia e Teodora furono non poco stupite di imbattersi nella signorina Scontrino dal vivo per la prima volta dopo quella sfuriata di due anni prima. La signorina indossava un delizioso taierino con cocolla color crema, un clergyman di Cocò Scianel, con fularino stessa tinta e teneva in mano un breviario che a Anastasia non sembrava di vedere per la prima volta. La signorina Scontrino, come sempre, sapeva molte cose e era un'ipocrita famosa: approvò in pieno la scelta di Anastasia di prendersi cura di un'excarcerata e, confondendosi in modo chiaro abbastanza da far capire di essere confusa, disse, prodigandosi di farsi piccina nel limite delle poche possibilità che le restavano, di aver messo una croce sui laghi, cigni e giselle e che adesso seguiva un corso di ragioneria serale dalle sorelle laiche della "Protezione della Giovane e della Nubile", e che intendeva passare a una branca molto nuova del *sapere*, ovverossia della *gnosi* – Teodora notò che la signorina Scontrino faceva uso di certe parole come Anastasia di *avo* –, in cui anche un'insegnante di danza in pensione poteva trovare la sua strada, un futuro. Si chiamava "Informatica" e c'erano già due consorelle, missionarie, arrivate fresche fresche da Silicon Valley – un posto in America, oh, molto arieggiato – con un video dentro cui c'era un nastro avvolgibile con *tastiera* a parte. Questo *video*, invece delle normali immagini sui vermut, dava tutte le informazioni *a comando* (?), per esempio tutte le entrate degli aiuti al Terzo Mondo già divise per cereali, barbabietole, medicinali, maschere a gas e dischi di Betty Curtis etc., seppure in via teorica, perché, una volta introdotte nel *programma* le spese delle feste di beneficenza sostenute per raccogliere i fondi, il *monitor* era andato in *tilt* e bisognava aspettare ancora un po' prima di inserire gli aiuti, diretti presupposti delle feste... Per farla breve, era la scienza del futuro – Anastasia rimirava il breviario, la rilegatura dorata con screzi verdi: dove mai l'aveva già visto? –; premendo un bottone si potevano sin da ora sfamare milioni di infelici, seppure in via contemplativa (Anastasia a questo punto disse a Teodora di incamminarsi che l'avrebbe raggiunta subito) e dare un'occupazione cristiana anche a un'ex-qualcosa come lei. Anastasia la fissò e ognuna delle due contò gli ex dell'altra. La signorina Scontrino ne aveva parecchi di più: si fece pallida e osò sfiorarle il dorso della mano destra. Anastasia sapeva bene cosa volesse dire, riconosceva il vecchio coccodrillo che arrivava in punta di piedi all'alba quando i corpi erano più porosi e più inclini a incominciar la giornata lavorativa e lei aveva la scusa di leccare quelle incinte dicendo che portava fortuna alle nasciture...

Ora la signorina Scontrino aveva, al solito, una storia da raccontare che non aveva mai raccontato a nessuno, "nemmeno in confessione" aggiunse. Tangheggiò:

«Solo voi, donna Anastasia, potete togliermi dallo spergiuro. Vivo in uno stato di sacrilegio che mi dilania il cuor.» E le strinse forte la mano quanto poté. Nessuno l'aveva mai chiamata donna Anastasia e nessuno le aveva mai dato un "voi" così plurale. La signorina Scontrino capitolava definitivamente di fronte all'indiscussa supremazia della discepola di una volta, discepola e protetta, donna di peccato e di ritrosia, un ventre di delizie che glieli aveva lasciati strappare a lei i cordoni ombelicali, e con i denti – e la signorina Scontrino era già scomparsa coi bebé a Bertinoro, da una sua balia fidata... Anastasia era così giovane allora, entrambe le volte aveva pensato a un caso di emergenza... Accecata dal freddo sole di marzo e dall'impressione per quei titoli, inalò la rivincita per la quale tanto aveva fatto e predisposto e atteso: la signorina Scontrino riconosceva ufficialmente in lei una femmina di rango, una donna *qualcuno* per tacita e avvenuta acclamazione universale. L'investitura aveva valore indiscusso perché le veniva conferita dalla massima autorità portaparola del popolo: una sguattera passata dai lavandini ai tavoli e dai tavoli ai letti e dai letti alla cassa, una vecchia ruffiana riabilitatasi con la messa e il catechismo, il balletto russo-argentino e il timor di dio, cioè del diavolo, e lo sfarzo inaudito di un voto di carità che lei voleva mettere a frutto.

Anastasia non si diede della arie lì per lì, capì che il rango era venuto da sé al di là dei suoi propri meriti, che i decenni di caparbietà, di volontà ordinatrice delle energie contrarie del mondo erano ben poca cosa di fronte all'aspirazione più oscura dei vivi che delegavano la signorina Scontrino all'incoronazione: subire violenza e da ciò riconoscere i propri capi. La signorina Scontrino stava lì come un'arcangelo gabriele, già con sul capo la cenere della vocazione altrui al martirio. Anastasia avrebbe ascoltato la sua storia, l'avrebbe condannata quel tanto che bastava per essere tenuta in considerazione e subito dopo le avrebbe dato una ragione – il magnanimo "non farlo più", la valigetta ventiquattro ore del pentimento – e annessa come collaboratrice domestica sottopagata, felice al solo sentire la voce della padrona.

La signorina Scontrino non la pensava esattamente così, era la solita tiritera se è nato prima l'uovo o la gallina e se conta di più chi battezza o chi è battezzato.

La storia della signorina Scontrino era semplice: anche lei andava in giro di notte a frugare nelle immondizie in luoghi della città dove era del tutto sconosciuta e così aveva fatto la conoscenza della Rakam e si passavano le informazioni... Che questo incontro fosse fortuito e non celasse invece una parentela, fu un sospetto taciuto da Anastasia. Bene. La signorina Scontrino sognava di trovare prima o poi *una cosa*, viva, e questa cosa, *viva*, era stata invece trovata da Brunilì, che non sapeva che farsene, in un cellofan perforato, il cordone ancora gonfio di sangue ma ben annodato, e le due donne – sorelle? – erano entrate in trattativa. La signorina Scontrino era disposta a tutto per aver*la* tutta per sé, con la disdicevole differenza che Brunilì aveva delle pretese così assurde che non si capiva cosa mai avrebbe potuto soddisfarla nel baratto. La vecchia Rakam era inumana, disse la signorina Scontrino, una lavativa che non aveva più desideri di sorta, non sapeva che chiedere in cambio, temporeggiava. Intanto già era stato necessario mettere in frigor la cosa viva, o giù di lì. Finalmente erano arrivate a un compromesso e, sì, avevano sbrinato e lessato la cosa ex-viva e poi divisa in due parti uguali come avrebbe fatto Salomone, e la signorina Scontrino era tutta sottosopra perché non sapeva ancora che contropartita avrebbe preteso Brunilì, se qualcosa per lei o non, piuttosto, qualcosa contro l'altra. Finché Brunilì aveva sottratto il lesso, dopo averglielo messo sotto il naso, e le aveva chiesto di *fare* e *mangiare* il *garum piperatum*. E lei non aveva avuto la forza di sottrarvisi... Era in peccato mortale, lo sapeva, Santa Romana Chiesa non ammetteva il *garum piperatum* per accompagnare la carne umana. Ecco, adesso era nelle sue mani, che disponesse interamente di lei, e la signorina Scontrino rimise le sue unghie blu sporche dell'ultimo terriccio nella mano candida e callosa e neutra più che mai di Anastasia, che gliela strinse per la frazione di un attimo, quanto bastava per significare che il patto era stretto e che, senza dover smettere di portare il bustino di stecche di balena né il fularino in testa né camminare a passettini quasi incrociati, aveva fatto bene a chiedere protezione a lei, *donna* Anastasia, che per adesso le rimetteva i suoi peccati di gola e intanto avrebbe visto per un eventuale futuro in cui la signorina Scontrino non dovesse rinunciare ai suoi pallini, per cominciare al fularino biancogiglio, avvolto invero in maniera molto artistica, né, seppur con misura, a ritorni di fiamma del palato... La signorina Scontrino le baciò la mano davanti a tutti i comunisti cattolici che si avviavano fuori dal cimitero e fece una mezza genuflessione, che dà sempre carisma. Poi sollevò il volumetto rilegato.

«La dispettosa sapeva che poteva fidarsi di voi. Avete seguito scrupolosamente tutte le sue istruzioni. Di voi, sì, donna Anastasia, che ci si può fidare! Ecco quello che desiderava Brunilì Rakam: essere suicidata. E ha scelto voi. Non poteva fare scelta migliore. E ditemi: come viene su la bambina? Speranze?»

Anastasia aprì il libro all'introduzione e la signorina Scontrino vi appoggiò dentro un'unghia per indicare il paragrafo delle istruzioni all'*Helleborus*, e poi corse via, voltandosi indietro, agitando una manina ossuta, come un becco d'uccello senza ali. Ma allora l'*Helleborus* non era stata un'iniziativa di Amilcara! rientrava nell'accordo culinario! Appena a casa avrebbe controllato il volumetto e, nel caso, l'avrebbe interrogata.

Un'altra vipera in seno? Le serviva una confessione, prima. Continuò a seguire con lo sguardo la signorina Scontrino, che adesso saltava sulla Land Rover delle consorelle.

Anastasia quella stessa *storia*, con poche varianti, la conosceva senza saperlo sapendola senza conoscerla da almeno venticinque anni, e anche lei aveva contribuito con un paio di capitoli al settimo e al nono mese. Adesso le seccò solo di aver pagato la balia per niente fino a tutto il '55.

Una volta sistematasi sul sedile della Land, un pensiero stravagante solcò siderale il folle lardo della signorina Scontrino: "Quando Berta filava!" Aveva omesso le origini maialesche della sua storia. "Il Sagrato", "Il Vagito", "Bel Suol d'Amore", bettole di mandriani e donne di passaggio, a Piangipane e altri paesotti, ère fa, alcuni sgnoccolamenti: la prima, che non voleva, e l'ultimo, perché stavolta non ne voleva proprio più, e un porcodio, di sesso femminile questo, a distanza di soli undici mesi, un andare e venire di neve in neve, intrugli di ortiche e aghi per maglia, niente, ostia, niente, uno sgravarsi all'Epifania piantando il tutto lì, nelle porcilaie dietro la posta dei cavalli e dei muli, scappando, si fa per dire, di nuovo in cerca di fortuna, di un destino più consono, di un vero uomo per Capodanno...

Finché un bel giorno non si era svegliata invidiosa di quei pasti ai maiali e si era sentita l'acquolina in bocca: era diventata una porca fatta e finita e decise di passare dal trogolo al banco del buffet... Ma *l'origine* era un concepimento di nessuna utilità all'uomo, che a volte farneticava pensieri superflui nella sua smania di non accontentarsi della sua sonante porchezza, e che l'ipotesi di un principio ordinatore era una preoccupazione delle beghine senza canonizzazione non il concreto venire al dunque delle Sante, che sanno quanto il cilicio si sposi con le pubbliche relazioni. Fu quindi contenta di sé: senza malizia, era riuscita a tralasciare dalla sua storia i perché, vale a dire le *origini* che, notamente, contraddistinguono e determinano la perdita delle povere diavole. In quanto alle palline, be', ne avrebbe parlato solo con questo don Basilio, per il quale c'erano consorelle che facevano la coda dai tempi del noviziato e che Anastasia aveva sottomano...

Anastasia, raggiungendo Teodora, sentì emanare da sé un fluido nuovo, una fumigazione di riconoscimento popolare lungo il viale dei cipressi in fondo al quale stava aspettando il Sindaco, pronto a balzare dal carrozzone e a aprire marzialmente in pied-de-poule la portiera dell'alfetta. Anastasia l'ignorò, come fosse stato un trombettista dell'Orchestra Casadei, montò e si girò su un fianco, prese il tozzo collo di Teodora e l'attirò a sé.

«Ah, la mia bella principessona addormentata!» e le schioccò un bacio sulla bocca. Sentiva che era soprattutto grazie a Teodora se ora veniva chiamata a compiti più alti che non dare suggerimenti sulle fodere e il legno. E che avrebbe edificato un impero.

Teodora non le confidò che mentre se ne stava andando per lasciare Anastasia e la signorina Adelaide sole, era stata sicura che la signorina, lasciandole cadere ai piedi una pallina con sopra un'acca, l'aveva sottoposta a un interrogatorio orientativo, istintivo, su cosa lei non riusciva proprio a sapere.

Una volta a casa, Anastasia ordinò a Amilcara di consegnarle immediatamente il menù avanticristo della Rakam. Amilcara si schermiva, diceva di averlo buttato via, nel fuoco. Figuriamoci, era stata una delle prime case a avere l'impianto a gas!

«O il menù o fai fagotto e non ti fai mai più vedere. Noi non abbiamo fuoco in questa casa.»

Amilcara si risolse a ridarglielo, mancante com'era della prefazione per amore dell'iniziativa a tutti i costi. Anastasia la sfuriò per essersi fatta beffa di lei, seppure al solo fine di soddisfare un tic di prigionia. Era tenuta a avvelenare la vecchia, doveva solo attenersi alla lettera e correre dal tabaccaio, altro che inventare intrugli di recluse che facevano passare il tempo!

E lei, Anastasia, che si era lasciata andare a godere tanto per niente!

Mai come quella notte la signorina Scontrino riuscì a fugare alcune altre tenebre dal suo sogno ricorrente, poiché anch'ella ne aveva uno: non era la scalinata del *Movenbién*, quella, e quelle che andavano e venivano non erano semplici lavoranti di quindicina. Sogna di essere addormentata e giace sui gradini di quello che forse è un antico santuario, e sogna di sognare di star salendo una scala, dio quanta gente, ma la scala è davvero esagerata, per forza, arriva fino in cielo! e è lei la sola a salire indefessamente, altro che redenzione dai peccati e a casa, sale, sale, e tutti quelli che stanno facendo lo stesso percorso o con lei o davanti a lei o dietro a lei se li rivede alla propria sinistra che precipitano di nuovo giù, preopinanti decaduti. E quella parola, *ziqqurat*, che brillava al neon dentro il suo sogno, da dove l'aveva presa? e perché quel chiosco di latte di cocco? Certo doveva essere stato durante la ritirata dall'Abissinia, quando strada facendo aveva fatto un giro con le altre a Assuan o in Metropolitania o giù di lì... Ma il più bello veniva adesso: nell'attimo in cui intravedeva il campanello luminescente sulla porta di casa del Padrone Finale, sentiva *ping!* e dava un colpo di reni in avanti: qualcosa le si era infilato sotto le gonne, mio dio, e cercava di farsi largo, di entrare nel... Un'insetto rotondo, mai più un topo o un pipistrello... lanciava un urlo e con la mano frugava sotto la gonna e... Una pallina da ping-pong! Ma dove voleva andare, così frenetica, come dotata di vita propria? e perché faceva solo *ping!* e restava lì, a mezz'aria, senza concludere la propria parabola e cadere giù? E che significato avevano quelle lettere, *W*? *Y*? *H*? *H*? Dove era restato il *pong*? Che cosa c'era scritto su quel campanello a cui non arrivava mai? E quella pallina, oscena, che voleva dire quella benedetta pallina pomodorita? Al risveglio sentì che quelle lettere impronunciabili formavano un fuoco ardente chiuso nelle sue ossa: la Parola. E che tutta lei stessa era l'ingegneria escatologica di quel suono terracqueo. Perché quella notte, per la prima volta, sul campanello era riuscita a leggere il titolo del signore: *Ing.*, ing. e basta; non era molto, ma era da quando Berta filava che non aveva aggiunto niente di meglio al sogno. Era come aver fatto terno sulla ruota di Dio.

Nel basso ventre Teodora avvertiva da un po' di tempo un nuovo movimento che non era intestinale, una specie di annunciazione di cose finalmente solo sue. Meglio tardi che mai, ma non si aspettava grandi cose, padrona come si sentiva solo della propria carne e affittuaria per il resto – se uno ne esisteva dubitava seriamente – delle straordinarie trepidazioni di Anastasia. Una volta appreso a far buon viso a cattivo gioco, questa espressione di tolleranza filiale si era rivelata una buona arma, l'unica per scoraggiare col tempo sua madre dal vergognarsi pubblicamente della sua obesità, un'obesità sempre più ineffabile e uguale solo a se stessa. Nel giro di un anno, dai quattordici ai quindici anni, era quasi raddoppiata in larghezza e però aveva allungato il collo di due centimetri. Il senso di beatitudine che la prendeva nel seguire l'ago della bilancia spostarsi adesso fino a oscillare sui centoventi-centoventidue chili si era trasformato nell'orgoglio di un'avvenuta assimilazione di sé grammo dopo grammo. La sua mente – simile a un orizzonte spoglio di ogni altro elemento che non fosse luce totale senza un suo prisma – elargiva benevolenza a tutte quelle "tonnellate di cagarella congelata", come Anastasia la definiva a tavola quando c'era gente. La cerchia dei commensali fissi adesso si era allargata: oltre al geometra Antemio, da tutti chiamato "architetto" da quando aveva ristrutturato l'impresa, c'era don Basilio, storico delle superstizioni e delle eresie, e altro, che Anastasia aveva messo sulla strada della valle di lacrime di coccodrillo della signorina Scontrino, presente anch'ella, il vice-assessore all'edilizia, la notaia sempre, la più femminista delle consorelle consociate, un paio di uomini politici "di seconda segata" (Anastasia) e pertanto influenti e anche loro non staccavano gli occhi di dosso da Teodora, e il signor fioraio del negozio accanto, che aveva una funzione terapeutica su Anastasia, anzi, taumaturgica, sebbene lei adesso dicesse che se lo teneva buono "perché non si sa mai" e certo voleva prima o poi mettere nel sacco anche lui, per via della cessione della sua parte dei muri o per bastonarlo a piacere senza vedere il sangue. Il Sindaco dava una mano a Amilcara, aiutata da personale volante, a servire in tavola e a sparecchiare, ma era un inetto per natura: dopo aver stropicciato una volta un Minerva, ora non c'era più azione degna del suo ingegno, e faceva cadere apposta i piatti. Era, o faceva finta di essere, un ottuso, e questo è il tratto più pericoloso in un carattere: solo con l'ottusità si arrivava a grandi compimenti sociali e, una volta arrivatici, la si chiamava, in mancanza di peggio, "intelligenza" e tutti erano d'accordo, imbecilli compresi, cioè gli intellettuali che non ce l'avevano fatta ma non potevano tirarsi indietro da quella "categoria" lì, filosofica perché ormai irreversibilmente dei soci, sociologica... Era strano per Anastasia essere in grado di concepire pensieri così, non si sentiva bene? fare carriera significava integrare la propria stupidità nell'"intelligenza" e darla a bere a tutti gli assetati di segreti del mestiere? ma che le stava succedendo? ci *ragionava* su invece di andare dritta al suo scopo? Scacciò la domanda, era come avere il verme solitario in corpo, un voltamente. Ma non poteva fare a meno di ricordare se stessa da giovane, poche parole e volutamente travestite e molti fatti nudi e crudi al momento giusto, e ogni tanto pensava che il Sindaco, in effetti, potesse essere capace di tramare alle sue spalle dietro la mascherata di un servilismo ostile ma inappuntabile. Il Sindaco parlava sempre, teneva discorsi in cucina a Amilcara e anche se lei rideva e basta, ciò non escludeva che lui avesse in mente una sua parte da cui portarla. Quale? due sicari che si associano possono diventare a loro volta un monomandatario? Questa era la spina nel cuore di Anastasia: quello che bolliva in pentola nel domani degli altri, che – malgrado tutte le prove del suo buon cuore – stavano ancora facendo qualcosa d'incommensurabile per averne uno. Proprio come lei a suo tempo: ubbidienti quanto bastava per non essere distratti dalla loro lungimirante e nascosta attitudine al comando... Non poteva neppure licenziarli, visto che non li aveva mai assunti. Forse farli fuori era l'unica soluzione, e se invece era tutta una sua immaginazione? se rischiava soltanto di complicarsi la vita creando altri sicari di sicari che magari facevano cilecca? i suoi, almeno, il bersaglio l'avevano colpito, e inoltre una era una cuoca perfetta e l'altro un autista ligio al dovere e sempre pronto alle trasferte, anche se l'una era di lingua incontenibile e l'altro capitava a sproposito nella conversazione e ne diceva una delle sue. Ma... *sotto*? era come dire: *dietro*? Sentì che da sola non ce l'avrebbe fatta a pensare all'*avanti*. E proprio adesso che tutto andava di bene in meglio, aveva l'impressione di star inciampando in qualcosa... ma cosa? Un'espressione c'era, l'aveva sentita o letta... Ultimamente aveva letto troppo, sotto il casco dell'estetista. Poi, a fine cena, venivano tirate fuori le icone – le meno belle fra quelle possedute da Anastasia, che ora le contrabbandava dai paesi dell'Est, suoi nemici giurati, che avevano rinnegato la religione, cioè la libera impresa, e che, per bisogno di valuta forte, gliele facevano arrivare nelle bare di querce di Slovenia, assembrate apposta per lei sul posto, così pregiate – e quasi mai nessuno degli ospiti, convinto di fare un affare anche morale a depauperare il patrimonio artistico dei rossi, se ne andava senza aver firmato un assegno con uno zero in più. Persino la signorina Scontrino, che devolveva tutti i ricavi del suo voto di povertà alle sorelle della congregazione – ora più sinteticamente chiamata "Protezione della Giovane & Informatica", le nubili dandosi per scontate –, fu messa così alle strette dal suo senso di riconoscenza da sentirsi in obbligo di comperarne una anche per il suo nuovo confessore, don Basilio, che aveva espletato gli studi seminaristici a Bahia e aveva appunto la dispensa di esorcista provinciale per scacciare il Maligno, e certo era destinato anche lui a compiti ben più alti, regionali o peggio. La signorina Scontrino si ripromise di versare una quota ogni mese per far fronte all'impegno e si sentì subito in diritto di confessare adesso i suoi soliti sogni per filo e per segno: aver*ne* di nuovo una *viva* ma tutta per sé. E siccome non era una da mettere tutta la sua acqua santa in una conchina sola, tacque la faccenda delle palline da ping-pong e dell'Ingegnere, volendo prima essere ben sicura di aver a che fare con il cabalista giusto, ché lei non era un tipo da farsi buttare fumo negli occhi dalle celebrità.

Non era propriamente un'invasata, aveva confidato Anastasia a don Basilio, solo un po' bigotta e aveva un'immaginazione troppo fervida per la sua età e bisognava aver compassione, quei racconti pacati che facevano accapponare la pelle non erano che un altro misfatto del male oscuro di cui soffriva la signorina, che ne aveva per poco.

E così quando la signorina Scontrino raccontava a don Basilio che non aveva più modo di peccare di nuovo e che la vecchia Rakam s'era portata nella tomba la ricetta del *garum piperatum*, il giovane esorcista sorrideva indulgente e tratteneva uno sbadiglio ecumenico ma enigmatico. Era uno che la sapeva lunga. E poi una volta la signorina Scontrino sottolineò che, grazie alla dispensa *inhibens* procuratale da don Basilio, adesso era dispensata dall'essera ancora fuori dal refettorio del convento dopo le nove di sera e che prima era troppo presto per andare a scoperchiare i bidoni o a perlustrare le gore dell'entroterra. La flemma di don Basilio, omnicomprensiva, sembrava impedirgli di rendersi conto che la serata della cena di Anastasia, per la quale la signorina otteneva da lui stesso una contro-dispensa *disinhibens* per l'uopo, era l'unica occasione che le restava per vagare fra le immondizie e gli scarichi maledicendo il culo che aveva avuto sua sorella in incognito. Perché, d'inverno, con le giornate brevi, già le sette di sera *erano* la versione vespertina delle due del mattino. D'un occhio sorridentemente riprovevole, don Basilio la sgridava con l'indice quando alle otto meno dieci la signorina Scontrino trotterellava a infilarsi lo spolverino col bavero di pianeta – uva viola e viticci dorati –, dicendo che s'era fatto tardi e che non poteva permettersi un altro taxi, e poi lui faceva l'occhiolino a Anastasia e alzava gli occhi al cielo allargando un po' le palme delle mani, mentre la signorina svuotava in un sorso l'ultimo bicchierino di vin santo per lavarsi la bocca dell'ultima ostia allo zabaglione e gli altri attaccavano appena con gli antipasti.

Anastasia sapeva di non aver fatto niente di male a far credere a don Basilio che il *fantasioso* cannibalismo della signorina Scontrino era una forma esacerbata di amore del corpo del Bambin Gesù attraverso quello dell'infanzia abbandonata che mai come ora la faceva stare in pena, tanto da darle i crampi allo stomaco, e da lì a inventarsi il resto era stato un fiat. Don Basilio si complimentò con donna Anastasia del discorso tenutogli, ma tacque sulla sostanza, che non aveva niente a che vedere con quanto divulgavano le riviste dei parrucchieri su Freud. La signorina Scontrino, peggiorata ma a modo suo in forma quanto mai, ritornava puntuale ogni settimana, più *informata* che mai, con le ultime novità da Silicon Valley, e ogni volta trovava un pretesto per scagliarsi contro la degenerazione dei costumi, oh, la sacralità della vita degli inermi! con particolare veemenza contro l'uso, obbrobrioso, degli anti-concezionali.

Don Basilio una sera, mescolando le carte, considerò di sfuggita che il diavolo era tanto duro a morire perché non lo si teneva nella giusta considerazione, che i veri credenti erano i posseduti da esso, e riservò a Anastasia uno sguardo balustro, più lungo del solito, da scala reale.

Erano le dieci e mezza del mattino, Teodora era appena rientrata in classe dalla ricreazione – ripetente della seconda, adesso ripeteva la terza media –, quando s'era spalancata la porta, il bidello aveva chiamato la professoressa perché giù c'era la signora Cofani e la professoressa disse per l'ultima volta che prima bisognava bussare. Si sentirono le voci gioviali delle due donne che si incontravano a metà scala, sul ballatoio all'esterno, poi la professoressa, in stato di eccitazione, aveva chiamato fuori Teodora, dicendole di prendere la cartella, che sua madre l'aspettava per una faccenda urgente.

«Vieni, dobbiamo andare in chiesa, a San Francesco. Fuori il dente, fuori il dolore. Qui adesso è una questione di vile denaro, altro che la verità.»

Teodora non aveva mai conosciuto un dentista, i suoi denti erano perline senza la minima carie, e la penultima volta che era stata in chiesa il vescovo, prima di nominarla "Soldato di Cristo", aveva sussurrato a voce abbastanza alta al prete accanto: «Questa bisognerebbe cresimarla *due* volte due.»

Al funerale di Onofrio era rimasta a casa perché stava male, aveva la diarrea, una specie, perché continuava a andare di mente ma dal corpo non usciva mai niente, anzi, come il contrario. Anastasia aveva incaricato Amilcara di assisterla, e la cuoca aveva fatto bollire un infuso di *Vaginaria Edulis* e dato alcuni consigli fondamentali sulle cose della vita. Teodora non capiva bene nemmeno che fosse la morte, a parte il metro arrotolabile nella tasca del taier e della marsina, figuriamoci la *vita*. L'aveva ascoltata come si ascolta una maestra che racconta per l'ennesima volta la fiaba di Pollicino, tutta una serie di borlotti, fave, piselli e sbriciolamenti impossibili da seguire a ritroso, perché gli uccelli li beccavano tutti. E adesso questa donna, che cucinava la besciamella abbarbicata su tacchi a spillo di serpente ma appoggiandosi esternamente sui malleoli e aveva avuto accesso alla camera di sua madre, voleva spingerla avanti, come se lei fosse in grado di essere un esempio. Trovò molte volte rifugio al gabinetto ma nessun sollievo. La morte in casa, per la prima volta con involucro – sebbene di onice – e tutto, suo padre incenerito nel feretro più bello, scolpito *a mano*, più *caro*, con i candelabri di prima e i paramenti di velluto *vero*, le sembrò uno spettacolo accessibile ma non affascinante, nel senso che non sarebbe mai andata a vedere l'anforina di sua spontanea volontà se si fosse dovuto pagare l'entrata. E anche il tendone nero con i bordi di seta viola sul portone non aveva significato altro che un sipario per strane marionette che si facevano il segno di croce e soffiavano nel fazzoletto come in un copione sgualcito. Il loro raffreddore era compunto, poco abbondante, con le iniziali negli angoli. Il suo, invece, passava direttamente dal naso alla lingua. Anastasia, di là in cucina, non riusciva a nascondere la propria allegria agli intimi, gente che lei conosceva da epoche tutte loro – molti col pizzetto, baffi di tutte le fogge, favoriti, alcuni gongolanti sull'attenti e altri che, Teodora capì al volo, non venivano a far visita al morto ma alla viva. Molti erano stati i baciamano, un telegramma da Cascais, uno dall'Indocina, un altro di un *guardasigilli* da Roma, un intero borderò da Predappio. Anastasia era vivissima, i morti servivano a tributare omaggi, dunque, a ritessere legami, a fare finalmente il passo lungo almeno quanto la gamba. E le gambe di Anastasia erano dritte, belle, lunghe e con la riga nera dietro. Al centro del tavolo una primizia di violacciocche e attorno bottiglie di alchermes, xeres, rosolio, un vassoio di biscottini, all'anice, con l'uva sultanina, le mandorle, un rumore infernale di mandibole. Poi un brindisi al Tenente Camerata Albigian, il prode – ? – assente, lontano a propugnare la causa dei migliori... o forse no, presente ma schivo, e allora tanto meglio... – ?– Quelli con il raffreddore spesso e che volentieri se l'asciugavano nelle maniche – falegnami, rappresentanti di mobilifici e rubinetterie, manager di cave, spalatori, i generici etc. – erano tenuti a debita distanza dalla cucina, nel salone in cui era stato approntato il catafalco. Costoro facevano parte, a detta degli intimi in cucina, della *spuria umanità*. E appoggiata al fornello Anastasia s'era messa a raccontare delle veglie che gli aveva fatto fare fuori dalla porta della camera da letto, e che Onofrio andava matto per la biancheria intima parigina e che lei "malgrado tutto il can-can, gliela aveva fatta annusare due volte in tutto, cioè una di troppo", giusto per santificare. E singhiozzando, perché aveva la ridarella e era accaldata di alchermes, si era scostata un po' la gonna nera a portafoglio e aveva mostrato le trine rosso brillante delle mutande di misto nylon e poi, facendo così con la cerniera dietro e aprendo su un fianco intero, una coppa del reggipetto di rasatello, con Teodora che andava e veniva sovrappensiero dal gabinetto ma abbastanza educata da partecipare all'allegria della madre sorridendole debilitata a ogni passaggio e, prima che inchiodassero l'onice, anche a quell'uomo da immaginarsi lì dentro, steso per il lungo o per l'alto come un lingotto, un di più che adesso aveva trovato il suo proprio e vero posto di uno di meno.

«Sarebbe ora che la mia magnoliona aprisse il suo bocciolone» aveva detto bloccandola sul primo gradino, esibendola e offrendole per la prima volta un napoleone col cognac. «Se voi viziosi fate i bravi, vi prometto che ne vedrete una bella.»

Teodora si sentì promessa e di nuovo quella corrente o movimento che sembrava stesse scendendo fu risucchiato in alto e scomparve. Era riuscita a digerire tutto senza che niente trapelasse, anche quell'aria là speciale delle femmine...

Aveva guardato il corteo dalla finestra e nell'aria vide una bruma di baci sull'angolo di bocche sporcate di bava giallastra e pezzettini di tabacco. Non era stato male andare a pattinare con lui. Era stata l'unica volta che aveva avuto l'impressione di star vivendo qualcosa in anticipo sul generale ritardo. Quando Teodora era ridiscesa a fatica appunto per il saluto definitivo – non aveva niente di nero, tutti abiti color pastello che lei detestava, e che gli dicevi a un morto vestita così? "addio"? no, un "ciao" al massimo –, Anastasia e i suoi anzianotti preferiti erano di nuovo nel salone e adesso si portavano i fazzoletti alla bocca anche loro e se li premevano tossendo: per non scoppiare a ridere. Dalla balaustra al primo piano Teodora aveva sentito la madre chiamarli all'ingrosso:

«E adesso andiamo di là, miei fedelissimi di quindicina.»

E Anastasia aveva piegato il collo indietro e l'aveva vista guardare giù e subito le aveva sorriso orrendamente affettuosa, sembrava non ricusare quell'assaggino involontario che era volato nelle orecchie della sua *bocciolona*. Teodora aveva capito in quell'istante – no: da molto prima – che c'erano altre portate in arrivo a ogni prima occasione, novità dal passato improvvisamente scaglionato di due settimane in due settimane, in due settimane più un giorno ciascuna, o di nove mesi in X-anni. Un'altra volta Anastasia aveva detto: «Parla chiaro, lingua biforcuta, io almeno i peli sulla lingua non ce li ho» – non a lei, Teodora, ma con lei presente, alla fornaia che protestava a bassa voce non si sa di che, per via del figlio sedicenne che fra Tuborosa e "Resurrecturis" non tornava mai indietro con la cesta –, e la fornaia era uscita dal bancone e aveva gridato: «Te i peli non ce li hai più da nessuna parte», e Anastasia, che detestava le scenate senza profitto, aveva cambiato fornaio. Tutte queste allusioni a attività endocrine – *vaginali, anali, boccali*: la gente al volante parlava così chiaro quando tirava giù il finestrino – che Teodora raccoglieva attorno sul conto della madre, non le avevano lasciato alcuna curiosità di approfondire. Aveva vagamente assimilato quanto basta per dedurre che fra Anastasia e i ragazzi del quartiere c'erano delle disfunzioni particolari, diverse dalle sue, estroflesse, che facevano ingelosire le rispettive madri – i padri, mai. Un rapinoso individuarsi all'istante, l'incantesimo di una tazza di cioccolata con la violetta di pan di zucchero sopra la crosta fumante, già predisposti a affrontare un'altra ramanzina pur di svuotarla raschiando il fondo con pazienza, senza fretta. E doveva essere per colpa dei ragazzi, naturalmente, se Anastasia era così "sputtanata" – questo da uno che passava in lambretta... Ragazzi che si confidano ai quattro venti, passano parola, fanno castelli in aria cotonati davanti ai coetanei scalognati che languono negli sgabuzzini col fai-da-te. O giovincelli che alle grate del confessionale esagerano e dall'altra parte ci sono preti invidiosi delle ricchezze di don Basilio, parroci squattrinati e acidi che chiedono una michetta o un etto di chiacchiere e poi aspettano il resto raschiandosi la gola per scendere in dettagli con la cassiera-madre sulla concupiscenza, il numero dei comandamenti e che è per il loro bene, dei ragazzi. E che c'era il sesto da tenere d'occhio e che il diavolo preferisce le vedove di una certa età, tanto più che i giovanotti vi vanno incontro a cuore tumultuoso sbattendo timidamente le ciglia, in balia di chi gli occhi li sa tenere aperti e far chiudere da un bel po'... Questa predica, poco sibillina, era stata fatta una domenica dall'alto del pulpito, presenti Anastasia – chiamata da quell'impiccione "l'allegra Caronte dal naso storpiato" –, Amilcara e, eccezionalmente, Teodora. Anastasia non fece niente – a parte chiedere a don Basilio informazioni su chi era questa Caronte –, né denunce, né ritorsioni, né reclami alla diocesi. Adesso era pubblicamente la prima dell'inferno della circoscrizione, non solo per grandezza e mezzi dell'impresa rimodernata e ampliata, ma per bolla divina. La Chiesa era grata delle debolezze della carne ai suoi peccatori maggioritari, le davano la certezza di aver tanto da fare in questo campo da non aver tempo per altro. L'ascesa continuava. Con i tempi che correvano, era il più grande omaggio per una donna poter venire scomunicata direttamente lì, fra le cosce, dove mettevano il loro obolo i futuri traghettati. Teodora, bianchissima nel banco e assente, sentì che non era tenuta a amare sua madre, ma che non poteva più ignorare che Anastasia era il mare a cui tutto affluisce, e che nell'inesorabilità di questo destino c'era una voragine che tutto succhiava a sé per rimarcescirlo, anche l'amore che opponeva resistenza... Teodora adesso, trascinata giù dalle scale della scuola, si sentì fregata per sempre e spontaneamente accelerò il passo e si mise a pari con quello di Anastasia.

In chiesa, a San Francesco, c'era un suono d'organo asmatico, non una bella musica piena, ma una di rito. Non riempiva niente, restava sospesa per minuti interi in un silenzio stonato, e sopra la testa delle genti vestite a festa l'organista schiacciava dei pisolini dai quali veniva scosso brutalmente per riprendere daccapo la stessa nenia. Al centro dell'altare c'erano un uomo in frack e una donna con lo strascico bianco, davanti a loro un prete assorto e due chierichetti con la mancia in testa e intorno un macello di fiori.

«Sai chi è?» disse Anastasia facendo segni di saluto.

«Chi sono?» chiese Teodora al plurale per farle piacere. Nelle spalle fra i banchi aveva riconosciuto alcune forfore della cena con poker del giovedì.

«È Marietto, no, il figlio di Asdrubale; te lo ricordi che una volta è venuto a casa e ti ha portato in macelleria dentro la gerla! e l'altra è quella che ha messo incinta. In quindici anni non ha imparato proprio niente, pensa ancora a tutto suo padre per lui. Adesso gli facciamo una sorpresa.»

«Andiamo anche noi al banchetto?»

«No, noi non siamo invitate, te pensi sempre a mangiare. Ma me la pagheranno,» rispose Anastasia dondolando un ghigno accigliato. Si vedeva che pensava a un oggetto in particolare. Dalla navata centrale un raggio potente colpì la frittella nasale e il sorriso accerchiato ebbe una sua grazia di ingenuità luciferina. Si sentiva anche che Anastasia si stava prendendo delle rivincite e che però le riusciva di colpire i suoi giusti bersagli troppo in là nel tempo perché fossero rimasti gli stessi. Il tempo deformava ogni parabola in sé esatta. Era troppo indurita per avere dei sospetti a proposito: credeva di colpire nel segno a dispetto degli anni, e invece si stava solo svagando puntando sul lucro.

Teodora presagiva la sorpresa con terrore, inginocchiata nel banco, quattro file staccato dagli altri, e poi subito si mise a sedere seraficamente, senza poter farci niente. Anastasia continuava a stare inginocchiata e pensava che doveva proprio rifarsi il guardaroba perché negli ultimi mesi tutto le tirava da qualche parte, e il suo famoso vitino di vespa stava mielandosi di cellulite come le cosce e i fianchi. Non voleva fare la fine di una cuoca. Quando una donna veniva messa su una zattera come quella, aveva ben altre responsabilità in fatto di linea e eleganza.

Anastasia non aveva affatto l'aria di pregare, ma di una che apre gli occhi dopo un trattamento di bellezza e scopre di essere corsa ai ripari troppo tardi, che quella ceretta nei punti delicati non arriva più a fondo, che occorre un rasoio... Si mise una mano davanti alla bocca per frenare una risata, giunta alla fine di una sua barzelletta privata. Anche a Teodora capitava di baloccarsi mentalmente quando con la scolaresca procedeva dietro a qualcuno accompagnato davanti dal carrozzone con Onofrio o il Sindaco – sembravano più che altro scarpinate in famiglia. Provò adesso un'articolata tenerezza per quella madre che provocava sorprese, una donna impietrita e sola, costretta alla sua età a essere ancora indomabile e mai stanca. E tutto doveva esserle risultato più difficile per via di quello spiaccicamento in faccia con quei buchi strani su cui infierivano persino le rifrangenze delle vetrate sulla Reincarnazione. Ma Anastasia piaceva. Quando andavano a passeggio assieme e con Basilide, che malgrado tutto quello che gli si faceva aveva ancora paura dei gatti e un debole per gli straccioni, si sentiva che gli uomini fiutavano in lei l'odore di una preda antica, dall'incedere severo e ridicolo senza saperlo, una femmina impastata bene e riuscita male, una fiera che doveva lottare anche per cedere e poi, però, esigeva lo scempio... O anche questo era finito per lei, stava finendo, e lei lo sapeva? La preda antica era diventata vecchia e adesso monetizzava i bersagli. Teodora avrebbe voluto abbracciarla e portarsela via, stretta a sé, in una coperta, come fa una mamma quando preleva una bambina all'ospedale dopo essersi fatta operare di tonsille per la seconda volta. E le dispiacque tanto di essere stata costretta, per pura distrazione di Anastasia, a origliare il racconto del Sindaco sulla fine di papà-papò. E adesso, guardandola per l'ultima volta come se la vedesse contemporaneamente per i due profili, Teodora si ritrovò incapace di fare la differenza fra una madre assassina e una solo distratta: ne vide solo una, e la cosa fu morta lì.

Udì molto distintamente alcuni "sì" dei giovani sposi. Se ben ricordava, Marietto sembrava un bambino cresciuto al contrario, senza un pelino sulle guance nemmeno a vent'anni, tanti anni fa, quando una volta l'aveva tirata fuori dalla gerla e fatta giocare dentro la pancia di una mucca che veniva sollevata per i garretti alle transenne della macelleria. Per strada sia Asdrubale che il figlio erano gentili e sbrigativi, durante le cene Asdrubale solo sbrigativo. Un giorno Marietto, che adesso doveva avere circa trent'anni – Teodora era così consapevole del frazionamento dell'esistenza in compleanni! –, stava sul marciapiede di fronte e era diventato rosso in faccia. Sembrava ancora, e questo un paio d'anni fa, un monello che scappa con una piadina sottratta a una madre consenziente, un tonto senza finalità proprie. Avrà certo voluto dirle qualcosa di speciale, che giustificasse il color porpora delle efelidi, ma non l'aveva fatto, aveva corrugato la fronte e se ne era andato via a passi svelti senza salutarla. Le succedeva spesso da quando, scuola a parte, aveva allargato il suo spazio senza Anastasia, si fa per dire, a un raggio di trecento metri attorno a casa; gli uomini parlavano, commentavano, ridevano da lontano senza perderla di vista, abbassavano i finestrini o mettevano a posto i retrovisori e spalancavano le bocche standosene sui sedili, e una volta anche le asole dei pantaloni, ma finivano per rimangiarsi quello che avevano sulla punta della lingua e si riabbottonavano il discorso. Marietto era quello che andava a suonare agli sposalizi degli altri la fisarmonica di bachelite rossa marezzata di nero e, secondo Anastasia, era ricco sfondato perché figlio unico "di tre spacci carne". Era tutto quello che sapeva di lui. E che suonava bene, mazurke, polke, walzer col danubio, roba di una volta, un cretinetti buono, regolato, una spina nel cuore per suo padre. Chissà oggi come avrebbe fatto al proprio matrimonio se doveva tenere una mano sulla tastiera e l'altra sulla donna accanto, a cui tastava continuamente il polso perché lei, si capiva, era tutto il suo orologio, una mamma nuova o, forse, un altro padre.

Il prete fece un sermone sulla felicità della coppia. I giorni furono divisi in fausti e infausti e svettarono dei tetti coniugali che non si devono abbandonare mentre la moglie deve seguire il marito. Gli invitati sembravano approvare dando occhiate più spesse a orologi a catena. Si sentiva che stavano facendo il pieno di buoni propositi e succhi gastrici, chissà poi quando ci sarebbero ritornati lì un'altra volta, a redigere a mente la partita doppia delle gioie e dei dolori.

Intanto tutti erano al corrente della presenza di Anastasia con la figlia. Il padre di Marietto fu l'ultimo a essere informato e, appena le vide, uscì dal banco. Ma non venne verso di loro per dire che piacere, andiamo tutti ai "4 Mori", scomparve dietro la porta che portava in sagrestia.

«Non muoverti» disse Anastasia non trovando di meglio per una paralizzata, e anche lei si diresse verso la stessa porta. Attraversando fece una svelta genuflessione che le permise di rimescolarsi tre volte, in nome dei fianchi, delle gambe e del petto tanto.

Teodora cercò di focalizzare le nuche per scoprire altro di quanto, forse, avrebbe già dovuto cogliere; tentava di precedere la portata della sorpresa di Anastasia, temeva che se non avesse fatto in tempo poi sarebbe rimasta inchiodata lì, sulla panca, incapace di rialzarsi, con Anastasia che le espettorava fuori un'altra delle sue moralità a gola piena per giustificare la mazzata e trasformare un'altra stazione del calvario di ieri in una tappa del carnevale di Cento di oggi, e che il mondo non crollava mica per così poco, e che la vita era un continuo.

Teodora deglutì una materia che poteva essere lacrime interne e guardava verso quella porta laterale e poi di nuovo verso il poco che enucleava qui e là: i capelli ricciolini di Marietto stempiato rossi come fili di rame, quelli di lei raccolti sotto il velo lungo fino alle caviglie, castano puerperale, le suole delle quattro scarpe lucide, scintillanti, pronte a fare tanta strada. Non ne cavò niente. Qualcuno si girò e le esibì dei sacchettini di confetti per dopo.

Anastasia non ritornava ancora. Non era possibile che ci fosse una toilette anche in chiesa. La musica si sgonfiò e nessuno si accorse, la gente misurava l'appetito sui sospiri dei vicini, una signora si massaggiava la pancia ammiccando a un'altra. Questo segnale d'impazienza lo capiva anche lei, era mezzogiorno passato. Finalmente molti si riversarono fuori dalla stessa porta, mentre i due sposi accaldati prendevano per la scorciatoia sull'altare. Di Marietto vide la guancia con le efelidi brune, la carne bianchissima e pimpante intorno. Qualche efelide l'aveva anche lei e, sì, anche le stesse narici da maiale – come aveva detto il compagno di scuola salpato su una turbonave con la macchia di bellezza sul naso.

«Andiamo. Adesso.»

Anastasia le era piombata alle spalle e la prendeva di nuovo per mano come una cambiale in protesto. Sembrava portare le vestigia di una colluttazione e di una vittoria non persa. Qualche ciocca biondo cenere era stata diroccata. E prese a rifare il percorso d'un passo spedito e offeso, con Teodora che faceva fatica a tenerle dietro, qualcuno le porse un pugno di confetti che la madre rifiutò per lei. L'ebbrezza dell'incenso le aveva dato le vertigini quando s'era scollata dalla panca, qualche mandorla l'avrebbe tirata su.

In sagrestia i due sposini si stavano baciando e la penna stava rotolando verso il centro del registro canonico. Non facevano nessuna fatica, avevano le braccia lunghe, i colli ben snodati, agili i menti, e lei era magra attorno alla punta del pancino, lui un po' pacioccone, ma entrambi ci stavano a meraviglia nell'abbraccio, senza sfacchinare. Teodora aveva fatto degli esperimenti in seguito ai consigli sulla vita impartiti da Amilcara. Con le braccia incrociate riusciva a malapena, e stendendo più che poteva le punte delle dita, a sfiorarsi l'attacco dei seni all'ascella. Stette un attimo infinito a guardare Marietto e la ragazza fare un'altra volta quell'esibizione di mutuo soccorso e poi lo vide impallidire allorché incontrò la figura altera di Anastasia che si spingeva nella calca verso di loro, con il macellaio e la moglie che adesso cercavano di fare da scudo. Come sempre Anastasia era orribile perché sorridente, minacciosa quanto mai senza rendersene conto. O forse stavolta sapeva bene di aver stampato in faccia un ariete di sfondamento, l'importante era che gli interessati non si accorgessero della cartapesta. Nemmeno Teodora, alla quale della madre tutto era impenetrabile per libera scelta, aveva mai avuto l'ardire di dirle di non sorridere, e anche quell'altra cosa, sulla traspirazione violetera, che d'estate creava in certi giorni del mese uno spray di miasmi nel salone del campionario, quei vedovi con prole che respiravano per sincopi e si facevano languidi oltre la contingenza e poi ritornavano lì, a esequie finite e saldate, imbarazzati, stregati da quell'effluvio di donna distaccata e solerte la cui consolazione efficente doveva essergli restata impregnata così a lungo negli abiti da sentirne poi la mancanza una volta ritirati dalle tintorie... Ma stavolta, forse per la prima volta, Anastasia sorrideva scientemente.

Gli invitati improvvisamente azzittirono. Anastasia si mise Teodora davanti e disse a alta voce:

«Teodora, fa' gli auguri al tuo paparino che oggi si sposa» e poi estrasse dalla scollatura un assegno e lo sventolò sotto il naso di Asdrubale e di sua moglie. «E questo lo considero un anticipo sulla prova del sangue. Ho la legge dalla mia parte. Con tutto quello che mi mangia.»

«Pacchiana» l'apostrofò la mogliettina.

«C... ciao papà» disse Teodora, con un padre in più e entrambi persi, dei perfetti estranei che l'avevano chi portata a pattinare, chi sollevata con la carrucola a mezz'aria nella pancia di una vacca dando fiato a una fisarmonica. I padri, quando non erano pericolosi, erano inutili, e dovevano moltiplicarsi per rapprendersi in una qualche unità; da soli, da uno, non ce l'avrebbero mai fatta. Però non erano malvagi. Un po' sui generis e su altro.

Fuori, il giardino di Dante era una massa canterina di verde e poi, siccome era maggio, sulla strada era stato un fuggire assorte di roseto in roseto, la disperata baldanza di Anastasia e la rassegnazione senza astio di Teodora, entrambe indissolubilmente unite in una complicità che non si lasciava avvistare, brutale, e che le isolò per sempre una di fianco all'altra come creature siamesi.

Quel movimento giù in fondo stette nei giorni che seguirono sul filo del rasoio, incerto, fesso, e poi non ci fu davvero niente di nuovo da confidare, come disse Teodora a Amilcara che la rimproverava di non raccontare mai a nessuno le sue cose. Per quel poco che Teodora era stata costretta a sapere, Amilcara doveva essersi già cotta ai fornelli sia mestrui che menopausa con dieci anni d'anticipo e non si dava pace di non averne di ricambio. Fra lei e la madre c'erano dei prolassi nell'aria.

Teodora senza far mistero mangiò chili e chili di confetti da mettere su altri quindici aghi di bilancia in tre settimane. Anastasia un giorno la chiamò in cortile, le fece una carezza sui capelli perfetta come quelle che riservava a Basilide quando era ancora una speranza di belva. Sulla muraglia del pozzo c'era la sua ultima bilancia, rossa con Mammolo che cavalca Bambi. Anastasia la prese e la mandò a sbattere violentemente contro la muratura e poi, non ancora contenta, con una tenaglia ne strappò via l'ago.

«Voglio farti un regalo,» disse Anastasia. «Lo vedi questo? Vedrai. Un bisù.»

Una settimana dopo ricomparve l'ago, ricoperto d'argento, più affilato di prima, meno tozzo: all'altra estremità stava una perla nera, affusolata come una goccia. Teodora ebbe un brivido, e si chiese dove Anastasia fosse mai arrivata per farla sua sino alla radice dei sogni.

«Vale milioni» le disse appuntandole sulla camicetta quello che era diventato uno spillone o un ferma cravatta. Teodora si spinse piano dal cartolaio, comperò un bustone di palloncini colorati e riprese il suo passatempo preferito di gonfiare e far scoppiare le arie chiusa in camera sua.

L'ago, ora così maneggevole, sembrava partecipare al gioco del gonfia-e-scoppia con uno scongiuro in più che però non si insinuò mai a modificare il sogno ricorrente.

Arrivavano adesso molti visitatori per casa, signori dall'inflazionata mezza età per lo più, icone a chili o altro. Niente a che vedere con il business vero e proprio. Signori che facevano la fila e avevano *tutti* accesso alla camera da letto della madre, e a tutte le ore. Anastasia si era data alla speculazione immobiliare tramite terzi perché più edificante.

Teodora sentiva le mandate andare e venire e poi più niente. I signori dovevano tacere tutti una volta di là. Amilcara era furente, Anastasia una volta disse che era solo "spiritismo del cazzo" e che s'era tirata in casa una cuoca o una spia? A tavola parlava sempre più spesso di *investire*, di *fiuto*, e che però una donna sola... La signorina Scontrino, sentendola così determinata, sentendola *pronta*, buttò lì che in quanto agli affari lei c'aveva il Pallino, e aveva guardato anche don Basilio con una prospettiva in più.

Era estate e Teodora, a porta chiusa e col cotone nella toppa, scoprì che ballare a mente era niente in confronto al ballare a mente nuda in un grappolo di palloncini da cui usciva per entrare alla ribalta dello specchio. Era la sua seduta spiritica con la sua carne.

Il primo compito più alto che si presentò a Anastasia, una volta portato l'assortimento a trenta modelli (maniglie perfino in avorio, e esemplari in sandalo per chi amava l'esotismo, in ciliegio e ebano e cedro del Libano, in plexiglas per i giovanissimi) era situato a quarantacinque metri sul livello del mare e fu salutato da uno sbaraglio cinereo di barbagianni sulla collina sovrastante la spiaggia. Sotto, il lotto di tamarindi e quercioli e pini silvestri e salici lungo mille metri e largo quattrocento digradava verso una spiaggia desolata, con pochissime chiazze di catrame. L'informazione le era venuta naturalmente dalla signorina Scontrino, non avara di soffiate per la sua favorita: della proprietà rispondeva adesso, non si sa per quali passaggi di lasciti misteriosi, la congregazione della Giovane Informatica, perché le consorelle avevano bisogno di liquidi da investire nella nuova rampante tecteologia. Il cimitero inglese, sconsacrato dalla fine della seconda guerra mondiale, e i morti, settecento ottocenteschi, incontestati, stavano in attesa di trasloco collettivo. Lo zelo della signorina Scontrino aveva già dato i suoi frutti in altre due occasioni per altrettante aste segrete battute dalle suore laiche sotto lo sguardo aquilino, burocraticamente fermo, sororale, nonché vigile della signorina stessa, che non gradiva scherzi e che sapeva di tenere ormai il piede in due scarpe: una palazzina in pieno centro storico, a Piazza del Popolo, niente di meno, e per una bazzecola, e l'ex-negozio di paramenti sacri, nel quale aveva fatto man bassa di saldi, e che adesso era forse più conveniente trasformare in una paninoteca, perché era invalsa ormai l'abitudine di servirsi direttamente dalle sartorie dei teatri per i balli in maschera. Anastasia, che aveva accumulato un notevole capitale in soldi e conoscenze grazie ai ritmi silenti di Teodora in camera sua e agli svincoli balordi dell'autostrada-mare nonché al *leasing* aperto anche per i carrozzoni funebri più autisti forfettari in caso di ingorghi, non aveva tentennamenti e comperava tutto quanto il senso sprecato degli affari della signorina Scontrino sintonizzava sulla costrizione della beniamina alla gloria, e quindi ai soldi. La signorina aveva rotto gli indugi un pomeriggio che era passata a dare un'occhiata ai registri con adorazione da bibliofila e aveva osservato che erano a posto, troppo a posto, e che Anastasia stava rischiando di diventare fiscalmente ineccepibile per colpa della sua poca dimestichezza con il *number processing*, che era notoriamente il metodo più oggettivo per far quadrare ogni tiramolla aziendale. E già che c'era – o forse era questa l'indagine che più le stava a cuore – chiese a Teodora che fine aveva fatto la sua pallina da ping-pong e se ce l'aveva ancora di restituirgliela. Teodora la cercò e la trovò e nel metterla nel palmo aperto della signorina Scontrino, costei ritirò il palmo e la pallina rimbalzò sul pavimento e fece *pong!* sia all'andata che al ritorno. Bastava: la signorina Scontrino capì in quale sogno era finita l'altra metà della parabola, e adesso che sapeva con certezza che Teodora era la terza conchina, arrivare alla Conca, cioè alla scala che si morde la coda, era un amen. Don Basilio prometteva bene, non sottovalutava l'allusività dei riferimenti ultimi e le avrebbe spianato la strada. Una porpora cardinalizia non era fuori portata del voto di povertà della signorina Scontrino.

Anastasia, vestita di nero, accollatissima, si presentò di

nuovo alla maschietta chiamata madre badessa, le baciò il lungo crocefisso ai siliconi pendente dal jabot bianco fino alla cintura del taier – a riquadri bianchi e neri, dadaista, un po' hostess di volo, ma di quale! – e dimostrò grande interesse per il futuro professionale della signorina Scontrino, così pia, così osservante, così precaria di salute. Sì, aveva in mente proprio una bella sistemazione per lei, sempre che la signora madre... superiora? fosse d'accordo nel rinunciare a un elemento tanto prezioso, insostituibile. Facevano anche amministrazione spicciola ai corsi? paghe e contributi? Oh, non solo: *programmavano*! Dalle indulgenze plenarie all'amministrazione, controllata, delle società. Una vera *panacea* per quest'umanità allo sbaraglio. E la signorina Scontrino si era dimostrata, alla veneranda età di settantadue anni, l'allieva più spigliata e diligente nell'apprendimento delle nuove teotecniche. Digitava come danzando, aveva una consonanza catodica tutta sua, piena di impreviste soluzioni d'impostazione che non sfociavano mai, però, nell'arbitrio *bohème* di un'indole artistica frustrata. In termini più prosaici, si poteva dire che la signorina Scontrino aveva delle *idee* e che, *verificate*, risolvevano sempre prima e meglio *il problema interno alla casistica*. Anastasia guardò la madre badessa di sottecchi, risucchiando un po' le guance, chiedendosi dove intendesse arrivare e se Mimì Schisciada non avesse, infine, tradito il loro segreto. Ma la madre, grazie a Dio, non intendeva affatto fare allusioni alla vetusta legge Merlin. E neppure dirle troppo della signorina Scontrino né spiegarle come mai, in pratica, le si dava carta bianca e poi si faceva finta di metterla, gentilmente, alla porta e sulla porta di Anastasia.

Anastasia era già stata a visitare il sito, non sapeva bene che uso farne, forse un giorno avrebbe potuto costruirci una casetta, con cappella, s'intende, e ritirarsi lì in attesa che il Signore la chiamasse a sé. La madre badessa ebbe un lampo di meraviglia negli occhi: anche lei aveva avuto modo di sfiorarLo? almeno di intravederLo? o addirittura di conoscerLo corpo a corpo? Anastasia fece cenno di no con la testa e si sentì spiazzata di parecchi decenni, ma lei non ce l'aveva mai fatta a leggere "Il Sole 24 Ore"... Dunque da qualche tempo *compariva*, era ritornato sulla Terra... No, non sapeva niente in quella direzione lì, ammise. Era mai stata a Ivrea? No, mai stata.

«Ah, volevo ben dire io» si limitò a dire la madre superiora, e non diede ulteriori spiegazioni a chi de' Benedetti aveva fatto voto di Castità Basica. «E in quanto alla nostra signorina... ma deve restare fra noi... vede, è una questione di *immagine*... l'imbarazzo per noi consorelle a causa della sua tabacchiera, della sua mania per le litanie argentine ballabili.... con le novizie! Tutto ciò non è più *conforme...*»

Anastasia riprese timidamente a parlare della propria mancanza di prospettive di fronte a un eventuale acquisto del sito; oltre alla casetta, alla cappelletta, poteva un giorno trasformarlo in ospizio per animali randagi... che altro poteva fare per espiare i propri egoismi una vedova alle soglie della vecchiaia?

«Ma lei vorrà scherzare, *donna* Anastasia!» aveva ribadito la suora airlines. «Un posto così bello! così strategico! così grande! ha visto che sabbia? che verde? Sarebbe un peccato mortale pensare solo a se stessi o ai cani di fronte a un tale prodigio voluto da Dio, un vero Eden. Pensi ai poveri cristi!»

Anastasia ci aveva già pensato, ma non voleva darlo a intendere, conosceva bene l'arte della maschietta-dogaressa-commercialista, e non capiva bene fino a che punto si atteneva a un ordine della signorina Scontrino e fino a che punto, invece, volesse farle uno sgambetto. E Anastasia aveva già fatto conoscere la sua idea in proposito anche al Tenente Albigian e questi l'aveva approvata con entusiasmo – una scuola tutta per sé! Sarebbe stato uno scherzo ammortizzare i mesi invernali, per lui, uomo di manovre internazionali. Era avanti con gli anni, avantissimo ma sempre gagliardo e ardito, desiderava ormai scomparire solo d'estate, d'inverno invocava il meritato caminetto di un campo militare fisso con i suoi più fidati istruttori, e poi era l'ideale per l'allenamento subacqueo. Anastasia lo pregò soltanto – e lui certo non si sarebbe adombrato per una tale preoccupazione, anzi – di darle conferma per iscritto perché la sua grafia era incontraffattibile o in qualche altro modo, perché la sua voce era davvero più irriconoscibile di ogni altra. Lui disse che non c'era bisogno, che aveva subìto un ennesimo ritocco alle corde vocali e alle ossa mandibolari e che non gliene restavano quasi più, e a sigillo del suo consenso, suo e di nessun altro all'infuori di lui, convogliava immantinente tutte le varie pensioni di Paracelso di Stato conferitegli dagli esecutivi democratici delle varie nazioni che aveva salvato dai facinorossi. E Basilide, veniva su bene? Anastasia diede una risposta di cortesia, e pensò che se addestrava i suoi uomini come i suoi cani sarebbe stata tutta un'operetta, cioè un dramma, far tornare i conti. Ma si sbagliava, forse con gli uomini il segreto del Tenente Albigian stava tutto qui: nel far credere, come a suo tempo a quei mostri di faccettenere proletari, che avevano un cuore e che dovevano usarlo per volergli bene che al resto ci pensava lui. Li plagiava, grazie a Dio, non con la sua vera personalità, ma con quella più autenticamente fittizia. Madre superiora e Anastasia si ritrovarono davanti alla notaia della diocesi, fu stipulato un contratto di compra-vendita che Anastasia riuscì a defalcare di parecchio perché, previamente informata anche per via di eventuali ipoteche da un suo onorevole di fiducia e pur succube della buonafede della signorina Scontrino, non voleva farsi abbindolare dalla badessa. C'era infatti sul terreno e l'ex-cimitero inglese la longa mano di Italia Nostra e dei neo-Verdi, cioè il veto a costruire e a abbattere le cappelle laterali, del più bel stile proto-liberty che l'Italia potesse vantare dopo gli insediamenti saraceni a Siracusa, cioè molti ecologi da convincere del contrario nel minor tempo possibile, brevissima manu e a busta scollata.

A Anastasia venne in mente uno degli ultimi clienti,

roba di una settimana prima, un manager còlto da infarto per un rovescio troppo potente. E se troppo in discesa per un campo da tennis con spogliatoi laterali, ci avrebbe fatto un minigolf con tutte le sue montagnole e scivoli e buchette e tunnellini. O farci dei separé, tipo motel, qua i soldi qui le chiavi. Nella chiesetta centrale, posta in cima alla scalinata a teatro, ci sarebbe stato bene uno spaccio di generi alimentari o una tavola calda con impianto stereo per movimentare il sagrato di sera. Ma questi erano dettagli, ci avrebbe pensato Antemio. L'importante era appianare quel terreno e limitare gli scavi per tubature e cavi a non oltre il metro di profondità. Durante il sopralluogo non le era sfuggito che il terreno era stato mosso e rimosso da cento vanghe cento volte, avevano scavato, dissepolto, sfilato, segato e ributtato dentro facendo così con la scarpa. Nemmeno a passarci col setaccio si sarebbe trovato un anellino di nickel. Lei doveva innanzitutto pensare ai mutui e agli allacciamenti. Sì, anche dalle statistiche fattele vedere dalla signorina si riscontrava che la gente da un po' campava più a lungo e che girava tanto di più, e che c'era un solo business capace di soppiantare la redditività sicura ma non lucrosa della morte: il turismo, di massa ma senza darlo a vedere. Però Anastasia accusava alcune titubanze, talvolta, piccole crisi, in cui le sue ambizioni si arrestavano per interrogarsi, anche se lei non capiva proprio cosa mai le succedesse. E mai una volta le era venuta in mente quella frase che la diceva lunga sul suo malessere senza nome.

Al ritorno dal sito per la seconda volta, il Sindaco alla guida di una Land Rover di seconda mano, occasione sempre fornita dalla signorina Scontrino, la medesima disse che quel fiume che scorreva accanto alla tenuta era chiamato Pisciatello solo lì, alla foce. Più su si chiamava Vescicone, e che questo era il destino delle cose umane ma specialmente minerali, e che era sciocco a qualsiasi età lasciarsi impressionare da chi sparge in giro la voce della vanità del tutto prima di essersene impossessati per bene. Come aveva detto? chiese Anastasia a corto di fiato, sconvolta: la signorina Scontrino le leggeva nel pensiero? *Vanitas vanitatum*, le bastava? o voleva anche *et omnia vanitas?* Anastasia ammutolì, stava perdendo terreno: la signorina Scontrino non mollava quel tiro alla fune, tanto che disse, facendosi piccina ma quanto ad arte!:

«Sursum corda!» e insistette per incaricarsi lei, adesso, dei libri contabili della "Resurrecturis", gratis, s'intende. Un po' di vitto, per l'alloggio restava in convento. La signorina Scontrino mangiava quanto una capinera. Implorava con ogni umiltà, non differentemente che se stesse minacciando o dando un ordine.

Anastasia capiva questo abnorme desiderio di sudditanza a modo suo: la signorina Scontrino, attraverso lei che ne era l'unica depositaria, desiderava congiungersi in extremis alla propria storia e da lì alla Storia dell'umanità in generale una volta tirate le cuoia. Le serviva una biografa stabile che le dicesse il testo da presentare alle porte del Paradiso, perché quella gran ruffiana certo non pensava a altra possibile sistemazione. Lei stessa non era stata animata dagli stessi sentimenti nei confronti del matusalemmico amante Albigian, che addirittura una storia gliela aveva inventata di sana pianta per presentarla poi alla tenutaria, esigentissima, del *Movienben*?

Anastasia approvò, a patto che l'affare andasse a buon fine. La signorina Scontrino le prese la mano e si chinò a baciargliela, segno che ne era certa e che disponeva di voce in capitolo, come sempre da quando s'era lasciata alle spalle la gavetta. Anastasia volle farle subito un regalo per incastrarla, si consultò con don Basilio. Era anche l'unico modo per *andare a vedere* se era stata una scala reale o se lui aveva bleffato.

Lui suggerì scopertamente il Lombrosino, Istituto di Medicina Legale. Che ci andasse a una certa ora e entrasse in una certa sala, che portasse con sé una sporta abbastanza capace e soprattutto andasse difilato e senza salutare nessuno per non destare sospetti, e che così facendo avrebbe avuto le spalle coperte da una certa spia svizzero-vaticana che sapeva lui. Don Basilio si dava delle arie, era chiaro. Lei eseguì, passò in rassegna i vasi di vetro sopra le scansie polverose, ne girò e rigirò alcuni per vederne il sesso e prese poi quella che le sembrava la più sostanziosa e mise il vaso nella sporta. Poi invitò a cena la signorina Scontrino, la quale, sola, si sedette a tavola con il batticuore e fremente staccò i punti di refe da cucina dai buchini e per prima cosa assaggiò il ripieno, alla menta piperita, secondo Amilcara la cosa più vicina al *garum piperatum*, di cui né lei né Anastasia avevano la più pallida idea. Nessuna delle due aveva mai letto Petronio a puntate sotto una tenda in Africa, svagati i guerrieri italici, nell'ora di ricreazione e degli impacchi. La signorina Scontrino non sembrava entusiasta al massimo, ma gradì il gentile pensiero, la premura di Anastasia di variare la salsa per non indurla in peccato. Anastasia si rese conto che, malgrado tutti i trucchi speziali di Amilcara, non si poteva spacciare per fresca – per *viva* non era nemmeno il caso di pensarci – una cosa che risaliva al revival della misurazione del cranio dei neonati per stabilirne il grado di potenzialità terroristica genetica – cioè a un paio d'anni prima – e che il palato della signorina Scontrino era davvero esigente e sensibilissimo. Amilcara e Anastasia si fissarono a lungo, ognuna pensando di nascosto dall'altra ai propri contributi dalla-fabbrica-alla-consumatrice, roba di primissima scelta oggi quasi introvabile per via delle adozioni selvagge. La signorina Scontrino volle far notare che, inoltre, non era proprio di sapore femminile e che, comunque, apprezzava le buone intenzioni visto che non c'era altro. Il dessert, procuratole da Amilcara stessa, consisteva in sanguinaccio con pinoli e uvetta sultanina velato di vaniglia. Uno scodellino da bambola, in porcellana con fiorellini sommari, tipo non-ti-scordar-di-me, una vera primizia, *la* primizia di Teodora, mentì Anastasia. La signorina Scontrino gongolò, ma si capì al primo cucchiaino che lei ci teneva a sottolineare non il suo piacere, ma le sue buone maniere in casa d'altri. Di nuovo si rendeva conto della differenza fra perdite fresche e perdite stagionate, quasi al limite. Si alzò da tavola con un'espressione riconoscente, non a tal punto da non far intendere alle anfitrione che si poteva fare molto, molto meglio e di più.

Furono anni di grandi fermenti.

Teodora aveva dato la buonanotte a sua madre, giù nel salotto-atrio con un signore così distinto da non mollare la sua cartella sdrucita da sotto il braccio nemmeno da seduto. Il signore parlava in modo impastato senza staccare gli occhi di dosso dalla bambina – una bambina di ormai diciassette anni – vestita con camicetta gialla e gonna color spelonca, abbondante sotto il ginocchio, a tratti incurvata sotto le caviglie. Parlava di *difficoltà oggettive* occhieggiando attorno alle asole e al sollevamento ocra delle lune e allo sguazzo vasto e profondo della stoffa. A Anastasia non sfuggì questo particolare, e anche questa volta vi si aggrappò. Per fortuna c'erano pupille blasé negli uffici competenti, occhi di una volta che volevano vedere di più e sotto le fondamenta dell'epidermide senza esporsi in prima persona. Si era formata una catena di santantonio sotterranea attorno al suo progetto, ventilato favorevolmente da una massoneria fatta di soffiate. Lei era stata lungimirante: il buon Antemio, per esempio, aveva fatto decine di progetti gratis; il segretario le aveva garantito e già avviato gli allacciamenti a spese del Comune; il commendatore della "Ogiva Non-Stop Design" aveva ribassato i costi del trenta per cento e firmato a tal proposito un dilazionamento di cinque anni per alcuni minuti di contemplazione cautelata del fenomeno. Stessa cosa dicasi per le licenze edilizie, la vetreria, la rubinetteria, le forniture alberghiere di ceramica e affini, le intercapedini, le banche. Provare per credere. Il pelino tirava ancora, gli uomini facevano ancora la ronda attorno al bruscolo nel proprio occhio chiamato donna. E data la donna trovato l'amateur, questi era disposto a tutto: il bruscolo si magnificava in una realtà. Si poteva anche morire, dopo un sogno così.

Teodora aveva a sua volta guardato il distinto signore dal panciotto amaranto inzaccherato di macchie d'uovo o unto vecchio: fumava nervosamente, sorrideva con un labbro solo, distaccandolo da quello invisibile, e a scadenze fisse emetteva insieme al fumo dei corti grugniti affaticati. Sembrava impaziente, covava alcune goccioline di sudore tra gli interstizi cancerosi della fronte, e si stringeva alla cartella come a una dignità già a gambe levate. Dentro la cartella doveva esserci il dunque dei dunque, a cui non voleva tuttavia che Anastasia arrivasse. Ma anche lui non avrebbe mai immaginato di possedere improvvisamente – seppur rintuzzato dai mormorii di una precedente vittima di delizie – un dunque più impellente ancora.

Teodora infine aveva staccato le braccia abbandonate sui braccioli della poltrona e dato un bacio sulla tempia in subbuglio della madre, che l'aveva agguantata e attirata a sé e baciata sulla bocca con passione. Era salita in camera sua chiedendosi come mai Anastasia si sentisse così deliberatamente in colpa. In cima alle scale si era voltata: lo sguardo invadente dell'onorevole si incontrò con il suo, dolente, opaco. La guardava come se anche lui fosse al corrente che le mancava qualcosa?

Aveva cominciato a spogliarsi e a stendere bene gli indumenti sulla sedia nella sua camera in cui il nuovo lampadario di Burano drenava dal grande specchio un'infiorescenza opalescente. Le piaceva questa luce boreale così potente e eccessiva che non l'abbronzava, si sentiva bianca come una statua di gesso. Arrivata al reggiseno – che si toglieva sempre per primo, perché non erano i piedi a dolerle di più – provò il bisogno di girare la testa da una spalla all'altra. Non era la prima volta che avvertiva una presenza estranea alla camera e al suo contenuto.

S'impossessò esausta dei movimenti necessari per arrivare alla nudità completa e infilarsi la camicia da notte. Grazie a questa sensazione non sua o sensazione di sensazione altrui, percepiva che nel suo corpo c'era un *oltre* a lei ignaro mirato da questa presenza misteriosa. Il fluido non era in sé malvagio, ma frugava e sollevava una dopo l'altra le sette pelli, arrivava a organi senza nome dentro, a gigantografie di cellule immaginate lì attorno ai piccolissimi capezzoli e alle ermetiche grandi labbra, cellule fantasmatiche attorno a cui qualcuno stava soffrendo e godendo da lungo i muri.

Dovette sedersi sulla sponda del letto per togliersi le mutandine e le calze con l'elastico basso sulle cosce. Il fluido scivolò sull'implumità del corpo e si sperse nel minuscolo pizzetto d'ebano trattenendo un grido e causandosi una ferita alla lingua.

Teodora si portò la mano sinistra all'interno delle cosce e con il medio perlustrò la possibilità di rientrare in sé, e se era ancora in tempo. Scomparire in se stessa, risucchiarsi nella propria carne, rivoltarsi in sé come un guanto placentare, non esserci più. Poi il tonfo argentino, lo specchio alla parete che va in mille schegge e un rapido susseguirsi di diapositive: unghie neutre e unghie sporche di nicotina su bottoni che non scivolano nelle asole, un lampo amaranto, un brontolio di bestia ferita, un fuggi fuggi di ombre urtando e sulla voragine cadde la trama dell'arazzo con girasoli della camera di Anastasia.

Teodora non si mosse. Tolse lentamente il dito e percepì che non aveva scelta se non uscire per sempre da quell'entrata di sicurezza e espandersi attorno a se stessa come cerchi su una melma concentrica. Subito dopo sentì il motore d'automobile varcare il portone a conclusione di diverse e concitate manovre, e Anastasia era comparsa in camera con paletta e scopa in una mano e nell'altra addirittura la cartella dell'onorevole come fosse la testa di un Golia, e aveva quasi mandato giù a ruzzoloni Amilcara che era venuta su a chiedere che stava succedendo. Anastasia aveva spalancato senza bussare perché la prima cosa che Teodora aveva pensato era stata: rigirare la chiave nella toppa, non complicarsi la vita, ricambiare lo scherzo.

«Non è successo niente. L'importante è riuscire a ottenere quel che si vuole. E ti conviene chiedere il massimo quando ti conviene concedere qualcosa. Gli uomini si accontentano di poco e una donna non ha nient'altro. Tutti sporchi guardoni, dal più su al più giù. Ha firmato! Tutto quello che faccio lo faccio per te, il tuo futuro. Fra noi due non si deve pagare niente sulla pelle dell'altra. La tua è la mia.»

Teodora rimase paralizzata, quasi consenziente, ammaliata dalla menzogna a cui Anastasia stessa era la prima a non credere. Teodora concepì in quegli istanti in forma commestibile e benevola lo scherzo da ricambiarle: "dare pan per focaccia"; senza acredine, cadde addormentata di schianto sentendosi esplodere in mille brandelli o sguardi di cui era stata il silicato parabolico. Si dormiva davvero bene solo quando il dolore era intollerabile. E il dolore la riversò all'indietro come uno specchio nero risucchiato di ogni riflesso, una specie d'acqua solida ribaltata nel riquadro di un universo stagnante su patte di pantaloni e cerniere inceppate.

Al mattino fece finta di non ricordare più niente, quasi grata a Anastasia di essere stata la causa di quel sonno ristoratore. Aveva sentito tante volte la parola *inconscio* alla televisione. La gente sugli specchi ci si arrampicava. Lei ne aveva così poco. Neppure i traumi erano così preziosi da diventare una ragione di vita. Aveva solo voglia di vedere la sua pianta di melograno nel portapacchi di bicicletta, le gemme si stavano aprendo per una forza più forte di loro. Smise di fare esercizio di bella calligrafia e di imitare alla perfezione quella tutta in verticale di Onofrio e chiuse il vecchio registro di casse entrateuscite che, senza sapere bene nemmeno lei perché, era andata a scovare in solaio. Cominciò a aprire i cassetti ma non aveva niente di bianco e le sembrava innaturale doversi accontentare di un altro colore per assistere a tanti preamboli arancione di maternità sangue chiaro.

Nell'atrio c'erano dei clienti e Anastasia non le prestò

alcuna attenzione. Non era successo niente, tranne che adesso, forse, sarebbe stato necessario servirsi di uno specchio nuovo un altro po', e deliberatamente per entrambe. Ma non sarebbe più riuscita a ballare come prima un cha-cha-cha gratuito.

Si avviò verso il suo melograno già ronzante di api giù nel cortile, la cosa più difficile era mettere in movimento la bicicletta rinforzata. Salì su una pila di spezzoni di marmo e, tenendo fermo il manubrio, montò sulla sella. La pianta le dondolava dietro a ruota di pavone, lei sentì di essere il brutto corpiciattolo che sostiene le ali della bellissima farfalla. Il suo sguardo vitreo non vedeva niente all'infuori degli ostacoli attorno al pozzo. Presto avrebbe compiuto diciotto anni, l'età in cui le belle addormentate nel bosco vengono risvegliate da un bacio d'uomo non parente e diventano meno sensibili all'impollinamento delle piante. Quello che a scuola era stato il pene dell'anatomia, ora, da un momento all'altro, poteva diventare il fiore del cuore: l'amore . Le sembrava impossibile tenere Anastasia fuori da un simile avvenimento e ciò che avvenne in seguito a proposito di uomini l'aveva come già divinato, vissuto e espulso, si fa per dire, con tempestivo anticipo. Gli unici compagni veri dell'esistenza erano i simboli che non si lasciavano decifrare, erano sempre con te, caldi, fragranti della mestizia di chi ti sfugge per il tuo bene e ti fa sentire meno solo. *Infrangere, scardinare, sanguinare* erano parole estranee al suo metabolismo linguistico non meno di *crick, grimaldello, tampax.* Non c'erano aforismi tali in lei in cui impaginare i simboli come boeri con la ciliegina dentro e contemplare l'idea del suicidio una volta esauritane la scatola. E dunque una volta era andata in discoteca.

Da sola. La stessa del saggio di danza. Ma non aveva fatto in tempo a uscire dal gabinetto con la siluetta della damina e a esibire il suo trucco – i capelli tirati in su, a torre, sì, le unghie laccate di un rosso ma neutro – che si era innamorata. Perdutamente. Del ricomparso vecchio neo sulla punta del naso dei giorni di scuola. La invitò al bar e fece pagare a lei.

Per due anni lei gli stirò mutande e camicie di nascosto da Anastasia – così presa dal plastico in generale e dal campione già installato del Gallia Placidia, dalla cessione della "Resurrecturis" e dal restauro della palazzina a Piazza del Popolo.

Lui si era fatto vivo solo quando aveva avuto bisogno di qualcosa, poi spariva – navi, rotte, oceani, cargo, forse anche un po' di galera. Teodora non aveva alcuna esperienza diretta degli uomini, né conosceva il rapporto tra le proporzioni effettive delle loro promesse e gli spazi bianchi schiacciati fra le loro frasi prima di salpare daccapo. Le frasi in generale di altri uomini che restavano invece a terra erano rivolte alle donne o dirette su di lei ma rivolgendosi a Anastasia, che stava cercando non un marito per lei, ma un genero per sé. Tutto quello che Teodora sapeva sugli uomini era che prima o poi una donna era tenuta a incontrarne uno e era fatta. Adesso, dunque, aveva delle frasi d'uomo tutte per sé, poche, comunque, e relativi spazi bianchi da riempire limettandosi le unghie. Per esempio, si era sentita strana quando lui una volta, passando a prendere le centomila lire e le camicie stirate con grande dolore suo nelle braccia, aveva detto: "Per me sei come una mammina". Si era sentita un po' a disagio, adesso che non era lui a essere parente lo era diventata lei a sproposito. Non sapeva che cosa significasse di preciso, forse che lui si aspettava delle truculente ninnenanne e poppanti facezie, e lei non sapeva come fare, non le veniva in mente niente di filiale. Il cazzo le stava dando le prime pene, era ancora più inconsistente di una lezione di anatomia. Il guaio di chi ama, e la sua solitaria perpetuazione dell'amore, è di non prendere mai niente alla lettera. Ma per una donna era difficile abituarsi all'idea che dove c'erano delle parole d'uomo non ci fossero spazi bianchi.

Lui le aveva dato all'inizio dei baci in fronte e lei si era sentita svenire al solo avvicinarsi dei baffetti biondo scuro fra le labbra e il neo nero. Poi, più nemmeno quelli. A vent'anni e passa gli chiese una spiegazione, larvata. Voleva sapere da lui stesso se ciò era normale, cioè, se.

Le costò una gran fatica. Lui fece spallucce e scomparve con i suoi rammendi e richieste di *prestiti.* Aveva una faccia d'angelo, beveva, giocava, era un don giovanni e tagliava corto: era un uomo. L'uomo della sua vita.

Teodora aveva l'impressione che l'uomo del suo cuore non fosse del tutto sconosciuto a sua madre, malgrado la cura che aveva messo nel tenerglielo alle larghe, vista la sua faccia da eterno fornaretto. Teodora un giorno stava passando con il vecchio carrozzone dalle parti della stazione, andava a posare per i bozzetti del capo-mosaicista, e quando li vide assieme, seppure lei a un passo o due più avanti di lui, frenò non vista, il cuore in gola per la seconda volta, pronto a andare giù e a essere digerito di nuovo. Anastasia teneva Basilide al guinzaglio e era bianca, tratteneva un'ira indomabile ma domata a priori, lui le si accostava e poi ritornava a perdere il passo, una sacca azzurra in pugno; lei prese a sfogarsi a denti stretti, tirando su il bavero del visone un po' di più ogni volta che dallo spessore del fiato deduceva di stare perdendo la calma. Continuava a guardare circospetta e fissa davanti a sé e a emettere vituperi discreti incedendo. Lui, con una sfacciataggine da marinaio che salpa per sempre tramite ferrovia, la bloccò a un certo punto in mezzo alla strada, la prese per le spalle, l'attirò a sé e tentò di baciarla. Lei si divincolò e a passi veloci trovò riparo sotto i portici, ma non c'era nemmeno un taxi. Dal fatto che Basilide – quotidianamente raddrizzato un po' da Anastasia con personali calci negli stinchi – se ne era stato fin troppo buono e indifferente, Teodora capì che la madre gli aveva impartito ordini silenti e ben riconoscibili e che doveva esserci abituato. Anastasia ancora una volta stava lottando il minimo necessario per rinviare la capitolazione e, forse, un assegno in bianco. Infatti lui la rincorse, per prima cosa fece una carezza sotto la pappagorgia e poi sul fil di schiena, del cane, salì dall'altra parte del taxi che arrivava, sebbene lei cercasse di chiudere la portiera dall'interno e poi, una volta dentro, continuasse a respingerlo intanto che il taxista accendeva una sigaretta e Teodora, adesso a non più di cinquanta metri, fra finestrini di altre carrozzerie, vide il braccio di lui che non perdeva tempo e il profilo di lei, scarnificato, pallido, che si lasciava andare a fare un'eccezione. Teodora scoprì che Anastasia a proposito dell'ex-negozio di paramenti sacri non pensava a una pizzeria o paninoteca, ma a una *garçonnière*.

Sulla porta della *garçonnière*, prima di entrare, lui si girò e le fece un salutino con la mano, e sembrò dire con divertita perfidia a Anastasia: "guarda chi c'è". Ma lei trovò superfluo girarsi a sua volta.

Teodora gli telefonò al bar-biliardo, sapeva che era ritornato, lui non aveva fissa dimora, ma non era orfano, una mamma ce l'aveva già. Le disse bruscamente embè? Lei niente pensavo così che. Voleva dirgli delle frasi da donna, che lo amava, che era meglio di niente, e che se il prezzo dell'amore era quello di stirare camicie di nascosto o quasi e di venir posposte alla propria madre le stava bene così, e che lui ritornasse indietro, da *lei* – Teodora restò un attimo perplessa e beante di fronte a questa profusione mentale: *lei* quale?

«Ma va' all'inferno, balena dei miei cosiddetti, te e quella nave scuola di tua madre» e buttò giù.

Le frasi delle donne non avevano spazi bianchi per un uomo.

Teodora riassunse in quel preciso istante tutto quanto aveva vissuto della cosiddetta storia a due – *loro* due –, e si vide ribaltata indietro di quasi tre anni, il giorno che aveva messo piede nella discoteca con tutto il trucco della mamma nella borsetta e lo sguardo su quella lacrima nera di Pierrot sul naso. Il futuro che era partito da lì stava già allora in una sfera di cristallo portatile, era diventato un passato senza transitare dal presente, niente la stupì più della prefissata rotondità degli avvenimenti. L'unica differenza fra il passato degli altri e il suo, visto che adesso ne aveva uno, era che gli altri erano convinti che fosse stato e fosse, mentre lei invece era al punto di prima, sperimentava i tempi della vita, ma nessuno era il profeta giusto. Capì l'inganno: ogni profeta, indicando laggiù, metteva a punto l'insormontabilità della sola, mera annunciazione di se stesso. Con ancora nel timpano l'eco delle palle che cozzavano di là dal cavo, pensò che, all'occasione, tutto si sarebbe ripetuto tale e quale con uomini diversi, e ancora e ancora e ancora, e che non valeva la pena di dare ascolto alle ingiunzioni del *cuore* se avevano la sola possibilità di condensare *l'amore* in un disco che si sarebbe inceppato per reclamare un orologio nuovo un orologio d'oro un orologio d'oro al quarzo, centomila duecentomila trecentomila, non ora non ora non ora, salpo devo scappare devo scappare salpo. Istintivamente, la prima cosa che aveva fatto al primo appuntamento era stato di nascondere lo spillone con la perla nera, per scaramanzia, allora. Adesso concluse che aveva fatto bene, così ce l'aveva ancora.

Intanto correva l'anno sperimentale, estate-inverno. Nel giro di sei mesi era ingrassata di ventotto chili e solo il viso era rimasto intatto in quello scompaginamento del corpo. E al pensiero di esser vigilata da Anastasia nei più riposti angoli dei suoi aneliti, Teodora dilatava e dilatava, e sembrava rubare chilo su chilo alle cose senza peso della vita.

Era cresciuta da quella esperienza del sesso promesso più vergine e lontana e gioviale che mai, con punte di abulia che però non assomigliavano per niente a un livore per l'umanità e schifo per se stessa. Quando gli uomini le facevano un complimento pesante – e dio sa come e cosa i maschi le sussurravano ai semafori, per strada, nelle gelaterie, nei negozi taglie-forti: proposte per l'Arabia Saudita, numeri equestri, compartecipazioni a caseifici –, lei sorrideva senza smorfiosaggine né segreti compiacimenti o umiliazioni: era come se non si rivolgessero a lei ma un'immagine in specchi che non la riguardavano. Non credeva a una sola parola della loro prontezza a "ingropparla contro il muro", per loro la materia era solo quanto usciva da una ferita infetta, non avevano nessuna dimestichezza con una materia felice e cha-charina, si limitavano a sognarla a vanvera, facendo svenevolezze da cine, spacconate di gruppo, grati che lei non li mettesse alla prova. Dopo i complimenti, che lei avrebbe avuto voglia di ricusare davanti a un tribunale, restava nell'aria lo sfregolio dell'isteria virile eternamente in libertà provvisoria.

Anche gli uomini finirono di riservarle delle sorprese. E poi non era molto portata a stirare.

Ogni tanto, al volgere di quell'anno, sognava l'ex-pseudo qualcosa di marina, lo vedeva baciare Anastasia e frugarla nel taxi sotto la pelliccia, poi la scena si spostava a lei, lui la baciava altrettanto impeccabilmente, con un furore da reclame ma la lingua era un grumo di cicca americana – e, sapori o insapori, di baci così in realtà non ce n'erano mai stati, e lei adesso si sentiva mancare dalla vergogna per quei bacini in fronte e si svegliava dal sonno inorridita da tanta bambineria, possibile che lei non avesse suscitato di meglio?, facendo in tempo a scorgere nell'ultimo lembo del sogno nuovo il lui che frugava nella borsetta in fondo a una fila di bacini e carezzine esibiti su nastro industriale come prodotti dello stesso impasto: baci, carezze, rimostranze, un deca e la borsetta che chiudeva il ciclo di produzione. Era stata lei a finanziare indirettamente Anastasia, a toglierle il cruccio di pagare in prima persona?

La "Resurrecturis" venne venduta per una somma iperbolica "a quel Rottinculo del fioraio" (Anastasia), il quale, oltre a tutti i liquidi, dovette pignorare due appartamenti e legarsi a una solvenza quinquennale a interessi triplicati per far fronte alla maestosità del passo più lungo della sua gamba, con Anastasia che prevedeva già e sperava che lui non ce l'avrebbe fatta e che lei gliela avrebbe rimangiata al volgere di un paio d'anni, tutelata com'era da ogni forma di assicurazione su tutto. Anche se le sarebbe piaciuto mandarlo in rovina, vederlo sul lastrico, strisciante ai suoi piedi, Anastasia ebbe la sensazione che un'epoca era finita, che lei stava forzando oramai un odio svilito. Ne rimase comprensibilmente scossa, spaventata dallo spauracchio di un'intelligenza a sorpresa. Ma che le succedeva? possibile che non si potesse più far conto nemmeno sull'odio? Poi ci fu il trasloco nella palazzina di Piazza del Popolo.

Teodora fece dissotterrare il melograno dal portapacchi della bicicletta, trapiantare in una gigantesca marmitta di rame bucherellata sul fondo e mettere nella nuova camera. Della "Resurrecturis" insistette per tenersi solo un souvenir, il carrozzone, perché ci stava proprio comoda e era preferibile a qualsiasi utilitaria. Anastasia scosse il capo ma non si impuntò. L'estate volgeva al termine, Anastasia era più che soddisfatta, e non c'era più bisogno che la signorina Scontrino le ricordasse continuamente la clinica e il naso, aveva deciso di rifarselo lo stesso, doveva correre immediatamente a Bologna, sembrava che dopo i decenni non ci fosse più un istante da perdere, sebbene Amilcara, guardando il fotomontaggio spedito dalla clinica, avesse arricciato il suo e temuto il peggio, cioè Grace Kelly.

Quanto a Teodora, non fu mai capace di staccare una melagrana e di portarla alle labbra. Si contemplava attraverso il mutamento ciclico delle stagioni nella pianta. A settembre le melegrane caddero da sole e rotolarono per la stanza, si spaccarono e sprizzarono le loro perline sotto il letto; poi presero a gocciolare un liquame denso intorno a lei, vestita di nero, seduta, che sfogliava atlanti in cerca della nuova patria che, come non era più Pietroburgo ma Leningrado, così non era più Costantinopoli, adesso, ma Istanbul, e era là che Anastasia intendeva che lei si rifacesse una nuova vita, un passato, restando dov'era! Teodora pensava di volare in alto, di attraversare il soffitto, di raggiungere la sfibratezza di una nuvola, di sciogliersi nell'aria, di eleggersi finalmente una sua identità scoppiando.

Non riusciva a concepire che tanta carne avrebbe trovato il tempo necessario per lacerarsi in camole e in vapori, venire al dunque del nulla, se non le si dava una mano. Ma no, tutto poteva accadere in un istante, come quando con lo spillone perlato si punzecchia un palloncino e, per quanto grande, fa bum.

La signorina Scontrino stava sempre peggio, ma ben eretta sul tripode che si era fatta fare, decisa a non mollarlo. La sua vita era legata a un filo, spinato e di ferro. I rapporti con il suo ex-bello, il Tenente Camerata Albigian, furono improntati alla solita grande discrezione che non lasciò trapelare a Anastasia alcun passato né le tre *eiaculatio praecox* fra i due. A novembre buone notizie da Roma, don Basilio aveva interpellato il Sant'Uffizio che a sua volta aveva comunicato la cabala onirica – ché la signorina Scontrino aveva rotto gli indugi e rivelato le quattro lettere nonché tutto quel pallottoliere che le rimbalzava sotto il cavallo – al Papa, il quale aveva in animo di nominare un paio di nuovi cardinali... E molte grazie per il super-attico, dava proprio sul sacro comignolo dei conclavi. Ma il nome, don Basilio, il nome! YHWH! disse lui al telefono con l'aria di pronunciare "aiuola". Come? chiese la signorina Scontrino. YHWH, ripeté lui, Yehowah, altrimenti detto Geova, volgarmente Dio. Che era l'Ingegnere del campanello e che lei era sulla buona strada. In quanto alla pallina da ping-pong, questa era davvero grossa, e che bisognava aspettare un po' per una interpretazione non fuorviante. C'erano di mezzo dei brevetti, e si sa come sono i cinesi in certe cose e che bisognava solo sperare che dopo Mao arrivasse un maramao di servizio.

Fra novembre e gennaio una gomma americana fu l'unico elemento nuovo nel sogno ricorrente di Teodora: adesso la goccia nera masticava all'interno del feto il tiramolla insapore dell'Universo verso cui lei dilagava col cuore in gola.

Ricordava tutto ciò perché almeno una volta per notte

riusciva con ferocia a annaspare fuori fino alla realtà e la realtà faceva *clic* sopra il comodino a sinistra. Per questo spesso preferiva non coricarsi e aspettare addirittura il momento di alzarsi dall'insonnia. Sognava a una profondità intollerabile, dentro una seconda vita orripilata dalla sua prima in tranquillo agguato a ogni risveglio dalla veglia. Era una lotta, un corpo a corpo fra fantasmi di diversa consistenza che si fronteggiavano da dimensioni non confrontabili. Entrambe le fazioni emanavano un comune odore di non vissuto, di sangue arrestato e fatto prigioniero. L'incubo si manifestava in situazioni di infinita dolcezza e anche stanotte, dopo secoli e passa e una trascurata abulia stesa sulla sua cotta di ragazzina, sognerà lo stesso ex-compagno di scuola con la macchia di bellezza sul naso. Qualcuno li accompagnerà per mano standosene nel mezzo, una specie di culla dotata di braccia e dita fra cui rendere possibile il dondolio di passeggiate insieme mai fatte, di questi baci mai dati né ricevuti; la culla prenderà volto e si allungherà in altezza: è Onofrio vestito da eschimese con una fisarmonica in spalla che pattinando pattinando è salpato su una baleniera e grida «Moby Dick! mia finalmente!» e le scaglia una rete di merletti rossi per coprire le pinne. Ma ecco, la mutanda ittica si trasforma in un arpione che mira al suo ventre. Lei segue la linea curva dell'arpione ormai vibrante pronto a centrarla. Ma ecco staccarsi dalla punta del naso dell'amato il neo pellucido, sovrapporsi all'arpione e finire nell'ombelico di lei, in pieno mare. Un geyser le zampilla in fronte, non acqua e non mestruo: pipì santa di bambina, liquida aria gialla. Voleva svegliarsi prima che da quell'istante il sogno riprendesse a scorrere in sequenze prememorizzate, a diapositive fisse. Quando ci riusciva, affannata, di corsa a modo suo, sbattendo contro tutto, si dirigeva verso il bagno la cucina un rubinetto dell'acqua fredda, era sicura di aver riso a squarciagola di quel calco di vita così intenso da diffondere nella testa le vibrazioni gassose di una morte avvenuta. Doveva svegliarsi daccapo, era un'altra sovrapposizione filmica, era acqua del sogno, un duplicato psichico del liquido sotto cui invano ha buttato la testa per ricevere lo scroscio della realtà, sempre un po' più in là di dove credeva di averla schiacciata l'ultima volta. Questa arbitraria romanticheria di notte era un affronto venuto da regioni inesplorate a macchiarla di un rimpianto che da sveglia non provava, il marchio di un desiderio infaticabile che dalla sua tana lanciava immagini offensive e segnali di una mai spenta vulnerabilità verso chi ha il dono di farti partire. E in fondo a quel caos, che sbeffeggiava la sua placidità giornaliera seduta da qualche parte a controllare sulla cartina dell'Agip gli sbocchi dell'autostrada e relative stazioni di servizio, c'era una Teodora piccola, fragile, con sguardo sgomento e uno scherzo più grande di lei, o con i gomiti sul davanzale della finestra, quando arriva il camion della nettezza urbana e un uomo con la giubba arancione simile a un gigantesco fiore di melograno attacca bidone dopo bidone alle chele meccaniche e il bidone fa "pong!" e ribalta dentro un altro giorno.

Il settennato di gestione del potere che stava per aprirsi andò a aggiungersi all'età degli esclusi appesantendola di un numero relativo di anni, ma defalcandosi da quella di Anastasia che si trovò alleggerita di quattordici. E, ormai nel fulcro in fieri a ritroso della sua bellezza, non accontentandosi dello stato di vedova di un mammalucco, tanto fece e sfece da ottenere il divorzio post-mortem da Onofrio Cofani e diventare a tutti gli effetti signorina di se stessa, cioè, poiché felicemente madre, signora Anastasia Kuncewicz, di nobili origini uralo-baltaiche o giù di lì.

A febbraio ci fu la prima Paralasta, battuta dal Tenente Albigian stesso. Un successone, seppure solo a livello nazionale e con quaranta allievi, e se non proprio di Pisa, pur sempre forniti dal Pio Istituto San Giovanni Bosco.

In marzo Teodora prendeva su il carrozzone e, per la prima volta in vita sua, stava via tutta la notte.

A metà marzo la signorina Scontrino chiese notizie a Anastasia del suo viaggio di una settimana a Pietroburgo – Anastasia rispose di malavoglia, ma ammise che s'era trovata bene, che le erano venute le vesciche a forza di camminare all'Hermitage e che aveva rintracciato delle pro-zie. La signorina Scontrino ne era radiosa, perfidamente radiosa e non era certo da lei chiederle se al "Las Vegas" si immaginavano che la porcilaia presto sarebbe stata trasformata in monumento nazionale.

E il primo, finalmente, il pesce d'aprile al mondo: l'inaugurazione in pompa magna de La Delfina Bizantina.

Bisanzio-Istanbul/Costantinopoli-Ravenna
ADESSO

Bisanzio

Le grosse gemme dei due ippocastani dietro i pilastri dell'entrata sfarinano una luce di loto che punzecchia l'aria tiepida del recentissimo marzo. Il canile municipale di Ferrara sventaglia l'indaco nuvolato delle mura fatiscenti e da più di un secolo i battenti scardinati del secondo piano gridano al vento salsedinoso un cocciniglia allo stremo.

Lo spiazzo polveroso che diventa uno stagno a ogni piovasco viene chiamato paddock dal guardiano, un uomo sulla tarda cinquantina e il quintale, un invalido civile ben portante con un senso pipaiolo presidenzialsindacalista molto sviluppato: ha trasformato la fureria in un salottino con brandina – copriletto marocchino – e frigo-bar e garofani di carta rossa, sotto tavolo e tre sedie e brandina ci sono grossi riquadri di mokett d'occasione color senape fango tenuti insieme da strisce di scotch e, attaccata ai muri rivestiti da carta da parati cachemire, c'è un campionario della sua collezione di pipe, radica e altri materiali più o meno nobili, disposte su una scansia a due piani, e sopra una foto di Pertini e Lama insieme che tirano. Un televisore di 12" ai piedi della branda, solo le private, gli piace molto guardare le aste dei tappeti e dei servizi di porcellana; RAI quasi mai, sempre quell'Umanella III a tutte le ore, non fa mica parte dei gruppi a rischio, lui, anzi!

Nel paddock non sono ammessi i cani morsicatori né quelli con le zecche – ma chi sta lì a vedere se ce le hanno!

– o con la TBC, quelli che saranno i primi della prossima tornata, e tutte le cagne, che adesso sono in calore e creano inutile scompiglio. Il lavabo, di seconda mano ma come nuovo, è proprio sotto la finestra, l'unica, e così quando lui sta a guardare fuori si appoggia al bordo di maiolica un po' giallina, lascia scorrere l'acqua – calda o fredda – e mette una mano in ammollo. Ci tiene tanto alle sue mani, rimpiange solo che sia sempre più difficile trovare qualcosa attorno alle unghie da sollevare, tirare indietro, staccare, tagliare, limare. Il manicure è un gran passatempo quando hai qualcosa per la testa e non riesci a capire bene cos'è. E adesso non può rischiare di passare ai piedi e farsi trovare lì affannato con i calzini e gli stivaletti di suo figlio che fanno giovane. Il patto era: te li compro, ma se li mette chi si alza per primo. Lui alle cinque è in piedi. A cercare un nuovo paio di guanti intanto che viene pronto il caffè. Lei, prima di scomparire, ne aveva nascosti a dozzine, da sotto il materasso a dentro lo sciacquone del bagno. Poverina, aveva così paura delle carestie improvvise e delle casalinghe che prendono d'assalto i supermercati che era diventata tale e quale a loro. Poi....

Quante cose ha da fare stamattina Anastasia! tutte lì nei paraggi, ma non vuole rientrare e trovarla sveglia e avere dopo le grane che ha evitato prima. Per fortuna Teodora dorme ancora, o almeno la finestra ha i battenti chiusi, altrimenti dovrebbe lottare per avere le chiavi. Per certe cose è proprio pratico, per un carico, un rifornimento, un sacco di cose, e mai un incidente in tutti questi anni, girano tutti così al largo quando lo vedono. Teodora ne è così gelosa – una seconda casa. Ma dorme – si addormenta solo a tarda notte o all'alba, povera figlia, a volte inganna l'insonnia prendendo il carrozzone e andando dio solo lo sa – e Anastasia le ha sfilato le chiavi dalla borsetta postmoderna trasparente – un hamburger, una porzione di patatine fritte, ketchup nuotante in scompartimenti stagni di plastica. Deve ancora passare all'Ente Turismo, se 'sta pompierata di stagione lirica è stata definita e informar*lo*. Far*gli* anche da galoppina. Comperare due abbonamenti, come ogni anno: uno per lui, l'altro per il suo essere umano di turno. Mantenere anche i mantenuti. Un patrimonio solo in whisky e champagne e xeres e calle fresche, i maledetti pomidori! la signorina Mimì, già Scontrino ormai, sgridava sempre i clienti incerti che flanellavano fra loro invece di guardare le ragazze in sfilata: «Su, belli, animo, o siete diventati tutti pomidori?», ecco quello che voleva dire: busoni. Anastasia il suo vocabolario l'ha arricchito dopo, per via del fioraio. Uomini degenerati che fanno la parte delle donne con altri uomini. Prima però, quando lei era ancora ragazzina e ne aveva un bell'esempio sotto gli occhi, i pomidori non esistevano ancora perché non c'era un nome per chiamarli, un conte era un conte, e solo le donne facevano le sigarettaie o le fioriste, poi c'è stato il livellamento delle classi, i mestieri si sono confusi di sesso, i nobili hanno perso il privilegio di essere al di sopra di ogni genere e appena decaduti, zac!, assomigliavano come gocce d'acqua agli uomini che si erano messi a fare le fioriste, e sono nati tutti 'sti modi di fargli fare l'inchino anche coi nomi... E poi deve passare alla Banca San Petronio, all'Istituto di Credito Santa Apollonia, in Posta, al comando dei vigili urbani, rinnovare le licenze varie, dalla signorina Scontrino al convento per vedere che novità ci sono con gli insoluti dell'ultima Paralasta – ah, Pretoria Pretoria! – e con le prenotazioni alla Delfina e, al solito, l'incontentabile salterà di palo in frasca finché non è riuscita a manifestarle tutto il suo dispiacere, il frizerino agli sgoccioli. E poi alla Standa a far fare il duplicato. E poi al canile. Una non ha mai finito. Lo sgombero della Dieta dei Paracelsi, la verifica degli impianti, le agenzie viaggi di ogni parte d'Europa, tappare i buchi del personale che non si è più fatto sentire. E questa faccenda da sistemare al più presto: uccider*lo*, nel senso di farlo uccidere da un sistema nervoso fidato, un calco della sua sete di vendetta, non un semplice sicario. Che sfacciataggine la sua letterina di Natale arrivata con due mesi di ritardo, cioè due settimane fa: "All'audir mi giunse che Voi gentile donna Nontiscordardime avete in magione sublim' collezione d'icone. Quanto è bella, quanto è cara! Il core e il guardo estatico braman già di mirarla d'Eutifrone. *Wuai not* (perché no?). Vostro *Eutifrone*".

Certo era solo per far sfoggio della sua carta stampigliata con le insegne del casato, tre salami e un culatello incrociati, che il conte rinunciava al suo balocco preferito: la SIP, se gratis meglio ancora. Aveva fatto una pallottola del biglietto e l'aveva scaraventato contro la finestra. Teodora l'aveva raccolto: che strana grafia! voleva provare a vedere se riusciva a imitarla. Era un modo come un altro per scrivere cento volte "balena", poveretta, non cresceva mai, aumentava solo. Il messaggio era stato fin troppo chiaro, visto che la lettera si era fatta precedere a Santo Stefano, senza farsi annunciare, da lui in persona, squisito e padronale, un po' seccato sull'andamento delle poste come tutti i veri gentiluomini di antico stampo, come a casa propria e lui a ricevere lei. Aveva allungato alla vera padrona di casa una rosa tipo Findus in una tomba di plastica e se ne era andato con un inchino, un baciamano e un'icona sottobraccio del valore non inferiore ai sette milioni in solo argento e pietre dure. E sul portone aveva detto, disinvolto: «E mi raccomando: le chiavi». Stava oltrepassando il segno. Non si sarebbe più fermato davanti a niente: una dopo l'altra le sue duecentodiciannove icone, custodite nella sala blindata, sotto il caminetto, avrebbero preso il largo, e non per insaziabilità da collezionista maniaco ma per traslocare al primo antiquario all'angolo. E lì infatti l'aveva vista in vetrina e ricomperata nel giro di ventiquattro ore. Per quindici milioni. Il conte aveva capricci molto costosi e sua madre, evidentemente, non aveva mollato i cordoni della borsa. Donna Dulcis, centenaria?, doveva dare ancora la mancia al figlio per le sue nefandezze del giorno di festa, ma certo più lui invecchiava e meno bastava. E se un bel giorno gli fosse saltato in mente di venire alla Delfina con la sprezzante signora madre, l'etèra carbonara socialista dallo sguardo di gufo, moglie del fu conte degli Insaccati di venerata memoria e di cui nessuno aveva mai fatto né sentito parola, proprio come se avesse cessato di vivere prima ancora di esistere? la contessa avrebbe saputo tener fede al patto stretto con Anastasia dal figlio degenere? o non si sarebbe accontentata di trovare il ricatto "ghiribizzoso", per quanto lucroso, lei, straricca, salumifici e affini, potente ma *vecchia*, da almeno quarant'anni sul viale di un tramonto labirintico? non si sarebbe risentita per la ricchezza e il potere e la bellezza, non certo inferiori, di un'Antav... di un'Anastasia e tanto più *giovane* di lei? non avrebbe goduto molto di più a smascherarla alla prima occasione davanti a tutta Italia, magari servendosi dei cronisti e dei cameramen inviati al Festino d'Estate? Capacissima l'immortadellatrice Giusy di apparire all'improvviso davanti alla Bilancia e rilasciare una conferenza stampa di tre parole...

Anastasia ha un brivido di sgomento che le allarga lo spacchetto sul davanti, sbanda leggermente sul marciapiede. Basta vivere sul-chi-va-là, bisogna trovare il modo di sbarazzarsi una volta per sempre del melomane, scroccone, conte *e* pomodoro. Quest'anno o mai più. Altrimenti va a finire che fa parte della Famiglia. Ci sono voluti anni di cellule-luce per calare Paquito nella parte per la quale è stato integrato preventivamente quattro anni fa. Speriamo che facciano una "Carmen" quest'anno o un "Don Giovanni" o qualcosa di spagnolo, un flamenco, una tuna franchista, un bolerino che lo attragga tipo quel bel balletto là, "L'uccello tutto fuoco". A lui l'opera fa veramente schifo, vi andrebbe solo dietro ordine. In un intervallo potrebbe succedere di tutto. E poi l'ha detto lui stesso che il conte Eutifrone si allontana sempre dieci minuti e ne perde nove fra i lauri o alla tualet facendo finta di aggiustarsi quell'assurdo papion fosforescente... E Paquito in questi anni si è mostrato sempre neutrale verso il sollecito exsfruttatore, così senza rancore. Il conte non può certo sospettare di niente e si è dimenticato cosa Paquito si portava appresso nello zaino militare, mentre questa imparzialità di boia mancato, fremente per il torto subito dal Rey Don Juan, va a pennello alla simmetria nervosa perseguita da Anastasia. Certo, lei avrebbe potuto chiedere una cortesia al Tenente Albigian, già partito per Pisa: «Non incontriamoci più, mia cara» le ha detto al citofono ancora al tempo dell'anno sperimentale, «e avvisami quando devi venire al Campo, mi mimetizzerò in modo speciale così non dovrai fare alcuna fatica per non accorgerti di me. Ricordiamoci con le iridi della nostra gioventù», ma lui è così preso dal suo lavoro e inoltre deve essere sempre dieci anni più avanti di quelli che gli fanno la posta; o ricorrere ai libici del Gallia P 38, ma è gente che si muove solo per l'ideologia e bisogna dargli un perché di Stato prima, politicizzare quel che nel loro stesso Colonnello deve essere un capriccio da temperamento mediterraneo al petrolio... Tanto più che il Tenente Albigian potrebbe rendersi conto che la storia che le ha costruito addosso quarant'anni fa comincia a fare acqua, adombrarsi e dargliela a lei la colpa di questi cedimenti improvvisi, non alla storia, visto che una vale l'altra e ognuna, anche la più vera, è fondata su un sacco di civetterie. No, Paquito è l'assassino giusto, malleabile come la creta, modesto, che ritorna ogni volta alla creta che era, non legato alle forme. Comperare un abbonamento anche per lui. E cominciare sin da adesso a dargli più libere uscite, con o senza i cani, incanalarlo verso i teatri e relative ritirate, abituarlo al pensiero della messa in opera.

Il programma della Rocca Brancaleone annuncia: "Prima Originale de 'La Fiamma' di Ottorino Respighi – Opera Bizantina". Una tentazione sicura per il conte Eutifrone, un appuntamento – con la morte – a cui non mancare. Bisognerà provvedere a far saltare tutte le lampadine dei cessi al momento giusto o a potare qualche siepe... un

Enel, un bersaglio sicuro... Che club, come dice Paquito, che gran club, ahahah!
Presina.

Quando il custode di cani esce di qui e stacca – ci sono orari da rispettare, i due accalappiatori in giro per Ferrara potrebbero fare la spia – frequenta un posto così lontano da ogni associazione d'idee con la sua *professione* e i cani in generale che lui si sente autorizzato a fare il prezioso e a parlare del suo piedater-alcova, luogo di lusinghe e di piacer. Nel retro del self-service a Malalbergo – è un compagnone di coprifuoco del gerente, la sua mamma, allora...; passa per la stradina che costeggia l'autostrada, quella per i baristi e i benzinai – , dove va a giocare a scopone e a tresette, tutti lo conoscono per messo comunale con dei *giri*, uno del dipartimento veterinaria, e lui si vanta di rimorchiare per le *stalle*, corridoi dell'anagrafe e sportelli vari, parecchie *giumente* stordite dagli iter burocratici. Lui ci dà una mano, *sotto*... Gli piace parlare di sesso e fra tutte le parole oscene sceglie quelle più modenesemente ricercate, che dicano molto e lascino capire poco, per esempio nella sua compagnia nessuno usa *erotismo* e *sessualità*, le ha inaugurate lui, esperto d'aste sulle private, tutti dicono che *chiavare* è meglio. Conosce a memoria alcune poesie di Olindo Guerrini e interi capitoli di Guido da Verona, che recita nei *simposi* delle classi dal '25 al '35. Lì al bar, con i suoi coetanei, si dà delle arie e lascia intendere che ha fatto carriera, gamba permettendo, che gli va bene, e che chi l'avrebbe mai detto ma *miete* più successo con le donne oggi che dieci anni fa, per non parlare di quando aveva vent'anni, sempre in tiro e mai una lira o sempre una di meno per salire su e ritirare una marca, e così le lire che c'aveva ci saliva su con uno zoccolo, faceva cinque contro uno e, *sboragliato* il nemico, toglieva tutto quel guadagno netto da sotto lo zoccolo hihihi!
«Fina la Tina, ma la più sopraffina è la Cunices-

sivsztsx...» prova a alta voce. La Tina è, era sua moglie, e una *w* sarebbe al di fuori della sua portata.

È sempre di questa stagione che di mattina, preannunciata da una telefonata, non a lui direttamente ma a lui trasmessa dal primo accalappiatore di ritorno dall'alto loco, appare la signora sul furgone un po' sgangherato, una foggia di carrozzeria unica in circolazione, un po' turbo un po' diligenza, i vetri sporchi con pezze di tela violacea piene di buchi, la vernice chiazzata di stucco e di strane striature come di lumaca sui parafanghi, ammaccati, una specie di gip mille usi targata RA-I... e i numeri?

Comunque anche stavolta gliene ha messo da parte due, quelle che secondo il signor veterinario sembrano le più sane – e anche le più puzzolenti, avrebbe avuto voglia di dirci. Quello che ancora non ha capito è che se ne fa di due cagne ogni anno e sempre di questa stagione, e che tipo di tresca ci sarà fra questa pornografiga e il veterinario che viene qui apposta a tagliare la coda alle prescelte... Oh, magari è una di quelle femministe malchiavate, ricche, a menopausa ibernata, che si sono ritirate in un cascinale, l'hanno messo a posto e facevano mille progetti e ricominciare da zero e essere lasciate in pace e poi sono state lasciate a zero e in pace per davvero e si torcono l'anima con le buone azioni, e sono loro le prime maschiliste perché a loro gli uomini gentili e premurosi ci fanno schifo, non sono abbastanza uomini, le lavative delle belle speranze, del sentimento inadeguato, e così scialacquano tutti i soldi prendendosi cura di un genere di animali e gli fanno le iniezioni per il sesso e il suo periodo e non farle dipendere dai maschi fino a che non muoiono di spasmo di natura. Una stramba, ma *che* stramba! Un gran bel tòc de völva, piacente, formosa, una che fa sangue, stagionata al punto giusto, un'italiana di una volta, che si sentirebbe a suo agio in mezzo al formentone o in un granaio o su un biroccio per le vie del centro, una che potrebbe farti godere sotto un bombardamento di Pippi. Una donna pratica che sa quello che viene prima, quello che viene dopo, quello che viene troppo alla svelta e quello che non viene mai, e si equipaggia a secondo, ihihihih!

Non è solo perché lei ogni volta gli dà una buona mancia che lui sta con l'orecchio teso sopra il lavabo, a televisore spento. Temeva di non fare a tempo a sbarbarsi, invece quella non arriva più e adesso passerà alla destra. Le pellicine – il posto dove crescono – sono livide, ma gli piace avere le mani curate e usa sempre i guanti quando li scuoia. Altro che i proverbi, altro che cane non mangia cane!... Prima li rubava alla Tina, di plastica, color carota, per lavare i piatti ih ih ih: lei che si metteva a cercarli come una matta e a fare domande assatanate a lui e al Carlino di dove glieli avevano nascosti, che era ora di finirla con i dispetti... come se il Carlino li usasse per andare a fare sollevamento pesi, un pezzo di ragazzo con due spalle così, con un gusto per l'arredamento che guai se fosse miliardario che casa che ti tira fuori, la musica classica, e sempre a abbronzarsi, a istruirsi, telefonate di gente che si sente che è gente su, che usano ben altri guanti.... tutto suo padre, e allegro ma riservato, mica un volgarotto qualunque solo perché di natura briosa... Era lei a comperarli e a nasconderli e lui a ribaltare tutto fino a che non li trovava e così via... Una cosa che non sopporterebbe è sporcarsi le mani di sangue. Come quei garzoni di macellaio che, prima di passarli alle industrie chimiche – cosmesi, fertilizzanti, mangimi – gli scarti della spolpatura e lo strutto li vendevano per una bazzecola al canile e poi il canile li rifilava all'economato degli ospizi... avevano certe dita, come salamine, dita crude, sembravano rubate sul peso quando si staccavano dai sacchi buttati a terra... Non sarebbe legale, ma basta scuoiarli e buttare via il cuore – che trattiene il veleno al 90% – e la carne trarrebbe in inganno un cane da tartufo, l'odore è dolciastro, da zafferano, e ogni cane, oltre a cibarsi dei precedenti, nutre il ciclo che lo nutre. Fanno delle grandi scorpacciate, un'orgia di carne e ossi, come l'ultimo pasto dei condannati a morte, e poi gli ex-vaganti senza collare si trasformano a loro volta in una poltiglia di succulenti spezzatini buttati – mano guantata – nei coperchi di latta che fanno da ciotola. Una punturina di *Tanatax* e via. Scuoiarli per lui è un allenamento fisico e risparmia sulla palestra dell'Arci dove prima andava con suo figlio – tutti quei volantini sull'Umanella III ai muri, dio cane, neanche gli iscritti fossero tutti tossico e dell'altra sponda! –, occorre fare tanta pressione nelle braccia e nei pugni che è come fare bodibilding. Così lui può imboscare qualche sacco di "Fufi-Fofi", che rivende a un suo conoscente che li rivende al Comune, i cani non sono denutriti, anzi, e tutti sono felici e arcicontenti. Anche la Tina non si era mai lamentata, poi quella depressione, il ricovero, dentro e fuori dagli ospedali un paio d'anni, poi non sono andati a prenderla, il Carlino diceva "vacci tu" e lui al figlio "no, vacci tu" e vacci tu vacci io si erano dimenticati di andarla a prendere e la mamma era sparita... Sì, oddio, fece fare delle ricerche, ma le ricerche costano e si vede che la Tina tanto male poi non stava se non tornava indietro... Comunque la porta è sempre aperta, non è perché uno è ammalato che raus! Certo adesso la casa non è quello specchio che era prima... la Tina girava solo con le pattine ai piedi... per le pulizie, un angelo... Pazienza, adesso si arrangiano, e poi, a dirla tutta, ognuno fa i suoi comodi e il Carlino è un furbo, sta' pur certo che non va a mettersi con una ragazza *di umili condizioni*... è uno che ha delle ambizioni, sempre a tenersi in forma... certo, con una madre così, poveretto anche lui, sarebbe stato un problema quando verrà il momento di sposarsi... Non tutto il male viene per nuocere. E adesso in quanto alla Tina, se è ancora viva, con tutte quelle assistenze sociali, persino nelle frazioni ci danno un pasto caldo e un posto letto... Però i patti sono chiari fra lui e suo figlio: niente donne in casa. Un figliuolo come si deve, mai che abbia fatto un'eccezione, e poi con la macchina può andare dove vuole no? Eppoi diciamolo francamente: la Tina era, sì, fina, ma che frigida, capace di piantare lì il rapporto con la scusa che doveva ancora lavare la tuta del Carlino. Che Dio gliela mandi buona se ancora non è morta, ma fin per carità! era sempre lì a fregare, e sempre quelle brutte parole in bocca, non sapeva dire altro quando apriva bocca, anche al telefono, con gli estranei che chiedevano di lui o del figlio. Era disinvolta, ma che imbarazzante. Una liberazione, ecco. E amen... Un po' d'esercizio alla sua età fa bene, dimostra un buon dieci anni di meno, non lo dice mica lui... Peccato che i guanti si bucano alla svelta e solo in rari casi si riesce a piazzare una pelliccia. Adesso le pelli di cane non le vuole più nessuno, ma una volta... Ah, che tempi! Si stava meglio quando si stava peggio. Lo dice anche...

L'orecchio è sempre teso, stavolta la signora Cuncevicszt o Cuocevisrf o che non gliela farà. Lui lo conosce bene quel ronzio che avanza sul selciato interno rotto dal traballamento delle buche franate durante l'inverno. Un motore davvero silenzioso, quasi da presa per i terga.

L'unico sollievo è il pensiero dei gemellini Farfarello... Oh, quei corpi Anastasia se li sente già sotto la lingua: croccanti, che si sciolgono come zucchero di menta o di violetta... Così udinesi... Lei li ha visti crescere da quando avevano nove anni e per loro ha sempre fatto ai Farfarello padre e madre un trattamento di favore, il Gallia sotto i due gelsi più belli, in una zona silenziosa, faccia al molo. E i regalini ai bambini – gli orologini, le catenine, i braccialettini d'oro. Bisognava abituarli sin dalla più tenera età. Da quest'anno i gemellini sono pronti, il fregio dell'uomo nella fronte del ragazzo, le prime goccioline di latte o le subito dopo sul fessurino – don Basilio ha ovviato alla sua ignoranza, un giorno non ha più resistito e gli ha chiesto come si chiamava e gli ha chiesto cos'era, e ha avuto una folgorazione: lei l'aveva sempre pensato che anche gli uomini avessero il latte! non s'era sbagliata, dunque, solo che loro l'avevano là sotto e dentro... e ogni uomo nasconde una mammellina, un'*apostata*.... Trent'anni in due, portati bene. Ancora un paio d'anni e tutto sarebbe diventato siero apostatico col verme.

Anastasia nel parcheggiare butta un occhio dentro al cruscotto: le cose strampalate che Teodora non ha ficcato lì! Lampadinine colorate tipo baraccone del tirassegno o albero di Natale, cassette – "Cha-cha-cha della segretaria", "Samba por todos", "Passera di rovo twist" –, gomme americane, un portacipria, una dozzina di rossetti, pezzi di brioches all'albicocca, clinex, spray al giglio, matite per labbra, pettine, forcine, e neanche un assorbente. Povera figlia disgraziata, che non parla mai e va a uomini a tutte le ore e, se tanto mi dà tanto, aveva già dieci anni fa la tendenza a pagarli... E chissà se Scopina si deciderà a ricomparire. È scomparsa a metà ottobre, improvvisamente, mese maledetto, quando la signorina Scontrino, ormai inguaribile, cominciava a dare in escandescenze in vista del suo regalo di compleanno e due volte al giorno non mancava di ricordarle, passandole gli estratti conto dei depositi bancari della stagione, che il suo frizerino personale era agli sgoccioli e che anche i cani si sentivano traditi, che Scopina le era ormai dovuta e era la terza volta che se la svignava, risucchiata nei suoi pendolarismi ferroviari da casalinga impazzita, e che non bisognava sottovalutarla solo perché, per inappetenza, adesso si accontentava di una cosa più morta che viva, e che della bionda Perigord non le erano rimasti che gli occhi, neanche due, uno e qualcosa. I rimproveri per non aver previsto un'ennesima fuga dei quaranta chili con l'osso! e che era stanca di dover fare affidamento sul *filo* di speranza del Campo Zero, e che di compromesso in compromesso – e tutto perché un paio di volte aveva fatto buon viso agli scarti del Tenente – non sapeva dove sarebbe finita per colpa del suo buon cuore... Ma Anastasia dove l'avrebbe mai trovata un'altra aspiratrice così per la pulizia della spiaggia, del molo, dei sentieri? Scopina era meglio di una iena, quintali di alghe rosse confiscate in un baleno nei suoi sacchi di plastica, un'alacrità folle, ispirata, angelica, giorno e notte. Tre netturbini – e a paga sindacale, i fedifraghi – non sarebbero bastati a fare quel che lei faceva da sola e gratis. E a parte tutto, Anastasia aveva preferito prendersi dell'ingrata di dare, sì, il bocconcino genetliaco alla signorina, che era di bocca buona se si trattava di pura femmina garantita, ma... come l'avrebbe messa prima così i suoi tre angeli custodi a dargli un rottame di gentil sesso come Scopina?, e la signorina Scontrino aveva messo su uno di quei musini azzurro-carbonizzato da offesa a morte, e sia Basilide sia gli altri due Gnostici erano restati a bocca asciutta e era stato necessario fargli un'iniezione anti-ormonica, ché, non essendo abituati a cagne d'ottobre, Anastasia temeva che avrebbero perso i riflessi se fosse stata introdotta un'innovazione nel loro stile sessuale.

Per fortuna a inizio Dieta le cose si erano sistemate lo stesso, grazie al solito incidente di percorso del Tenente, Albigian si fa per dire: lo spinato a alto voltaggio era in funzione ventiquattro ore su ventiquattro, una specie di pronto soccorso, e garantiva una selezione naturale migliore di ogni test psico-attitudinale... Anastasia aveva ovviato come aveva potuto al fatto che non si trattasse di pura femmina garantita e aveva incaricato Paquito di provvedere. Oh, non era la prima volta... Così la signorina Scontrino è stata tacitata per un po'... Ma non è vero che mangia quanto una capinera: gliene servono di media trentatré di cose *vive* all'anno, e mica ci sono sempre delle perse a disposizione. Le pare già di sentirla, tutti quei mesi di nuovo esposta alla notte, randagia, col freddo nelle ossa, alla sua età, sacrilega, se lo sapesse don Basilio! e che è tutta colpa sua, di Anastasia, delle sue sviste. Un refrain. La signorina Scontrino tira delle madonne geografiche che la dicono lunga sulla gavetta che ha dovuto fare: in albanese, in bavarese, nel dialetto di Bab el Mandeb... Lei, ridotta a cercare in prima persona come un'ex-giornalaia, lei, la Referendaria, una donna di concetto, un'integralista, una della Chiesa... Ah! se potesse ancora guidare! altro che dipendere.

Amministrare un campeggio-residence per cinquecento anime quotidiane per sette mesi all'anno e centocinquanta nei mesi restanti, dieci inservienti generici più i quattro fidati a modo loro, non è facile per nessuno. Per fortuna che a fine Dieta le burbe rimandate fanno tutto. Che bravi ragazzi! delle vere e proprie Teste di Cuoio, anche se queste della manutenzione non sono venute tanto bene. Che senso del dovere, della pulizia, dell'ordine. Questo alla Delfina è una consacrazione, il Tenente Albigian l'aveva a suo tempo definito senza lacerazioni "Dottorato di Ricerca" – e queste teste d'uovo con due tuorli e niente albume valgono in media venti milioni l'una. Un affare, e così anche loro trovano la loro strada, si sistemano, accolti a braccia aperte dalla giusta causa e da un fulgido avvenire. Però con la prossima Dieta lei vorrebbe perorare la causa del 20% sui proventi della Paralasta, il Tenente Albigian potrebbe impermalosirsi se scoprisse che è diventata meno avida, e se si rifiuta – come sempre all'inizio, il vezzoso – lei dovrà mettersi a gridare e a prenderlo a calci, cosa che lui adora, e a farle lei le grida di dolore per lui, le invocazioni, gli scongiuri etcetera. Lui – e tanto meglio se lui è diventato nel frattempo il Tenente Amilkan, se la vedano loro due – si sarebbe commosso, avrebbe cominciato a piangere, a chiamarla sottovoce "Madre!", "Sorella!", "Pia fra le Pie", e "Sposa Immacolata", e avrebbe mollato le braghe alla zuava dandole tutto quello che lei voleva e implorando perdono in ginocchio. Come ai bei tempi. Il Tenente Albigian di Udine da giovane lui sì che era un perfetto cavaliere! una donna la rispettava sino in fondo... Pretendeva solo delle prestazioni vocaliche... Anche allora aveva il pallino del messaggio, dell'educandato, di far vedere lui come si fa, anche come si strapazza una donna. Gli al-seguito, a prodezza compiuta, lo sollevavano a braccia, in un tripudio iniziatico incontenibile, e andavano tutti a sbronzarsi con il loro Maestro, che neppure nei momenti più intimi dimenticava la differenza fra essere e sembrare, e che l'essere esiste solo per gli uomini comuni, incapaci di sfumature universaliche, non per lui, che aveva una missione da portare a termine. E adesso eccoti qui, Anastasia K., in un puro trionfo: corteggiata, temuta, adulata, circuita, invidiata, una dea in terra romagnola. Sì, un trionfo su tutti i fronti per lei. Poteva chiedere di più alla vita? Sì, toglierle dai piedi il conte Eutifrone degli Insaccati.

Se volesse farlo *in qualche modo* sarebbe una sciocchezza già risolta chissà da quanto tempo, ma ha il timore di essere sbrigativa, o forse gode troppo a perfezionare la spenta passionalità di quest'odio antico, viscerale, a impreziosirne l'ordito, a inventarsi un intrigo della mente visto che il cuore è tutto preso dalle quattro chiappette dei suoi Albigian futuri, i gemellini Farfarello. Nel momento decisivo niente deve sfuggire al controllo della sua fantasia omicida convogliata nella mano di un altro, tutto deve essere capillarmente vissuto e digerito per non lasciare scorie dietro di sé, di rimpianto o di pentimento, scorie che poi non potrebbe più né espellere né seppellire. Temeva i fantasmi più delle persone in carne e ossa. Ogni persona, alla cui morte violenta si collabora, emana già da viva il suo fantasma, e è questo che bisogna eliminare innanzitutto, impedirgli di avere un futuro. Azzerare la persona già da viva, ucciderla bene uccidendola preliminarmente almeno una volta prima. Il resto è una sciocchezza, l'eliminazione della poca carne con osso è sempre garantita. Ma il suo fantasma, se rimane *vivente*? Con Onofrio era stato diverso, già con carne e ossi era stato preso in affitto come fantasma di un marito e, comunque, anche con lui il procedimento era stato lento ma definitivo, senza strascichi, e nessun fantasma fatto fuori in quanto tale è mai ricomparso in carne e ossa, mentre spesso è vero il contrario. Anastasia sognava delitti totali, aveva già abbastanza grattacapi. Onofrio adesso bisogna che lei se lo proponga con ogni sforzo di memoria per farselo tornare in mente, che faccia aveva, come camminava, se aveva le orecchie o no. Ma con il conte qui c'è di mezzo il suo passato, vero, la sua storia, fatta sparire dal Tenente Albigian esperto in quelle che ora si chiamano P.R., storia tornata a galla in tutta la sua inconfessabile ignominia. L'eliminazione del conte nelle mani di un semplice killer con caparra era impensabile. Lei doveva sostituirsi *nervosamente* al killer, prima, durante, dopo. Era lei a sentire, lei a fare il piano, lei a *agire* – sì, per quanto, sciaguratamente, avesse orrore a sporcarsi le mani di sangue in prima persona. Per il resto, non aveva tabù – tranne essere costretta a confessare che, sì, a dieci anni aveva fatto la scalinata di una casa nobiliare accompagnata a strattoni da don Serafino di Piangipane.

Quel rumore lui ha l'impressione di avvertirlo da lontano, qualcosa che si avvicina andandosene via... senza crescere né borbottare d'intensità, una immaginazione o una suggestione del silenzio fra un latrato e l'altro, cioè fra silenzi, perché lui i cani che abbaiano fuori orario – sbobba, acqua, saggina – non li sente nemmeno più. Ogni marzo – e da più di un lustro ormai – ha una serie di piccole scosse da dove una volta c'era il menisco in giù, sarà la primavera, il sangue che si rimesta in un'altra gioventù che poi risale dall'alluce su al... ih ih ih! –, come se l'attesa di una... chiamarla cliente?... non che ce ne siano molte ma qualcuna c'è pur sempre, donne vecchie e senza modi, o giovani balorde, alcolizzate, drogate che li usano per nascondere lo spaccio, o barbone per mendicare al meglio, tutto un farfugliare di moine e mai cinque lire di mancia... di questa cliente speciale sia un appuntamento, una specie, decisivo, un confronto fra calendari, uno tutto consumato e l'altro intonso. Ecco! una questione di vita o di morte che glieli rimescola. È che questa quarantacinquenne? quarantenne? gli piace, da colpo apoplettico. No, non è per via delle ventimila lire, anche se non sono da buttare via, è che la cosa lo riguarda da vicino... *nell'intimo...* cielo, che belle parole che gli vengono in mente... *intimo* e *ti for tu...* Nemmeno lui saprebbe dire che ha addosso che... *sprigiona* questa russa o rumena o che, che viene qui ai primi di marzo e poi scompare un altro anno con le sue due cagne. I primi anni lui francamente si chiedeva perché l'autunno non veniva, perché in ottobre le cagne in calore non le interessavano. Forse la sua bontà va a periodi o anche lei ha i suoi oroscopi per fare i fioretti agli animali o dei limiti. Una cosa è certa: non sembra una che i limiti glieli impongono gli altri, una che si lascia comandare, neanche da un uomo. Non come la Tina che bastava cantarci "respiro il tuo respir – avvinta come l'edera" e subito si dimenticava di nascondere bene i guanti di plastica.

E adesso alla svelta alla Posta. La signorina Scontrino ultimamente lascia un po' a desiderare e non c'è verso di convincerla a farsi aiutare da un'impiegata non incinta. Nel Referendario, con tutti quei dischi, schermi, fili, sembra di essere su un'astronave. I prossimi dovrebbero essere ottantatré o ottantacinque giusti. Quando compie gli anni stavolta, Anastasia sa già che non riuscirà a farla franca con uno dei soliti vasetti del Lombrosino. La signorina dice che prima di morire – merda se pensa una sola parola di quel che dice – vorrebbe un qualcosa di *vivo*, nel senso di consumarlo poco per volta staccandone la porzioncina che interessa e risistemarlo poi in un ambiente normale – una stanza blindata, un sotterraneo ben ventilato, una clinica privata – senza fargli mancare niente, assistenza scrupolosa di un chirurgo di buona volontà che voglia far pratica, una giovanotta in cerca di sistemazione... e così questo qualcosa si presenterebbe ogni volta fresco nelle sue parti più minute, al sangue, non rappreso o con quel sapore di sbrinamento che hanno tutte le vivande congelate... Questo, l'ha detto ben chiaro, è l'ultimo anno che ha intenzione di far uso del suo frizerino. Vuole una sua scorta viva dal valore proteico intatto. Se l'è ben guadagnata, o no? L'ha detto chiaro e tondo con la sua vocina metallica e ha già prospettato che non è impossibile, basta guardare quante sfaccendate in giro, *smonate, sfigate* – proprio così, e in parecchi idiomi –, e il fegato, *exempli gratia*, ricresce come prima, o un frittino di cervelline, uno stinchino alla brace, e qualcuna avrebbe la possibilità di essere tolta dalla strada. E al diavolo Sua Eminenza don Basilio e la sua salsa verde con tonno, capperi, acciughe e ostie consacrate! *garum piperatum*, donna Anastasia, *garum piperatum*, e in culo al Sant'Urifizio! E con tutto quel che lei ha fatto per la sua ascesa alla porpora, lui prende ancora la scusa che con i cinesi non è il momento giusto, ma se perfino Pierre Cardin ha ormai aperto una boutique a Pechino, che gliene frega ai cinesi del maledettissimo brevetto delle palline da ping-pong?

La signorina Scontrino neanche da vecchia può rinunciare a uno sfruttatore, da viziare e da maledire. La signorina Scontrino sta sperimentando l'ateismo e il sacrilegio perseguito con coscienza come forma estrema della sua bigotteria. La parola d'ordine dell'anti-crociata dietro cui maschera la sua fede di sempre è: *Know-Wow*! L'uso quindicennale dell'informatica ha modificato il suo spirito in un registratore per il quale l'unica essenza che conta è la legge del mercato, domanda/offerta galvanizzate dalla teoria del piacere a tutto spiano, godere più che si può subito, per espiare c'è sempre tempo, e stop. Ha praticamente reinventato tutta una filosofia per omologare il suo stesso vezzo proibito: un tantino di carne umana al giorno toglie il medico di torno. A ognuno la sua mela, secondo ceto e condizione, e non accetta ragioni; e con quello che il suo debole di gola le è costato in patemi d'animo, reumatismi, angosce giorno dopo giorno – e icone ai prelati, dimore come si addice –, lei il Paradiso se l'è guadagnato comunque al mille per cento, guardare il *personal* per credere, era per il *qui* che si preoccupava, i suoi succhi gastrici frustrati. E la signorina Scontrino aveva aggrottato le sopracciglia millimetriche in modo che non ammetteva repliche e indugi: donna Anastasia era o no la sua protettrice, la sua mecenate, la sua *Signora*? ebbene, allora che rientrasse nei ranghi e dimostrasse di esserne all'altezza fino in fondo. Lei, la signorina Scontrino, non aveva mai desistito un momento della sua vita dal compito che si era assunta: economa-logoteta-contabile nonché portiera di notte. Altro che Referendaria, bel trattamento per una futura *p*... Che cosa avrà voluto dire? Mai più intendeva riprendere a fare il mestiere. E che la carne in scatola non si addiceva alla mensa dei suoi titoli. Era stufa di precotti.

Già l'arteriosclerosi è una gran calamità, ma la IBM nei globuli per di più!... Anastasia detta il telegramma: "Spett. Sede Centrale QOQQI, Piazza delle Botteghe di Gesù, Roma: Delfina Bizantina Onorata Ospitare Le S.V. Ill.me In Cottages Residenziali Fine Luglio-Metà Agosto – Predisposto Tendone Per Riunioni In Caso Di Maltempo E Servizio Traduzione Simultanea – Ossequi". Poi un altro più o meno uguale al Quirinale, un altro al Viminale, un altro a Piazza del Garofano, e uno collettivo a Anna Maria Pia Marta Edda, non verranno mai ma fa fine, eppoi non si sa mai, l'occasione fa la benefattrice ladra.

Il "Servizio Traduzione Simultanea" piace sempre a tutti, dà quel tocco di carattere nazionale alle riunioni dove imperano i più disperati dialetti regionali, fa Strasburgo e tutti sono contenti e felici. Anche qui c'è la longa mano del Tenente Camerata Albigian, un altro exploit per la Delfina Bizantina. Un giorno sarebbe arrivata alla sezione estiva del Parlamento Europeo, e del resto a questo mirano di assurgere i QOQQI venendo alla Delfina: alla promozione europarlamentare che fino a ora ne ha selezionato solo poche personalità di rilievo, ma che sempre dall'associazione romana sono state lanciate. Sì, dei telegrammi sono a volte più eleganti di un telex e arrivano subito sulla scrivania giusta. La signorina Scontrino la critica molto per queste sue romanticherie ottocentesche. La signorina Scontrino la critica altresì perché non ha chiesto né anticipi né caparre alla segreteria dei QOQQI, famosi per essere frugali ma a base di champagne e tartine al caviale a tutte le ore. La signorina Scontrino, ovviamente, vede sempre la trave negli occhi degli altri, e non può capire che dopo i libici, i boliviani, i cambogiani, i peruviani, gli argentini, i greci, che dopo il grande successo internazionale della Dieta d'Inverno e della conseguente Paralasta – un incanto –, ospitare i romani per i loro lavori agostani è la coronazione di ogni più impensabile ambizione a lieto fine. Dietro Roma c'era Roma: non capiva la signorina che l'Italia stessa finalmente si smuoveva, cercava di recuperare l'america perduta, che dopo solo un lustro e mezzo la Delfina diventava profeta in patria? E che i miliardi scorrevano a fiumi, e erano puliti, nel senso che nessuno ci badava? Lo capiva o no, questo, la signorina Scontrino? E non pensava che anche la sua tanto sospirata udienza privatissima dal Papa sarebbe stata un sogno tanto più a portata di mano? A questo si era smollata un po'. E basta con gli esuli, i perseguitatori perseguitati, tutti quei giri dell'oca da Ginevra, Lichtenstein, Lussemburgo, Enna e Savona per farsi pagare dai vari ex-qualcosa e ex-tutti d'un pezzo. E i QOQQI avevano filiazioni in tutti i partiti, in tutti i centri di potere, Ivrea, Monza, via Condotti, niente roba da P2 con loro, loro le buone intenzioni avevano il coraggio di esporle alla luce del sole,di teletrasmetterle, e che da un pappagallo era saltata fuori una tortora, e era andata a Strasburgo. E che qualche volta faceva bene a stare aggiornata, per rendersi conto almeno di qual era la scaldina televisiva più amata dagli italiani. Bisognava stare al passo coi tempi.

La signorina Scontrino l'aveva ascoltata come si ascolta una povera disgraziata e aveva laconicamente risposto che, chiacchiere a parte, quelli erano famosi per mangiare e bere e chi s'è visto s'è visto. Pagamento a dodici mesi, sì, ma voleva la signorina Scontrino mettere il guadagno in prestigio nazionale, il più difficile da ottenere? non vedeva gli sviluppi? Ma come, lei si dava tanta pena per dimostrarle che era guarita dalla *vanitas vanitatum*, e la signorina non era neanche contenta di lei? Non capiva che il nuovo cavallo vincente erano l'apoliticità e i quiz, cioè il senso concreto delle cose, teotecnologia compresa? ah, questo da lei non se lo sarebbe mai e poi mai aspettato, un'antesignana del processo al mondo ovverossia del *world processing*. E se le avessero chiesto un bel giorno di organizzare una filiale della Delfina Bizantina a Castelgandolfo o al Foro Italico? non capiva che, intanto, era obbligatorio passare da lì, e al diavolo alcune centinaia di milioni in marketing? Anastasia in quegli anni di attività con la vita aveva capito una cosa: che l'Italia era l'Estero più difficile da raggiungere per un'italiana come lei, una del *Made in Italy* a pieno diritto... E tutta la serie di visite *private* che la presenza dei QOQQI avrebbe comportato: Botteghe per ogni intensità di luce e buio, l'Esercito, il Fismi, il CSM, i capi dello Stato Minore tutto, cioè quelli che contano veramente, la Santa Sede va da sé, l'Alta Finanza, la Confindustria e altro che i Buscetta! i Bresciani, signorina Scontrino, niente meno che i Bresciani e, forse, Locchini stesso con il suo staff di sindacalisti privati e, *dulcis in fundo*, la Val Trompia, la Coppola Nuclear s.p.a....

La signorina Scontrino a quel suono "Dulcis" aveva allargato un attimino gli occhietti: Anastasia sapeva più di quel che avrebbe dovuto sulle sue parentele nascoste? Ma Anastasia era inarrestabile: meraviglie delle meraviglie non era da escludersi, come già da alcune voci fatte pervenire al suo orecchio, che cogliendo tutti di sorpresa, dopo attenta programmazione, all'ultimo momento il membro più fulgido dei QOQQI, l'enologo Presidente della Repubblica, sempre per tini e per valli, sarebbe venuto anche alla Delfina a fare il discorso ai giovani. La signorina disse che facesse come meglio credeva e che se lei era disposta a buttar via tanti soldi per quella gentaglia tutta *cauda* niente *caput*, allora poteva anche spendere diecimila di benzina e muovere il culo, che le pollastrelle cominciavano adesso a spuntare come funghi e a fare l'autostop.

Anche Anastasia una sola volta, e a modo suo, aveva fatto l'autostop. Anzi, due, una dopo l'altra e nella stessa occasione. Oh, il sublime Tenente Camerata Albigian, dai mille volti, le mille relazioni, l'instancabile Don Giovanni della continenza volta a un domani migliore! tutto lei gli deve. Era stato lui a metterla sulla strada della potente Mimì, non appena arrivata alle porte di Ferrara, quasi ancora sanguinante, con quella patacca di grumi spappolati in piena faccia. Era rimasta da lui quattro giorni e cinque notti; da un carro di fieno che aveva avuto pietà di lei – un ragazzotto che le aveva fatto una testa così con i suoi discorsi ricercati, lei più morta che viva, con appena energia sufficente forse per lasciarsi violentare, e lui invece di farlo aveva cercato di conquistarla, con grande, irreparabile perdita di tempo per lui, che già zoppicava, e portava dei ridicoli guanti di lana per "non farsi venire su le vesciche alle mani", un contadino peggio di uno di quei cospiratori socialisti di casa Insaccati, tutti così per benino, e ovviamente non poteva che chiamarsi... ma come si chiamava? non importa, è come se lo sapesse – era passata a una dependance del Palazzo dei Diamanti, al quinto giorno, filiale di lusso e segreta del "Movenbien", tutta una scala di qui e di là, due palme, negretti di gesso, il naso ricucito come a quei tempi meglio non si poteva, ben vestita, con una fede incrollabile in se stessa, lì, a subire l'esame di madama Mimì, che smaniava per avere una capace di fare la russa ai piani, Anastasia già con un passato adatto, fedele al re italiano, tutta una tradizione di famiglia alle spalle. Del resto, con l'apprendistato raccogliendo quello che donna Dulcis lasciava in giro, in fatto di regalità avrebbe potuto trarre in inganno anche la vera Anastasia, principessa superstite in almeno cinque donne differenti. E Mimì Scontrino l'aveva messa al lavoro subito, servizi di tutto rispetto, particolari, niente roba a dozzina, tutta al pezzo: i bei treni e via per Milano, Trieste, Rovigo, Padova e poi giù a Firenze, Reggio Calabria, Palermo, Ragusa e poi di nuovo su, perché quando c'era la potatura della canapa nelle campagne ferraresi *lei* le voleva tutte attorno a sé le sue perle, quando quel vento cominciava a tirare si poteva ammassare una fortuna in metà Romagna standosene comodamente allungate sui sofà di Ferrara, con un Tenente innamorato più che mai della sua "voluttà in prospettiva" – in altre parole: contento che neanche lei, con cotanto maestro, non godesse più un accidenti nemmeno quando ce la metteva tutta e non necessariamente fuori dall'orario di servizio. Finché, cambiando i tempi e le situazioni e le poltrone, il Tenente non aveva cominciato a presentarsi ogni volta sotto sembianze nuove: con i baffi, senza baffi, ricciolutο, basettoni, occhiali-monocolo-con-banda-nera-bastone-da-cieco, barba, alla nazareno, un po' più alto, o curvo, grasso/magro, inflessioni ligure/lombarda/veneta/tirolese, finché la Repubblica non plaudì democraticamente a se stessa buttando sul lastrico tanti impresari e architetti e pianisti e donnine. Anastasia sapeva di avere due figli in giro a balia, ma tutta quella formaggella leccata a occhi chiusi, ingurgitata, e l'odore di piscio e di lisoformio nelle case e quello di cipria e borotalco e altri umori animali nelle salviette di lino le avevano lasciato un senso di nausea per ogni maschio al di sopra dei diciotto, e per anni era inorridita al pensiero che quelle due caciotte di carne urlante ricomparissero un giorno esseri fatti dall'anonima cagliata d'uomo che erano stati. Era stata grata alla signorina Scontrino di averle confermato i suoi sospetti, sebbene tardi, quel suo non buttare via niente, neanche il cordone ombelicale, quel leccarsi le dita facendo finta di pulirsele, il sangue che le arrossava i denti, da levatrice fatta in casa, Anastasia così giovane, inesperta che poi quando nacque Teodora fu stupita di scoprire che le levatrici non facevano mica tutte così, e avrebbe voluto persino dirle al funerale della Rakam, infine, che con i suoi due di *regali* non aveva fatto alcun pasto di carne umana ma, dal suo punto di gusto, di piadine ai quattro formaggi. Ma non aveva voluto deluderla facendosi trovare così imparziale a proposito, anzi, persino sollevata, e che se il latte non aveva voce, non capiva perché il sangue dovesse averne una. Eppoi, capace la signorina Scontrino di dirle che con i suoi due di bebè a balia a Bertinoro non aveva fatto alcun spezzatino, ma un'eccezione, o almeno del maschietto non aveva colto le palle al balzo, e Anastasia temeva che l'ipocrisia dell'una potesse diventare una forma di inquietudine per sé. Comunque allora erano tempi così, per farsi avanti bisognava tirare indietro tutto il resto. Erano tempi, come dire, come gli altri. Poi era arrivata Teodora e il sangue, ritrovandosi allenato a una sistematica afonia, l'aveva consigliata di urlare per far capire che era materna anche lei.

E adesso dal comando dei vigili in municipio, per far mettere altri cartelli della Delfina Bizantina sulla statale per Rimini.

... Dovrà andare dal tabaccaio a comperarsi una confezione nuova di limette di cartone e registrare la vite delle forbicine... Certo è dura ammettere con se stessi che fra marzo e febbraio l'avventura è stare lì a aspettare la notizia della telefonata. Ha consultato l'elenco in lungo e in largo, paesi compresi, niente che assomigli a quel cognome. Magari il telefono non ce l'ha neanche, una donna con quel personale il numero lo tiene segreto, non è una che vuole rapporti con il primo che tira su e fa "pronta?". Ih, ih! Oh, ma stavolta la targa gliela tira giù.

Qui al canile non succede mai niente – il veterinario una volta la settimana, due, dipende, qualche iniezione, e lui che fa finta di fargli trovare già abbastanza terra scavata dietro, nella selva dell'antico giardino ridotto a una poltiglia di erbacce e tegole rotte e edera. Macché inceneritore! aveva detto una volta per tutte, per me sotterrarli è un passatempo, altrimenti che faccio qui? E poi invece se li porta su, al secondo piano, dove non va mai anima viva, e li appende ai ganci delle travi e scoltella giù la pelle. Una volta gli è capitato un astrakan o uno di quel tipo lì e nessuno è venuto a reclamarlo entro i tre giorni previsti – e neanche dopo. Cani che a andare a comperarli negli allevamenti costano un patrimonio e se però tenti di rivenderli non solo non ti danno una lira perché non c'hanno il pedigri ma non li vogliono nemmeno gratis e ti dicono dove l'hai rubato. Se invece farebbero un'asta alla televisione... Però un cinquantino con l'astrakan l'ha rimediato, strakan per modo di dire, una pelliccia nera lucida con tutte le bagoline, come le pecore, magari ci fanno un cappello, le donne mica si accorgono di avere in testa il loro tesoro lauta mancia, o un manicotto, l'importante è che sia caro e abbia l'etichetta... Tùti al dòn i gh'l'an d'avêr/cun intorna al so bèl pél/l'âni granda, l'âni strèta/a tòca a lor tgnîrla nèta. Ih ih ih!

Certo, se sarebbe riuscito a convincere la Tina a aprire una trattoria alla buona, un paio di vietnamiti che ce nè tanti in giro... Prima di tutto le sarebbe passata la depressione e poi il risparmio sugli spezzatini, il guadagno...

Quella donna è la più... *conturbante* che lui ha mai visto da queste parti, e anche altrove, sarà uno e settantacinque, ben proporzionata, e non gli piacciono le donne stuzzicadenti di adesso, e i capelli di quel colore di una volta... *platano*... come le attrici dei telefoni muti, sempre così ben pettinata a imbuto, magari un collant smagliato, un qualcosa della stracciona che regge però la bandiera davanti a tutto un corteo, gran fare da signora, una di quelle mamme di gestori di self-service che nelle cantine mentre sibilava la sirena ti comparivano davanti sbucate dai calcinacci, dal niente, scarmigliate, imperlate di sudorella, l'odore di ascelle e di amore appena fatto, e avevano ancora l'energia per dare una sberla al bambino che frignava, la faccia sporca di fumo, e poi, sotto la coperta militare che si erano buttate addosso alla svelta, intravedevi una sottoveste rosata e alla prima detonazione ti saltava il cuore in gola e pensavi che lusso per un bocia finire con il muso lì in mezzo e morire sotto la casa dentro le piegoline di roba rosa e pelo profumato... Peccato quel naso, che sembra rifatto e non è venuto tanto bene, troppo sottile... alla *francese*... ma non cerchiamo il pelo nell'uovo... non lì... ih ih ih ih... Prendiamo la bocca: deve essere stata piena una volta, lui se la ricorda in progressione annuale, e adesso le labbra ricucite all'indentro, da falsa ritrosa, che quando parla sporgono fuori man mano, come colli di lumaca per traverso, sempre più lunghi e tumidi e diventano grossi, si scoprono poco per volta... guarda quando con la punta della lingua recupera una favilla di saliva agli angoli, e poi scendi ai piani alti... ma alti sul serio, roba di prima, senza sparature, che starebbe su anche a toglierci il reggipetto. Neanche la Petacci.

Ormai dovrebbe essere qui da un bel po', lui non vuole perdersi anche stavolta il piede nella scarpa col tacchetto basso sbucare dalla portiera del... furgone? la gamba ben tornita sotto l'orlo che si apre mentre si scosta dall'altra, il pertugio, il balenio fra le cosce e il movimento sinuoso del bacino quando è fuori, in piedi, mentre con una mano tiene la sigaretta e con l'altra si aggiusta la stoffa sui fianchi e imprime alla portiera una spinta che rintrona per tutto il fortino e il paddock. È una femmina che quando la vedi immagini da qualche parte un grammofono a manovella, un casché del destino. Ma questi sono particolari visti quando? *dopo*, dopo averli visti... Una donna autoritaria, una natura, una leona. Che ride di sbieco, e sempre di bocca, mai con gli occhi, come se i muscoli della faccia farebbero a pugni in tandem. Ma riderà così perché ha sempre fretta, tutta presa dallo sforzo di invitare alla confidenza senza lasciare a nessuno il tempo di prendersela, e non ha mai detto una parola di più. Un marzo o l'altro glielo chiederà che cosa ci fa di due cagne in calore. E magari di confidenza in confidenza potrebbe invitarla a entrare nel piedater, offrirle un calice di marsala, parlare del tempo, dei cani, dei tappeti orientali, della gente che quando è tempo di andare al mare in montagna mollano guinzagli e tutto, gente piena di scrupoli, che fanno cento chilometri in macchina col magone, prima di buttarli fuori, lei certo deve avere un debole per i cani abbandonati, per qualcosa, e la situazione si... *evolverebbe*... Un altro sorso? una pipatina di trinciato olandese? ma no che le si *addice*! e tirarle giù la cerniera dietro, scostare uno spallino, un'ombra di borotalco sotto le ascelle, perché sarebbe un peccato se una donna così se li raderebbe e poi... leccarci il brodo della giuggiola, lui mica per niente è originario di Canaletto, provincia di Modena... *Saziare la sua ingordigia* fra quei seni che lei esibisce uniti come autoparlanti, senza scanalatura, e diritti come fusi, una sfida al tempo, quel deretano rigido, altro che solido, marmo! un po' sacrificato sempre compreso com'è in quei vestiti strettini, a pennello, sgargianti, lei sempre più giovanile, le labbra sempre un po' più tirate in dentro, e un che di aderente dappertutto, di tirato, sotto la stoffa, sempre più una seconda pelle, cucita addosso, roba di sartoria. La cipria malmessa sulle guance, di fretta, come ai bei tempi, quando una femmina ci teneva a essere un po' sapientemente trascurata, un po' volgarotta nel trucco per piacere di più, che se agli uomini ci dài agio di dirti dietro qualche complimento animale si eccitano di più e tutti ci guadagnano...

Una donna simile a un album di cartoline d'epoca, *discinte.*

... Paquito appena fuori dalla caserma di Valencia, un quattro anni fa e dieci minuti dopo che respirava la fine della ferma militare, incamminandosi sul marciapiede era stato accostato da un'automobile giallolimone scoperta, targa straniera, e un signore di mezza età – e poi aveva scoperto che ne aveva quindici di più e che non si chiamava Ciro e neppure che faceva l'impresario teatrale –, con un paio di occhiali da sole con montatura bianca, di bachelite, sagomata a nuvolette, distinto nei modi, mani delicate che gesticolavano con grazia, capelli rossicci radi ma cotonati, gli aveva chiesto un'informazione per un certo giardino o spiaggia, cioè un museo. Ma aveva un'espressione troppo marcatamente da *cachondo* e Paquito capì subito che a quell'italiano dell'informazione non gli importava *nada*, e che di questi tipi qui s'era fatto un gran parlare, nonché le imitazioni per far ridere, per tutti quei mesi fra stanzoni, ciminiere, latrine, docce e alzabandiera. Prima lui non sapeva neanche che cosa fossero, ma a fare il servizio militare si imparano tante cose nuove, si matura, si spinella, e si diventa *hombres*. Poi gli chiese dove se ne stava andando di bello con quello zaino così pesante sulle spalle e sotto quel sole; Paquito si era sentito preso un po' troppo in giro ma quel giallolimone non l'aveva mai visto: come dove stava andando? e dove poteva star andando conciato così, con una pezza al culo di stoffa differente e una camicia col colletto rifilato come i cinesi? andava alla fermata delle *diligencias*, stava facendo ritorno al *pueblo*, da quella santa di sua madre. Il signore, che voleva essere chiamato Ciro lì sui due piedi e che gli desse del "tu" e non che lo trattasse *de usted*, chiese come si chiamava 'sto *pueblo*. Tomemolo, aveva risposto Paquito, a sud di Madrid, un bel po' a sud. Che peccato, aveva risposto il signor Ciro, dall'altra parte del concerto, dalla parte opposta a dove sono diretto io. Però... e che non sarebbe stata una cattiva idea visitare un autentico villaggio dell'interno con un nativo – il signore aveva detto *aborigen* e Paquito aveva avuto voglia di mollargli un *manotazo*, non fosse stato perché era giallolimone e scapotabile. Era metà settembre, le undici del mattino e con la corriera non avrebbe impiegato meno di tutto il pomeriggio e tutta la sera per riabbracciare quella santa di sua madre, e fu ben contento di salire sulla spaider a due posti foderata di pelliccia sintetica di leopardo a sua volta coperta da poggiaschiena di rafia. Si sudava. Il signore era molto gentile, prese a parlare di *señoritas*. E di opere liriche. Lo dicevano sempre durante il presentat'arm che, di solito, attaccano da lì, o dal balletto. Paquito non sapeva niente dei tre argomenti proposti – il terzo era il *biiilding*. Niente di personale, almeno, ma la vita di caserma gli aveva fornito alcuni riflessi condizionati e quindi qualche *muy interesante* da intercalare ogni tanto. E che sì, l'aveva sentita nominare quella cantante... *Soprano*, precisò il signor Ciro

– non gli riusciva proprio di chiamarlo Ciro e basta, invece di una camicia aveva una canottiera sciancata e un fular attorno alla vita, temeva di approfittare... Il soprano Nelly Nellah. La stava inseguendo da concerto in concerto, da Lisbona a Nizza, questa sua tournée era l'avvenimento artistico del secolo, se mai fosse riuscito a ingaggiarla! a farla esibire nei teatri italiani! peccato, avrebbe perso quello di Barcellona... ma valeva la pena di fare un favore a un giovanotto così educato, si vedeva che era a posto e veniva da una famiglia di brave persone e... faceva sport? La domanda si unì a un guizzo e a una stretta sulla coscia della destra liberata dal volante.

Ogni tanto si fermavano e il signor Ciro pagava da bere – Paquito solo limonata, il signore xeres perché nei *figones* l'alchermes non c'era (e a questo punto del racconto Anastasia aveva dissolto ogni dubbio e si era irrigidita sulla panchina, folgorata dalla prima e ultima fitta fatale, perché i riconoscimenti non ne hanno di più). Ciro bevve tanti di quei bicchierini da guidare poi in maniera giovanile, con una mano appunto – con l'altra gli dava pacche sulla coscia, tastava quanti chilometri di marcia, quanti goal, quante pedalate. Quelle stradine e viottoli un po' più grandi all'interno della Mancia, tutti sterco di capre e muli, sembravano eccitare i suoi spiriti. Cantava pezzi d'opera. La mano, l'unica che reggeva il volante, si era staccata anche quella: il signore l'abbracciava chiaramente, parlava di cos'è mai la vita (Anastasia ebbe un altro sussulto), un sogno dentro sogni impossibili, di *quimeras* mannaggia a lui e poi subito che non era vero che si occupava di teatro ma che la vita è un palcoscenico e che aveva un'industria alimentare a *Valley Food*, provincia di Modena, nell'Emilia Romagna Centrale, dove aveva un appartamentino in città ma a Ferrara, che d'estate andava a un Lido non qualsiasi ma di classe, che amava il mare e la solitudine e che a parte le prime della Nellah, non aveva interessi nella vita, che faceva ritirata, che non vedeva mai nessuno, e, anzi, se una *persona* era in cattive acque lui *gli* dava una mano e che non c'è rosa senza spine. A lui piacevano le calle? quei fiori bianchi! Paquito gli chiese con ogni educazione possibile se era sposato.

Il signor Ciro gli rispose soffiando leggiadramente e inserendo la mano un po' più dentro la coscia. E lui, aveva una *persona*?

Arrivarono al *pueblo*, il signore era completamente sbronzo e malinconico e petulante, si sentiva in colpa per aver tradito la divina apolide persiana che, *adesso*, sarà stata in camerino per gli ultimi ritocchi alle pieghe della tunica d'oro. Paquito si sentì *muy obligado*, e ancora da quell'istante della mano sulla coscia, dal primo – il signore gli aveva chiesto la stessa cosa tre o quattro volte e poiché tornava a dimenticarsene per richiedergli "se faceva sport", lui da un certo punto in poi aveva risposto di sì a tutte le altre – aveva capito di avere a fianco l'occasione buona per svignarsela subito dal *pueblo* e girare il mondo, cominciando da questa Modena qui che Ciro gli aveva mostrato sulla cartina geografica. Era molto, molto più a sud di Parigi di quanto non avesse pensato. Ma pazienza.

L'industriale di salumi si mostrò di una gentilezza estrema con la madre, una santa, che, vista la tarda ora, lo invitò a dormire se si accontentava. Il giorno dopo Ciro le comperò il più bello scialle andaluso che si trovasse nell'unica merceria "New York, New York" di Tomemolo, spendendo una fortuna – cioè una sciocchezza, al cambio – e accogliendo i ringraziamenti della madre sino a che questa aveva perso la voce e lui mai una volta che il piacere era suo e che la piantasse una buona volta di inchinarsi fino a terra e prendergli la mano nelle mani per baciargliela. Mamma Dolores disse che l'avrebbe ricordato nelle sue preghiere.

Furono necessari tre giorni per procurarsi il passaporto e con la spaider – che nel frattempo, aveva saputo, non era più giallolimone ma giallo della Robbia... che meraviglia e invidia fra tutti i suoi compagni d'infanzia a piedi! – scorazzarono in lungo e in largo per Toledo alla ricerca di nulla-osta militari, certificati di buona condotta, *papeles* e *papeles*, un *club*. Già dal secondo pernottamento Dolores – aveva una sua casetta con *porqueriza*, viveva con poco, pane fichi secchi acciughe sotto sale ricotta, e era molto devota alla Madonna Nera, di cui aveva centinaia di immaginette a colori – cedette loro il letto matrimoniale, suo e del fu, e augurò la buonanotte all'anziano signore più giovane di lei e con bermuda da notte color paglierino con fiori esotici dicendogli che era come un figlio per lei. Socchiuse la porta con l'interessata ingenuità delle madri che sanno tutto e non vogliono sospettare niente di più. Il fabbricante di *mortadelas* giocò tutte le sue carte, qualcuna più del necessario. Con Paquito ne sarebbero occorse molte, ma molte di meno, lui aveva già fatto tutte le andate e i ritorni possibili da quel meraviglioso futuro che l'attendeva a Modena e non vedeva l'ora di saltar fuori dal confine e partire. Paquito stesso riconobbe, durante il racconto che andava facendo un po' a lei un po' a Basilide, di essere molto cambiato in quei cinque mesi, ma che prima era stato di rara bellezza. Anastasia lì, su quella panchina, a febbraio, quattro anni fa, lui molto più infreddolito di lei a spasso con lo stravecchio Basilide che non moriva per pura ipocondria, aveva cercato di immaginarselo, perché nessuno sarebbe stato in grado di credere alla descrizione che andava facendo di sé. Lui insistette per descriversi *entonces*, prima: lineamenti nobili (e dài!), sguardo altero, pelle scura vellutata come un'oliva e capelli luminosi oltre che neri, non come *ahora*, e insistette un po'. Ma a Anastasia premeva che lui andasse avanti con il racconto, che la teneva con il fiato, con l'intero passato, sospeso.

Il gentiluomo – perché aveva detto di essere di origini aristocratiche e che, no, non si chiamava Ciro: ma desiderava tanto essere un due di danari come tutti i comuni mortali! – si spinse a dirgli, svestendosi – sotto i bermuda portava un perizoma in tinta, giallo della Robbia – che lui era il grande amore atteso da tutta una vita (Anastasia notò che l'espressione "una vita", contrariamente a "la vita", la diceva lunga sul figuro: certo, come sua madre Dulcis ne avevano più di una, i vampiri! tuttavia uno sprazzo di coscienza le impedì di continuare la riflessione...) e che lo avrebbe portato con sé in Italia, che lo avrebbe imposto alla persona – ma poi risultò che non era la *persona*, nel senso che lui faceva di questa parola, ma una donna, la madre –, e che sarebbero rimasti insieme per sempre, e se non esistevano libretti d'opera in spagnolo. Ahimè, Paquito credeva di essere smaliziato abbastanza dalle astrazioni di caserma e al momento buono di fargliela, spennarlo per bene e tagliare la corda con il bottino, Parigi, Amsterdam, Londra e poi, una volta fatta fortuna, ripartire come un razzo per Tomemolo. (Anastasia pensò che aveva davanti un uomo inutile, che non avrebbe mai capito niente e che pertanto non andava sottovalutato: quel cervello era di una verginità impressionante, un ideale per chi già cominciava a prevenire). No, non aveva remore a ammettere di pensare a una stangata, oh, niente di malvagio, solo fare un po' di soldi alla svelta, in caserma dicevano che quando prendono una sbandata sganciano come *locas*, o forse stava esagerando, forse allora non ci pensava proprio, forse un po' s'era attaccato davvero, come a un padre, o a un parrucchiere per signora che taglia gratis i capelli ai giovanotti del *pueblo*, ma certo tutte quelle promesse gli avevano dato un po' alla testa e, a essere sinceri, andava matto per le spaider, i fular parigini firmati, e quei perizoma così fantasiosi, uno persino con la decalcomania della mano di Verdi. Non aveva calcolato una cosa: che le promesse possono essere mantenute senza tener fede alla propria sostanza. Comunque, nei suoi calcoli, se tali erano – il giovine parlava senza peli sulla lingua, si sforzava di essere sincero, lasciandosi aiutare anche dal senno di poi – doveva essersi sbagliato, anche se per tutto quel tempo a Tomemolo aveva fatto il ritroso mandando l'*hombrezuelo* in delirio. Infatti, appena dieci minuti dopo che erano arrivati a Ferrara in una specie di monolocale delle bambole, il conte, sì, perché conte era, si era infilato sotto il lenzuolo e, dopo altri dieci minuti di baci e carezze nelle parti alte perché dà più il senso della passione, e insomma, fa fine, il conte era sceso con la mano e glielo aveva preso in mano, il *caccio.*

Paquito aveva una *fimosi*, che per un melomane è come avere un polpo sulle corde vocali. Anastasia non capì, ma non interruppe.

A fine febbraio, dunque, Paquito era lì a Ferrara, nei giardini della stazione, più cemento che altro, a battere. In quei mesi aveva perso colorito – l'oliva era spremuta –, energia, lucentezza dei capelli, era pallido, malaticcio, l'unica cosa rimasta intatta doveva essere la statura, media anche quella; soffriva di gastro-enterite, aveva un herpes alla bocca e disse di avere pustole improvvise che gli andavano via di qua per ricomparire di là, mentre il resto del corpo si barcamenava in ripari d'emergenza riscaldati. Non aveva scelta, ma era pur sempre nella patria di Paolo Rossi.

Senza una lira, con sulle spalle il suo zaino militare di tela verdastra consunta e incapace di rendersi conto di dove si trovava – di nuovo a Ferrara, dopo aver girovagato per mezza Emilia Romagna Centrale – ma deciso a restarvici sempre animato dalla speranza di fargliela pagare, proprio nel senso dei soldi, aveva preso in un primo momento alcuni treni nel modenese, nel reggiano, nel bolognese, disperdendo in tradotte e in pochi giorni il denaro per il biglietto di ritorno che un conte prostrato gli aveva messo in mano sulla soglia dell'appartamentino, adducendo scuse su scuse per via della serratura fatta cambiare di punto in bianco; la *persona*, cioè la madre, non un uomo qualsiasi, minacciava di diseredarlo, e che la gente, e che alla sua età... Bacino in fronte e addio.

Secondo Paquito il guaio era che il conte Ciro pensava che, anche se si fosse fatto operare, c'era ben poco da scappellare: lui era superminidotato. Paquito si dilungò con l'elegante e attenta e profumata signora sul suo *cacèto, pequeño, pequeñissimo,* e *tapado.* E che non capiva questa mania degli italiani.

E adesso Paquito stava lì a accarezzare i cani che gli capitavano a tiro per attaccare discorso con i proprietari. Seduto sulla banchina fissava davanti a sé un futuro fatto di pasti in piedi in tavole calde di ferrovia, e di fogli del "Resto del Carlino" stesi nei cessi a mo' di cuccia, per fortuna il *frio-frio* era passato, o no? Cercava lavoro, qualsiasi cosa, non poteva ritornare al *pueblo* così, senza nemmeno una spaider colorata.

E quel giorno, dunque, aveva visto avvicinarglisi il sontuoso, traballante mastino con museruola e un occhio pesto, fu sentita un'affinità istintiva, e il cane andò a posargli il testone quadrato sulle ginocchia unite, che tremavano. Raccogliendo tutte le sue magre energie, aveva cominciato a accarezzarlo a tappeto sulla schiena, sotto la pancia, sul collo, sul muso, dappertutto con l'alacre speranza che qualcuno si facesse vivo. Si era guardato attorno con la coda degli occhi e sì, era proprio quella signora in pelliccia la padrona del cane, li stava fissando incedendo, e Paquito aveva preso a togliergli la museruola mentre con rapidi sbattiti di ciglia seguiva l'imponente figura di donna verso di loro. «Basilide, vieni qui! ma che fai?», diceva la signora. Come si vedeva che questo non l'aveva allevato lei sin dall'inizio, a differenza degli altri due!

Anastasia si era parata davanti a Paquito, contrariata da quell'atto di caparbia sottomissione dell'incongruo Basilide verso estranei non del campeggio, non più che puliti e comunque non sotto i diciotto anni. Basilide arrivava al punto di fare la corte alle donne, tanto più pomposa quanto più a distanza, e solo Anastasia sarebbe stata in grado di dire da dove l'aveva presa tutta quella *crisi* vittimisticamente teatrale che gli faceva scodinzolare testa e coda... Quando Anastasia aveva visto che il giovanotto, il barbone, tribolava a togliergli la museruola di cuoio rinforzato da stanghette di rame, era intervenuta lei a dargli una mano. Peccato che questo giramondo sembrasse così vecchio, fuori età, e quell'infettamento lì, alla bocca...

Carpoçrate il lupo tedesco e Filone il dobermann mostravano per fortuna un fiuto migliore: primo perché non si avvicinavano mai né ai vecchi tipo Onofrio né alle donne, e già in questo sembravano conoscere una parte a menadito, secondo perché la sculettata di repertorio la riservavano ai ragazzi fra i quindici e i diciassette anni e a quelli straordinari di tredici e diciannove. Ma avevano un difetto anche loro: una volta fatta amicizia con gli accarezzatori giusti di cani, non le permettevano di avvicinarsi, le si rivoltavano contro, non desideravano spartire la preda, le mostravano i denti, l'avrebbero certo morsa se si fosse avvicinata – e certo sbranata se avesse fatto solo la metà di quello che poteva permettersi in macchina con Basilide. (E Paquito, quell'impertinente, che l'anno scorso aveva insinuato, macché, era incapace di insinuare quello, detto a chiare lettere che lei poteva insistere con le cagne senza coda e le donne nude e provocanti finché voleva, ma che quei due *teneban la veleta*, che erano...?) Alla lunga, era ancora Basilide quello più affidabile, una scalogna cinofila così poteva capitare solo a lei – non parliamo poi di come era venuta su l'alana Verità, per fortuna trapassata quasi subito, che sin dall'inizio era andata a fare cuccia sotto il tripode della signorina Scontrino! Infine, se prima di ogni passeggiata lo bastonavi per bene buttandogli addosso un sacco, Basilide poteva, per sorte o capriccio, riservare delle piacevoli sorprese. O, se appena fatto uscire dalla macchina, gli facevi subito prendere aria in un androne, dove non c'era nessuno, e ne approfittavi per ricordargli alcune cose, lui, indolenzito e momentaneamente rinsavito, partiva in perlustrazione e lei dietro, a cogliere finali di vanteria, sempre meno a proposito di donne e sempre più a proposito di *basic, chip, software,* e *platinì.* Che deprimente essere vissute tanto fra marche sul comodino e bacinelle di ceramica bianca per poi veder spegnersi ogni interesse per cioccolata calda e violette di zucchero. Non c'era più l'istinto di una volta nella gioventù. La signorina Scontrino, e non solo per la diagnosi della sua malattia *a placche,* avrebbe certamente mietuto più successo di lei, era aggiornatissima. Comunque con questo sistema del cane – e, doleva ammetterlo, con quell'altro della tabacchiera nel cruscotto, omaggio della signorina Scontrino che non aveva più nemmeno fiato per tirare su il trinciatino – Anastasia riusciva a rimorchiare. Le piacevano quelli con la sigaretta pendula fra le labbra rosso pallido o rosa acceso, lo sguardo interrogativo a contatto del suo sorriso esclamativo, le piaceva dare una mano alla paura, i ragazzi si lasciavano volentieri sopraffare, se gli facevi capire che avresti pensato tu a tutto, anche alla loro parte di voglia se ne avevano poca e stavano andando a fare allenamento per la partita di domenica e il sesso fa male. Dio che debosciati, che incapaci insolenti. Ma come tiravano su abbondante quando gliela mettevi sotto il naso! dovevano tutti sballare un po' prima... Dopo erano decenti, tiravano fuori una certa grinta, come ai bei tempi: solo se erano bevuti riuscivano a lasciar perdere le moine e a usarti un po' di violenza...

Stupita dagli scodinzolamenti di Basilide si era seduta sulla stessa panchina a contemplare i contorni che cane e straniero – dio che cera! che brutta barba! e che puzza di terrone! – si scambiavano. Lei diede dei colpetti di tosse, sentendosi esclusa più che se stessero scambiandosi informazioni sui *video-games*. Si capiva che quel pezzente aveva dei secondi fini, non la degnava di un briciolo d'attenzione, rinunciava a ogni formalità con lei, parlava al cane come se fosse suo. Lei decise di starsene paziente e aspettarlo al varco di una richiesta di carità; invece, spazientita, lo aveva guardato dritto negli occhi. Lui aveva dei capillari rotti, e ecco che scattava come una mitragliatrice e già si scusava di esistere e buttava fuori frasi incomprensibili con la velocità dei lampi, sonorosissime, che entravano a spirali nelle sue orecchie ingioiellate – perle –, lei completamente di stucco. «Fimosi» imprecava, «es como una museruola del caccio». Poteva avere sì e no ventidue, ventitré anni portati malissimo, considerò Anastasia, che non aveva mai sentito prima una parola del genere e non riusciva a farsene un'idea, e che però doveva essere collegata a quell'altra apostata. E che del Sindaco – per non dilungarsi sul suo sguardo beffardo, di perfidia che s'ispessiva sempre più, come se serbasse una sorpresa a sorpresa per lei – quanto a custode di Carpocrate, Filone e Basilide e strigliatore di ponies, non ci si poteva fidare, non ci sapeva fare e non sprecava con gli animali una sola delle sue partigiane parole, e un animale senza arringa è una testa senza cervello. E Anastasia aveva preso a parlare con Paquito meditando una decisione, come una qualsiasi zia buona senza figli. E Paquito, nel suo stravolto spagnolo emilianeggiante, aveva dunque preso a raccontare. Per filo e per segno, senza omettere neppure i particolari tecnici della sua relazione con *il* conte, e a lei fece l'impressione di essere ancora su, dall'estetista, con le disinibite massaggiate e acconciate del giorno d'oggi. Non c'era dubbio: stavano parlando e tacendo della stessa *persona.* Era dunque vivo, circolava e, per mezzo di Paquito, faceva sapere che si stava subdolamente avvicinando a lei. Anastasia, gran prurito al naso, si sentì perduta e subito vide in quel messaggero *hijo de algo,* come si era definito lui – bella originalità! *figlio di qualcuno*! – non solo l'annunciazione del tornado che butta a terra, sfracella e chiede scusa – il signorino conte ovviamente non l'aveva aiutata a risollevarsi: era scoppiato a ridere e a battere le mani, come fosse a Parma al Regio, mentre occhi e bocca le si inondavano di sangue –, ma l'antidoto naturale inviatole dalla provvidenza per correre ai ripari, per farla finita. Paquito si presentò per intero: Paquito Carnero; ripeté un paio di volte di essere senza lavoro e permesso di lavoro e senza tetto e che tutto quello che aveva era lì, nella sacca militare. Che aveva avuto già noie con i carabigneros, ma che se l'era cavata dicendo di essere uno studente-turista derubato e poi con tanto di passaporto, e l'ultima volta l'avevano lasciato andare perché era passata una svedese, una cavallona bionda. Però guai se l'avessero ripescato a dormire nei cessi della stazione, il foglio di via per vagabondaggio e circuizione di passanti! Comunque i militi avevano preso un *deslumbramiento*, perché lui sapeva bene che razza di svedese era quella: c'aveva un *caccio* lungo così, tutto il contrario del suo. Nei cessi non era vero però che lui ci restava solo a dormire: chiamava dentro anche i clienti, tutti vecchietti in libera uscita. E che l'Italia gli piaceva, però adesso odiava gli insaccati e che ormai mangiava solo pane e acqua e una pastasciutta ogni tanto e che c'era tanta disoccupazione e una concorrenza spaventosa sul primo binario, e i clienti in circolazione tutti vecchi sveltinari, un popolo di vegliardi rubizzi pieni di monetine che gli cascavano dai buchi delle tasche e mai una banconota che superasse le mille lire. Fece così con la tasca e lei sentì tintinnare i proventi delle pensioni. Se gli piacevano i cani? Altroché, ne aveva uno anche lui, aveva una tal nostalgia del suo Perro. Era stato il cane di suo padre, se lo portava sempre dietro alle esecuzioni. Musicista? No, boia, suo padre garrottava i fuorilegge, e era morto subito dopo il '75, lui era ancora un ragazzino o poco più, l'abolizione della pena di morte era stato un gran brutto colpo per papaito. Non stavano male, avevano persino una casetta sul mare, a Alicante, suo padre ci andava sempre dopo ogni giornata lavorativa. La parte in ferro della garrotta, l'anello – riusciva lei a immaginarsi una specie di sedia con lo schienale stretto stretto e alto alto? – l'aveva costruita lui personalmente dal fabbro con incudine e martello, ci teneva a avere le cose sue, a non andare in prestito neanche dallo Stato, e anche suo nonno era stato così, un capolavoro, tutti nella sua famiglia avevano lavorato con i propri ferri del mestiere, asse verticale a parte, s'intende, di Franco. E la garrotta era rimasta all'erede, a lui, che per diritto avrebbe dovuto prendere il posto di suo padre, come un nobile, maledette innovazioni. Voleva darci un'occhiata? E Paquito aveva tirato fuori dallo zaino un cerchio di ferro con una grossa vite che girava all'interno e prendeva contemporaneamente due collari concentrici: bisognava stringere sino a soffocare il condannato, questo cerchiolino qui era per scavezzare subito la cervice, la spina dorsale, con l'altro si continuava a avvitare per benino sino all'ultimo giro. Il ritmo: a discrezione del boia, si poteva soffocare anche con una certa simpatia personale. L'attrezzo di ferro era efficace anche senza trono se ci avevi fatto su la mano. E Paquito se l'era messo attorno al collo e aveva dimostrato che sarebbe stato in grado di azionare il marchingegno da solo e su se stesso. L'auto-strangolamento, a differenza della più brutale impiccagione, era questione di *fiiiling*. *Fiiiling*, spiegò, era anche il titolo dell'unica canzone moderna incisa da Nelly Nellah in un momento in cui aveva avuto una lussazione al femore e non poteva muoversi né di qui né di là perché ingessata. E che la cosa più insopportabile per lui, con il conte, era stato andare alle opere e dovergli stare seduto accanto, a causa di quella *mariposita* di luz al collo che attirava tutta quell'attenzione inutile. Non gli bastava fare l'esibizionista alla luce del sole, nessuno doveva mai dimenticare qual era il centro dello spettacolo al buio, oh! *que vergüenza!*

Anastasia aveva visto una pergamena srotolarlesi davanti e presentarle una specie di lista del futuro, una minaccia tremenda e ben redatta in tutte le voci. E tutto si era puntualmente avverato...

Paquito poteva eseguire con le sole braccia e una digitabilità mirabile qualsiasi lavoretto da gogna stando seduto. In sessanta secondi, non era magnifico? Niente dolore, niente, non per un boia. Un dono di natura, boia si nasce. E così lui, con questa turlupinatura della *democracia* e dell'*abolición*, si era ritrovato disoccupato, era il caso di dire, *a vita*, e guarda un po' dov'era finito, nei pressi di una stazione in balia del primo citrullo rimbambito finocio buson maricon, e si faceva pagare prima perché tanto andava sempre a finire nello stesso modo. Tutti matti gli italiani, ma che *caccio* volevano?

Anastasia si era sentita rimestare il sangue, e una supplementare sensazione di benessere lungo il fil di schiena. Gli disse che di cani ne aveva altri due, tutti addestrati alla difesa, cioè all'attacco, e che forse avrebbe avuto bisogno di un guardiano e per i cani e per altre cose spicciole nel campeggio, la stagione stava per cominciare, poi c'era l'inverno, che era una stagione a parte, bisognava però *imparare a conoscersi*, prima, e lei non garantiva oltre settembre-ottobre, e che doveva essere molto discreto, poteva dormire dietro le cucine intanto, e che anche pulire cucce e canili comporta la sua bella parte di segreto professionale. Lui fece finta di capire, perché gli andava bene così. Intanto, fino a aprile, gli avrebbe dato una mancia, cospicua, poi si sarebbe visto, di più per il momento non poteva promettere, e lui senza neanche permesso di lavoro, ma era un bene, lo si poteva assumere più facilmente. Si sarebbe parlato di una paga vera e propria a maggio, d'accordo? Bisognava vedere se lui era la *persona* giusta per i suoi angeli custodi... Che era paziente e bendisposto si vedeva, ma c'erano altri cento lavori da fare... tutti di fiducia. Il vitto era eccellente, quello che mangiava lei... Anastasia si stava chiedendo se costui, all'occasione, in attesa che il conte si facesse vivo, non avrebbe fatto fuori anche il Sindaco, e Amilcara, che da due inverni andava in giro conciata come l'idea che s'era fatta del Tenente Albigian, da cui era stata vagamente plagiata, con la differenza che pretendeva che fosse Anastasia a farne le spese. Di fez e gambali neri ne aveva visti abbastanza in gioventù portati da uomini, meglio se Amilcara lasciava perdere e si dava a conquistare qualche altra. Anastasia era convinta che quei suoi due ex-sicari avevano fatto comunella, che avessero in testa una menata di piano... Era in grado di... ubbidire? Paquito non chiese neppure a cosa, assentì.

Anastasia, in automobile, pensava a quei sessanta chilometri in linea d'aria fra il maniero degli Insaccati e il campeggio che avevano preso da più istanti a restringersi. Basilide stava col suo nero e castricchiato quintale sulle ginocchia dello spagnolo, schiacciato e chiacchierino, emozionato, grato, che già cercava, parlando e parlando, di dimostrare che sapeva tenere la bocca chiusa. Basilide lo sbavava di leccatine sulla faccia e nelle orecchie, conquistato da quell'odore di corteccia urinosa. Paquito raccontò daccapo della sua storia con il conte, di come era finita, dei problemi subito apparsi all'orizzonte della Valley, di questa fantomatica madre centenaria e cattiva che gli controllava le spese e gli orari, gelosa di tutte le cantanti liriche e dei ballerini classici, e poi di tutti gli intralci circa il farlo lavorare nella fabbrica, all'impasto almeno, i fratelli sposati, le nuore, i bastoni fra le ruote – lui si tagliava il collo se il conte gliene aveva mai fatto parola alla famiglia. Anastasia, che stava tirando un respiro di sollievo perché il *suo* conte era figlio unico, capì all'istante successivo che solo un figlio unico poteva inventarsi dei fratelli e dargli qualche peso, c'era passata anche lei per quelle scuse inverosimili, e anche Teodora, che aveva insistito per avere un fratellino solo finché non era stata del tutto certa che una simile disgrazia era da escludersi... E Paquito aggiungeva che il conte non voleva che *sospettassero*, perché un conto è pensar*lo* un conto aver*ne* le prove... che bisognava prepararsi a qualche altro rimedio, per esempio a ritornare in Spagna, e che non tutte le ciambelle riescono col buco. Morale della favola: fimosi o no, già che c'era lo aveva spompato per bene e mollato. Paquito calcolò, gingillandosi con la piccola calcolatrice accanto alla tabacchiera, che doveva aver elargito non meno di quattro etti di sperma di *hidalgo* in due mesi, perché erano tre mesi che era a spasso senza un amante fisso. E il tutto a un conte schifato ma sempre *dopo* ogni ingoiamiento. Finché Paquito, appunto, una buona volta non gli aveva chiesto perché sempre quella faccia schifata, non aveva mica lo scorbuto, e il conte gli disse per via dello scapelamiento... Sì, gli portava un equo rancore, ma niente di più, aveva avuto tanti di quei grattacapi, era difficile concentrarsi e odiarlo più di dieci minuti al giorno, non mangiava abbastanza. Anastasia si chiese se per le restanti ventitré ore e cinquanta lei poteva affittarselo e arredarlo con il suo odio e che quei dieci minuti erano dieci volte di più di quanto le sarebbe occorso, in azione, per delegarlo. Dopo i primi venti chilometri gli chiese se per caso non gli piacevano anche le donne e che gusto c'era a andare con un uomo, non per un altro uomo, ma in generale. Lui disse che non aveva niente in contrario e lei prese a sbottonare i bottoni rimasti nelle asole come se fosse roba sua, e per dar agio alla curiosità. E anche perché adesso, qualche volta, si accontentava. Lo masturbò all'inizio con parecchia grazia perché non c'era altro modo, pollice e indice erano più che sufficienti, con Basilide in tiro che zampettava sul sedile. Né per Anastasia né per Paquito questo lavorare di dita su un materiale ingrato fu particolarmente degno di nota, ma segnava un'alleanza fra ultime volontà in codice di cui entrambi sottoscrivevano tutti i codicilli, e fu questa la vera voluttà. Lei era sicura di aver messo mano sull'esecutore della sua vita, nel caso che; Paquito era rimasto in silenzio, felice di non essere così da buttar via da non poter venire riciclato. Si sottomise a ogni implicito ordine delle unghie neutre, la testa piegata all'indietro e gli occhi socchiusi su un paesaggio che gli ricordava sempre più la costa di Alicante, e il fiato caldo del cane che lo teneva immobilizzato contro lo schienale e lo guatava di lato come un padrone di schiavi su una plancia. Paquito afferrò la cosa essenziale: quella che aveva a fianco era la *señora*, la *dueña*, e che da lei dipendeva la sua vita e la sua morte da quell'istante, e che in cambio, però, predisponeva per lui un futuro e, forse, una spaider con un colore ricercato – rossa? rosso Pompei. Sospirò di piacere a questa visione vulcanica di sé alla guida a Tomemolo. Anastasia si compiacque del fatto, non aveva mai tribulato tanto. Ai suoi tempi quel filetto lì non era ancora di moda, mai visto uno, va be', teneva sempre gli occhi chiusi, e a volte era solo effetto dello sforzo di farcelo stare in bocca, erano ben altre misure, o forse era perché quelli che ce l'avevano così piccolo si facevano prete o restavano fedeli alle mogli, comunque, volendo, ne aveva *visti* tanti. A parte gli altri del *Movenbien* e delle filiali, una volta addirittura che era fuori per un servizio a domicilio e precisamente nel ghetto di Ferrara e i tedeschi avevano cominciato a chiudersi in cerchio e lei era rimasta intrappolata una settimana prima di spiegare bene chi era lei e che a ogni buon conto non era certo ebrea, di maschi ne aveva visti, se non a centinaia, a decine, e tutti eccitati a morte, man mano che venivano rastrellati ne approfittavano, lei non aveva mai visto tanti monili e catenine e stelle d'oro spuntare dalle tasche per cadere nelle sue, e si era data da fare più che poteva, davanti e didietro, e mai, mai una volta che le fosse capitato di vederne una di *fimosi*. Dopo, un po' per una cosa un po' per un'altra, non c'aveva più fatto caso. Francamente, non era un granché. Non c'era gioco. Lui le porse gentilmente la tela dello zaino perché si pulisse la mano.

La prima cosa appena arrivati al campeggio, fu di dargli in mano una bottiglia di olio d'oliva. «La tua bella è in cattivo stato», gli aveva detto, amorevolmente. E di pulirla e non mostrarla mai a nessuno, che la gente si spaventa per niente. E a Teodora, che era capitata lì per caso, l'aveva mostrata come un collare speciale per raddrizzare le gambe ai cani. Anastasia si era sentita meglio, dopo l'assunzione. Rientrava nel suo carattere prevedere che circolasse un vivo di troppo e avere già pronto un antidoto. E non s'è sbagliata... Ecco il canile. Gli ippocastani sono alberi così belli, ombrosi, un paio starebbe proprio bene al centro del Campo Zero...

... e poi farle alcune domande mentre lei si rivestirebbe e sicuramente avrebbe una ghepier, mica tre flanelle di lana come la Tina, e lui le accenderebbe di nuovo la pipa, quella di GianoBisfronte, scolpita a mano; per esempio, come mai va in giro con un attrezzo così, né automobile né camioncino né furgoncino, quasi un'autolettiga. Forse per avere la precedenza su ogni altro veicolo, direbbe ridendo lei con meno fretta, ancora di stucco, *appagata*, ci metto su il lampeggiante e agli ingorghi innesto la sirena.

Forse lei si spingerebbe più in là e aggiungerebbe: per andare in camporella con i miei belli, è come essere in camera, con letto e tende e fare i giochi di luce. *Eterna*, sottolineerebbe lui, osando, sembra proprio un carro funebre di terza mano, scusi se ce lo dico; sfogherebbe il suo sospetto, lei riderebbe a squarciagola e poi scapperebbe via sfilando dall'anfora con su Versailles un garofano di carta e voltandosi a fargli l'occhiolino in piedi sull'ultima fettuccia di scotch. Lui la inseguirebbe nel paddock, le chiederebbe se ci piace il tre sette col morto, e che lui ha un amico a Malalbergo sull'autostrada, e perché un venerdì o un sabato sera, sul tardi, non... I cani hanno cominciato a reclamare la razione, lei non arriva ancora, tutte e dieci già limate e squadrate e a punta come diamanti, ora di passare nei box con il rancio.

... E stava srotolando il tubo di gomma già infilato sotto il rubinetto quando sentì la voce di petto alle spalle.

«Salve, sono qui.»

I calendari combaciarono un'altra volta colpiti di sorpresa. Lei stava appoggiata al parafango e fumava, una nuvola di gialli spumeggianti attorno al sorriso di perfidia involontaria, un tic da postumo di chirurgia plastica, un concetto ormai accessibile anche ai guardiani di cani che guardano le private. Sembrava insoddisfatta, eternamente bramosa di qualcosa, di qualcos'altro. La portiera semiaperta, come se fosse stata lì a guatarlo da una vita.

Avevano fatto il giro delle gabbie e lui si era dato pena di raddrizzare più che poteva la gamba claudicante, lei precedeva di due passi, lui stava a rispettosa distanza anche per seguirne le curve a piacere.

«Questi qua sono tutti sani. Perché non prende dei bei maschi?» aveva chiesto, fissandola sotto il bianco degli occhi. Lei vide che dietro l'accenno di cateratta bianca sembrava chiedere un favore da servo, o un privilegio da handikappato. Lei gli sorrise senza rispondere, cercando di scacciare il solito, orribile pensiero che dovevano essere della stessa classe, lei un po' più giovane, e che poteva essere stato un suo cliente nel breve frangente in cui era caduta di categoria.

«No. Sono quelle due lì o sbaglio?» aveva fatto la signora indicando i due box: le due code mozzate di fresco erano ancora incerottate.

«No, non sbaglia, sono proprio quelle che mi ha detto di tenere da parte il signor veterinario. Venite fuori, cocche, che il cielo vi manda una padrona» e aveva tirato i catenacci.

Una era tracagnotta, vecchiotta, di grasso sfatto, lenta di movimento, pelo inzaccherato di fango rinsecchito e briciole di pane sotto la pancia, uno sguardo senza saggezza né lesa maestà; l'altra una bastarda tutta sguaiatezza da piazzola, giovanina, pelo nerastro-brunastro, muso da bassotto e corpo da bull-dog, una frivola, una cagnetta di piacere che si era messa a rincorrersi la coda inventandosi una sistemazione. Le due cagne si erano adocchiate deglutendo gelosia, senza latrare, forse pensavano che la signora era lì per scegliere l'una e scartare l'altra. Entrambe tenute a un guinzaglio di corda che doveva segare maledettamente al collo. La signora si era chinata a accarezzarle, alla svelta, una premura di circostanza, piegata appena sulle ginocchia, immobile o quasi, l'abito giallo le stringeva alle cosce, non avrebbe potuto piegarsi di più nemmeno se còlta da vera compassione. Il guardiano la mirò e rimirò e vide la collana di perle matte sbattacchiare a mezz'aria sotto il promontorio e pensò "O adesso o mai più", e che gli anni passano.

La donna stava aprendo la borsetta di vernice quando si vide la mano pelosa lì, sul polso, come un animale viscido e ben curato che voleva farsi benvolere. Sollevò lo sguardo con marziale lentezza e lo fissò, lui si era sentito ustionato da vene di lava e aveva fatto un balzello all'indietro portandosi tre dita alle labbra. A stento si era impedito di cacciarsele in bocca.

«Tenga,» e gli aveva messo in mano le ventimila lire. «Noi siamo della stessa pasta ma di forme diverse, buon'uomo.»

E si era avviata verso il carrozzone. Le cagne avevano dedotto che dovevano seguirla entrambe, lui era rimasto per attimi preziosi come folgorato, col palmo aperto sulle banconote che volavano via. Poi aveva fatto in tempo a riprendersi, l'uomo aveva fatto posto di nuovo alla sua funzione e ringraziava, un guardiano di cani umiliato a morte. La portiera posteriore, a specchio, s'era sollevata e le due cagne avevano fatto un salto, la bastardina era saettata sopra e adesso scodinzolava, il muso dentro un sacchetto di plastica pieno di ossi e corata; la vecchiona invece non ce l'aveva fatta, era andata a sbattere due volte il muso contro la targa e lui aveva dovuto sollevarla, prevenendo la signora che masticava le guance all'interno.

Così lui se la sarebbe ricordata fino al prossimo marzo: dritta come una statua di sale che guarda all'insù su un piedistallo in una nicchia già di per sé staccata da terra di un paio di metri. Aveva tentato di essere allegro, di sdrammatizzare, diede dei nomi fasulli alle bestie, lei non si era scomposta.

«Contente, vallettine, che andate in buone mani... Lory-ory-ory! eh, Tini? E grazie ancora, signora Cuocevis...»

Chissà se lei avrà capito che lui la desiderava, la odiava e si scusava tutto in una volta. Dentro al furgone, ossi e corata a parte, non c'era niente, nessun materasso, nemmeno di quelli gonfiabili per il mare. Lei aveva abbassato la portiera-saracinesca, lui che non si dava pace.

«Una vera benedizione, coccoline» aveva aggiunto, ma Lory e Tini non potevano sentire qualcuno che prima di allora non gli aveva mai rivolto la parola «e due posti liberi, e domani altri sei e zac!» fece così con pollice e indice, siringando. «Veniva domani, signora Cunche... Cucu...»

«Kuncewicz.»

«Cuncevis, e queste non c'erano più. La vita a volte è un caso...»

Lei non aveva fiatato. La vita è *sempre* un caso: per prevalere sugli altri che non lo sanno e vi si lasciano andare, bastava far finta di niente... Lui a questo punto le avrebbe dato volentieri un pugno sul naso... magari glielo avevano rotto proprio con un pugno a quella lì, ma chi si crede? E un ricordo gli sfrecciò in testa, una treccia fulminea, dove? quando? Poi svanì. Anastasia, malgrado un lieve smottamento recente, credeva solo a se stessa, aveva piegato il caso alla causa. Da come sbatteva la portiera non era una da ricredersi su una fede fondamentale.

«Arrivederci, signora Cunchevic... I miei ossequiii.»

Erano almeno trent'anni che non salutava qualcuno così. Il rumore del motore era normale, non un ronzio; nel fare marcia indietro non aveva ingranato al primo colpo, c'era stato un bel raschiamento e lei aveva buttato fuori un "dio Bestia!" con aureola, coda e tutto. Fina, la signora. Ma inutile raccontarsi bugie: gli piaceva proprio per questo, era di una volgarità antica, inavvicinabile, chiusa, esclusiva. Lei comunque aveva fatto così con la mano da dietro il finestrino semichiuso, come se salutasse indifferentemente qualcuno lontano un chilometro o scacciasse una mosca da una nocca. Un istante dopo era rientrato nel suo buco pieno di stupide pipe e mokett bitorzoluta, con quel rumore visivo nelle orecchie che avrebbe continuato a registrare a intermittenze fino a... Sbadatamente finì sulla Prima Rete: "Quindicimila casi negli Stati Uniti negli ultimi tre anni, una vera peste, un flagello di Dio. L'Umanella tre...", schiacciò fino a trovare "un autentico capolavoro del Turkmenistan, un'occasione unica, 4 metri x 3... " Lei lo accompagnava come un miraggio di gioventù, una sfollata comparsa all'improvviso da sotto una roggia nella campagna innevata, una partigiana o una fascista alla resa dei conti e in fuga, sanguinante, o come una donna già avuta, chissà come, chissà quando, sotto chissà quali spoglie, o sognata sotto chissà quale bombardamento a tappeto...

Il guardiano scuote la testa: anche la sequenza del *prima* è terminata e è diventata l'inservibile presente in un piedater senza arte né parte dove non succede niente.

Estirpa un garofano dal vaso e fa a pezzettini minuti la carta. Della stessa pasta! Come se quella Giana leggesse nel suo pensiero un gusto comune per il sangue senza sporcarsi le mani... Kanker! anche stavolta s'è dimenticato di tirarle giù la targa.

Il naso Anastasia s'è decisa a farselo ricostruire – maluccio – perché erano passati tanti anni e decenni e quella resa dei conti si era sgonfiata e lei era stata certa che il conte Eutifrone degli Insaccati doveva ormai essere morto e, per maggior sicurezza, non aveva intrapreso alcunché per stabilire se era ancora vivo. E le continue vessazioni nei confronti del proprietario-sosia della "Resurrecturis" avevano placato la sua sete di vendetta, anche se nascosta in quella roggia, una bambina al limite dell'assideramento, si era giurata di farsi rifare il naso solo a vendetta compiuta. Ma gli anni trascorsi erano davvero tanti, aveva avuto troppo successo nella vita, le veniva più spontaneo far fuori – far far fuori – qualcuno per capriccio piuttosto che per interesse personale. Per esempio per onorare i suoi impegni verso la signorina Scontrino, conseguenza del suo impegno otto-novembrino verso i tre cani – ah, la signorina Scontrino che, cucinando esclusivamente a legna, correva di tanto in tanto fuori dal Referendario a vedere i pennacchi del camino! ... Eppoi Anastasia, sin dall'anno sperimentale, si era resa conto che gli obblighi sarebbero stati di diverso genere, ora, diversi dal cordoglio e dall'incutere terrore e voglia. Altra clientela, altro giro, la sua naturale espressione di cherubino caduto ma non decaduto sarebbe stata fuori luogo, lì, alla Delfina. Bisognava essere fotogeniche, e un po' decadenti. Era stato subito tutto uno scattare foto ricordo fra lei e Teodora, beniamina delle agenzie viaggi e dell'Ente Turismo, specialmente nel giorno della Pubblica Pesa, del Festino d'Estate. E anche per un'altra ragione: a forza di sollecitare con indulti bancari e reprimende di avvocati quel neo-r.i.c. (rotto in culo) d'un fiorista, Anastasia aveva finito per dimenticarsi che lui, il fiorista-impresario di pompe funebri, era solo l'immagine evocata di un vivo e non il vivo da perseguitare e a cui farla pagare. E lei, proponendosi a suo tempo di strappargli anche una casa e un grosso appezzamento di terra – col che lui avrebbe finito di esserle debitore –, aveva tirato un sospiro di sollievo, con qualche anno d'anticipo di troppo, e in ventiquattro ore aveva prenotato l'intervento. A bende tolte, guardandosi per la prima volta nello specchio, non aveva visto la se stessa che era diventata, ma la bella selvatica di una volta, timida e piena di paura, ribelle e vanitosa, mentre saliva dei gradini con i leoni di tufo ai lati, tirata per mano dal prete cattivo. E oltre il bordo dello specchio il signorino conte Eutifrone e donna Dulcis, pronti a risbranare la storia di quel naso e a smascherare il vero volto di Anastasia, la sua inconfessabile vergogna di gioventù. Nessuno doveva sapere il suo terribile segreto, nessuno. Aveva vissuto i primi anni alla Delfina guardandosi continuamente alle spalle e vedendo nel niente di nuovo attorno tutti i segni premonitori di una tromba d'aria scuotere il suo impero in un Giorno del Giudizio. Per fortuna che la signorina Scontrino aveva subito preso delle contromisure alla sua depressione lunatica e le aveva fatto dono della tabacchiera, con tabacco trinciato aggiornato del suo colore preferito, bianco, e di cannuccia d'argento cromato. Era l'ultimo grido fra le consorelle per stare su con la vita anche di notte, e per aiutare le popolazioni bisognose dal Vietnam alla Colombia. Di nuovo il naso era diventato il vero centro del suo anelito vitale e da lì, dalle narici, si tirava su di morale. Di quando sprofondava giù negli abissi del *vanitas vanitatum* non si ricordava più, e di certo la signorina Scontrino non era l'ideale per una confidenza a tale riguardo, a lei una cosa così faceva orrore: troppo comodo conquistare il mondo e poi dire che è una bolla di sapone, o, peggio ancora, dirlo prima di averlo conquistato. Lo si conquistava e si aveva il dovere morale di passare poi a un qualsiasi altro satellite. La gara era fra la signorina Scontrino e l'infinito, pezzo per pezzo, gradino dopo gradino, non fra lei e i clichés di buon gusto come la crisi esistenziale. Bisognava andare *avanti*, forse un giorno si sarebbe potuto inserire *il tutto* in un programma. E non era una che si accontentava delle metafore, lei, la signorina Adelaide Scontrino ex Mimì Schisciada ex chissà che altro. Una fumata bianca e chi comincia è già a metà del percorso. L'unica distrazione, in attesa del Fumo dei Fumi: una partita a ping-pong con Teodora, che giocava per buona creanza e di malavoglia, incapace di reggere la racchetta per più di tre minuti.

Il conte Eutifrone! maledetta quella volta che si era lasciata convincere a partecipare a un cortometraggio per una TV privata che aveva irretito Teodora sino a convincerla! e quell'altra, a ruota, che una rivista superpatinata aveva inviato due fotografi e un redattore a immortalare lo sfarzo architettonico di quella che era denominata "La Costantinopoli d'Occidente"! Avevano fatto scalpore i Gallia Placidia in legno e vetro e acciaio e onice, con i pannelli solari sulla cupola che potevano trasformare il solarium in una sauna nel giro di due ore, riscaldamento centralizzato o con stufe catalitiche, la terrazza estraibile, i letti a soppalco, i materassi a acqua minerale. È vero che poi si era sentita autorizzata a triplicare il costo di soggiorno – che è come dire: di solo pane e coperto – per essere all'altezza della loro fama, ma in complesso già da prima la Delfina Bizantina non aveva avuto nessun bisogno di propaganda. Avrebbe avuto clienti da riempirlo tre volte con caparre di biennio in biennio. Era diventato uno *status symbol*, una cosa appena inferiore al *corpus Domini*, aveva sottolineato la signorina Scontrino, soggiornare lì e – anche per i Parà più meritevoli – svernarci addestrandosi. No, non avrebbe mai e poi mai dovuto comparire in quel cortometraggio, ma era stato più forte di lei non soccombere al dogma che più uno è importante meno appare. Lei e Teodora per mano sull'entrata del P38, il Gallia dei libici, truccate da regine barbare di un'altissima civiltà scomparsa, riemergente... Uno spot. Ma aveva il suo bel nasino nuovo, come tutti l'assicuravano, all'infuori di Amilcara, che da due anni esibiva invece le sue orecchie nuove, a punta come l'idea che lei si era fatta di quelle del Tenente Albigian – che delusione invece: lei il naso se lo sentiva come un gnocco rimasto attaccato al cucchiaio; dopo quindici giorni di rodaggio fu sicura di non essere avanzata di un centimetro nella considerazione che aveva di sé e che correva il rischio adesso, piacente e invecchiata, di farsi dire alle spalle di averlo fatto nella speranza di apparire più giovane e di nascondere così il climaterio ai ragazzini... Ma lei non aveva voluto rinnegare la sua orrida bellezza né ripristinare la vecchia, scomparsa ma più comunicativa, più cinofila; no, lei non voleva piacere secondo i canoni, non aveva mai, per esempio, rinunciato alla sua pettinatura turrita: aveva sempre preferito imporre la sua sinistra bellezza con la violenza piuttosto che con i deodoranti. E la sua pettinatura segreta, di quando faceva le sue scappatelle, era rimasta segreta e segregata nella camera, in fondo al corridoio, del terzo piano del *motel*... la camera non aveva più niente a che fare con quella di allora, salvo l'armadio e le due sedie semi-spagliate... quel cassetto... quello specchio centrale... l'odore ogni volta che si vestiva e si pettinava, di naftalina, di infanzia sprecata... di mestrui di sconosciute che si ficcavano nella branda accanto e partivano di buonora chiamate da una voce d'uomo dietro la porta... la sua vestaglia grigiastra, il grembiule, e il bellissimo pettine di tartaruga, regalo del suo primo uomo a nove anni, un commerciante di maiali all'ingrosso, finché la matrigna, per gelosia non aveva incaricato don Serafino di... E era più forte di lei, ogni tanto doveva ritornare sul luogo dell'infanzia oltraggiata, rimettersi i vecchi cenci conservati e nascosti, a guardarsi nello specchio mentre ora dopo ora fa e disfà la stessa treccia doppia e rifà la stessa torre... l'orribile scempio della faccia... ma... i suoi amanti più belli, gli adolescenti, erano come nemici piegati al piacere da un'energia occulta che lei s'ingegnava di trasmettere respirando fuori, di ficcar dentro come un piolo nel cuore di chi vampiro non era ancora. Con questo naso, invece, che sembrava un ninnolo senza passato, per piacere piaceva, ma per delle ragioni consumistiche che lentamente avevano prosciugato la sua volontà di imporre l'energico giro di vite dello sbaragliamento e della conquista. Adesso lasciava fare. Le capitava spesso di sentirsi dire – e voleva essere un complimento – che assomigliava a questa o a quell'attrice, e lei con la morte in petto sorrideva e si lasciava piacere con la stessa desolante cordialità con cui lasciava scattare i clic delle macchine fotografiche prima degli arrivederci. E poi montarono anche questa faccenda sponsorizzata dal Comune, coi tortellini al ragù, le salamelle, il Vitello d'Oro in spiaggia, Teodora a cavallo del melograno mobile... Era sugli occhi di tutti per svista.

E di una cosa almeno era sicura: ai ragazzi piaceva di più prima. La sua *bruttezza*, infine, per loro era stata una garanzia di parità raggiunta, gioventù di maschio in cambio di donna non subito bella: potevano librarsi con comodo su ogni precipizio del sangue e del seme, si spogliavano di più e più a fondo senza perdere in trepidazione. Era più di una bella donna con le pretese: era un buco omnicomprensivo come un caval donato, disposta a tutto pur di far dimenticare quegli altri due buchi orribili là in alto, e non le si guardava in bocca, gliela si riempiva. Adesso, invece, lei era falsamente bella come tante altre e tardona come tutte quelle che hanno fatto qualcosa per nasconderlo e gli è andata bene. E i ragazzi adesso si sentivano più forti in tutto, gioventù contro donna e bella! doveva esserci sotto qualcosa di losco, si sentivano autorizzati a essere strafottenti e preparati a non sentir ragioni, non era più un dono e automaticamente sentivano che, cretini, stavano facendo un fioretto, e guardavano altrove, verso la borsetta, la tabacchiera...

... e il conte si era presentato all'*office* a fine giugno di tre anni fa e Anastasia si trovava proprio lì, con la signorina Scontrino che premeva il campanello del telex con la virulenza di chi non farà mai più in tempo a fare qualcos'altro, rimpicciolita, un grumo di nervi neri e scoperti, agghindata in maniera vescovile, broccatini color porpora sopra dalmatica bianca, fular aggiustato tipo mitra, poveretta, còlta ogni mezz'ora dagli spasimi del male letale, un continuo andare e venire dall'*office* alla stanzina dietro a farsi una tazzina di brodo e a mettere i denti sopra qualcosina. Non c'era niente che potesse curarla e lei si era attaccata alla sua morte sicura per pretendere indulgenza da Anastasia e convincerla che solo un pochino di carne fresca la rimetteva in sesto e la disattrappiva e per un po' arrestava il progressivo appallottamento degli arti e del tronco su se stesso, a vite... Anastasia stava dando un'occhiata alle fiches dei nuovi arrivati in momentanea pensione che la signorina Scontrino stava mandando a memoria nel computer – tutto un via vai di Eccellenze dal Gallia libico ai tè, su allo spaccio, o allo champagnino sul due alberi giù al molo. Il conte Eutifrone non era da solo, aveva con sé un bellimbusto, vestito all'ultimo grido del mercatino dell'usato, che teneva gli occhi sfacciatamente puntati in quelli di lei e reggeva due valigie piene di lettere stampatello, il broncio di chi è annoiato dal peso o è al corrente di una certa storia su una persona di grado sociale elevato... Ma appunto questa era stata la miccia che aveva innescato quel volo a gambe all'aria con il pretesto di arrotondare la strigliata con schiaffo di donna Dulcis per l'alchermes a garganella: un garzone di stalla, un efebo biondo e massiccio su cui entrambi – lei a tredici, lui a diciassette – avevano messo gli occhi per fare scorta di scappatelle nei fienili e nei granai per quell'inverno... Il signorino conte, che aveva un debole per i travestimenti, non ammetteva rivali nei suoi maneggi, specialmente quando era arrivato al punto di mettersi addosso una pelliccia della madre per sedurre gli inamovibili e finti tonti che, di fronte al brillio di una spilla d'oro, si dicevano che tanto non erano che servi della gleba...

«Antavlèva! e che ci fai tu qui?», aveva gridato inforcandosi gli occhialoni bianchi sulla cotenna ancora rossa per via della tinta fresca. «Cambiata pettinatura, eh?»
Il foulard della signorina Scontrino scivolò giù inebetito lungo una faccina di sasso color cenere, per un istante apparve una ragnatela tratteggiata dal fosco blu di un grido che sprizzava nelle rughe, subito ripreso, ingoiato, e poi tutto disparve dalla faccia, come a comando, anche la faccia stessa e lei, che già si stava riaggiustando la mitrina, contrariata di essersi forse fatta cogliere in tutta la sua calvizie o di sorpresa, sorpresa di qualcos'altro. Anastasia aveva ripreso a strologare, di pugno di mosche in pugno di mosche, dopo decenni che aveva smesso di interrogarsi sullo strano legame che la divideva indissolubilmente da quella ex-ex: erano, ex entrambe, tutto qui per Anastasia, eppure a volte aveva la sensazione placentare (un fantasma! ma così donnesco) che la signorina Scontrino fosse in vantaggio di una ragione in più e si limitasse a far finta di niente, a mollare quando lei mollava, a tirare quando e più lei tirava, padrona delle sorti ultime di un gioco che Adelaide-Mimì godeva a protrarre per il piacere senile di girare e torcere quel cordone incrostato di scaglie avvizzite, di talco al sangue... Il conte mentiva, Anastasia capì che non era arrivato per caso, e del resto era fuori discussione poter capitare alla Delfina senza prenotazione dopo e raccomandazione prima.
Anastasia si era ripresa dalla vertigine che quel nomignolo antico le aveva causato afferrandosi con i pugni ai lati del cassetto aperto e chiudendolo strizzando gli occhi. E da quell'istante la sua vita era ridiventata una continua occhiata in giro per avere conferma che stava facendo giusto, che non stava sbagliando. Era cominciata la sua crisi mistica, o di pentimento.
... e la signorina Scontrino, le sue velate insolenze da quella comparsa in poi, la sua progressiva perdita di rispetto, il riprendere mano al tiro alla fune, dirle, fra le altre ermeticità, "che non sarebbe mai diventata come lei", co-

me se Anastasia ci tenesse, o che "le aveva fatto sprecare mezzo secolo" (?)... La signorina Scontrino era rimasta, dopo la ciacolata di queste assurdità, come in ascolto di un'eco, il faccino dentro il turbante-paramento simile a una spatolata di stucco sanguinolento sulla crosta reverenziale dei lineamenti. Doveva aver colto il panico sibilare nelle nuove narici della *sua donna* e in un baleno aveva dato corpo al sospetto smesso a fatica soltanto pochi anni prima e molti decenni dopo: che Anastasia fosse solo una donnetta, e come aveva potuto mai lei aspettarsi altro da una ex-donnina di piacere? Un inferno convivere spalla a spalla con la signorina Scontrino, che poteva giustificare un colpo di Stato ma non un momento di debolezza... E anche il Sindaco, sempre così sotterraneamente ostile ...lui stava facendo la siesta in veranda quando il conte e il suo essere umano del momento erano arrivati... non aveva sentito o aveva fatto finta, stava prendendo il sole vestito di tutto punto sulla poltrona di vimini e probabilmente si lambiccava con il prossimo discorso da tenere ai bambini sul bordo della piscina o su uno steccato del maneggio... o chissà. Sempre vestito con la stessa livrea parlamentare pied-de-poule, un'insaccatura ormai di borse ai ginocchi e ai gomiti, lisa sul colletto e sugli orli delle maniche e dei fondelli... Uno che non pensava a rifarsi un guardaroba doveva essere uno che rimuginava sempre la stessa rappresaglia...

Anastasia, per precauzione, con le mani in tasca, il vestito che si stava macchiando del sangue che scorreva dalle unghie, visto che non c'era più niente da fare e che forse la signorina Scontrino aveva già ricostruito tutta la portata non zarista di quell'appellativo, era uscita in veranda e aveva ingiunto al vecchio ciacolone di andare a preparare la biada per i ponies, di dare una mano al nuovo stagionale spagnolo o di mettersi da qualche altra parte a far sudare agli altri il proprio pane – il mangia a ufo! non sapeva far altro che dormire, viveva di rendita lui, sicuro che un Minerva appiccato una volta gli permetteva di starsene al calducccio per il resto dei suoi giorni... sempre che si limitasse a dormire e non a... una palla al piede, e anche guidare gli era diventato troppo faticoso, preferiva di no, lui, e rimpiangeva a alta voce le belle partite a dama con Onofrio e che se lo avesse saputo... minacciava – dio lo avesse voluto davvero – di rifarsi una nuova esistenza, a Istanbul, dove aveva un certo conoscente, in perlustrazione, un ex-perseguitato pirifico...

... Anastasia nel sentirsi chiamare così, aveva fatto almeno una cosa inconsulta, a parte quella di schiacciarsi i pollici non sapeva se sbadatamente o intenzionalmente: gli aveva risposto con il *voi* e l'aveva chiamato *signorino Eutifrone*, come se fosse una qualsiasi situazione di quarant'anni prima e lei dovesse abbassare il mento di due centimetri per guardarlo in qualche modo in faccia. Aveva riversato in quel farfugliamento indistinto tutto il proprio disperato disagio, prossimo a scoppiare in un delirio. Indistinto per lei, certo non per la signorina Scontrino, che prontamente si mostrò allibita dalla confidenza che si prendeva quell'ex-fiorista vestito da festa in maschera e dalla repentina soggezione con cui Anastasia si metteva a disposizione del nuovo becchino della "Resurrecturis". La signorina Scontrino si inalberò sdegnata sul suo tripode come sentendosi lordata da quella mancanza di rispetto verso la sua favorita. Favorita nonché... sì, la signorina Scontrino fu sicura una volta per sempre di quel *nonché*, che spazzò via dalla sua recita estemporanea. Perché, ovviamente, stava solo facendo finta di fare confusione fra un nipote, volendo, ufficiale e uno, non meno nipote ma sbolognato via in quel di Quartirolo da una che detestava i parti gemellari. Infatti, se non si era mai peritata di scambiare un fiorista per un conte, fu la prima cosa che si sentì in dovere di fare per sviare dal conte stesso ogni possibilità di odore di parentela: scambiarlo per un fiorista.

Quanto a Anastasia, potevi nascondere tutto ma non il respiro fattosi innaturale, e forse neppure la strina improvvisa che le chiudeva le mutande in una morsa e succhiava all'interno un lembo di gonna.

Lui aveva colto tutte queste palline al balzo, senza fatica, e non vide affatto in lei la regina barbara e illuminata divulgata dal cortometraggio che un giorno, sotto forma di pizza, gli era arrivato a casa chiuso in una busta e inviato da chissà quale solerte mittente, ma la pastorella smarrita trasformata in lupo e più che mai pronta al sacrificio. E la prima cosa che pensò fu: "Non è stata lei!", perché lui stava per ringraziarla, *whai not?*, del gentile pensiero. Sfacciatamente, con l'isterica naturalezza maturata in decenni di aristocrazia ammantata di spirito filantropico, aveva scostato la porticina del burò e si era ritrovato faccia a faccia con entrambe. La signorina disse che andava a prepararsi un decotto e che trovava disdicevole che si fosse arrivati al punto che persino gli impresari di pompe funebri trovassero il tempo di fare le ferie – il conte non capì che cavolo volesse dire quella vecchia, ma capì che era piombato su due piccione con una fava, e nemmeno sua. Intanto che la signorina Scontrino di là stava togliendo dal frizerino il suo cellofanino perché si sgelasse per la cena – oh, involtini non più grandi di dadi per brodo –, il conte Eutifrone non si era affatto reso conto del vero oggetto del ricatto temuto da Anastasia e lei, pur di depistarlo, stava lì, pronta a scendere a un compromesso su una questione di cui non le importava un fico secco: "A n'ta v'lèva". E da quel momento aveva cominciato a sborsare per un nome da niente pur di non permettere al conte di arrivare a capo della vera ignominia della sua giovinezza di cui aveva il filo. Prese a assecondarlo perché lui continuasse a scambiare per il fine quello che non era che il modo per arrivarci. Che le importava che si sapesse che non era di nobili origini e figlia di nessuna? a distanza di tanto tempo, poteva apparire un capriccio di donna, un modo gradevole di giurare fedeltà alla corona e il proprio odio eterno alla lebbra rossa – tutti i degli Insaccati erano lebbrosi e untori di nobili origini e in più lebbrosi e untori rossi che avevano fatto il doppio-gioco sia con l'Ovra che con la Gestapo... Di recente aveva ammesso ben altro a un pubblico banchetto e tutti avevano applaudito, lei si era liberata di una verità e di dieci anni di marchette, tutti l'avevano trovata piena di spirito, una gentildonna matta per la compagnia, e nessuno ci aveva creduto... «Va' a fare un giretto, Salvatore, lascia pure giù le valigie, tesoro, ci penserà il facchino», aveva detto il conte all'umano dimesso da un defilé di seconda mano.

L'attempato Eutifrone non aveva perso la losca baldanza dei fragili che sanno di avere diritto alla precedenza anche in fatto di riflessi: in cinque minuti fu dunque stipulato il prezzo del ricatto e non una parola fu sprecata su quello possibile del riscatto, e Anastasia stessa accompagnava gli ospiti al Gallia P16, a denti stretti per non gridare dal dolore, i pollici stretti attorno ai manici delle valigie e una garrotta oliata a indicarle la direzione.

Era il cottage più bello e più ampio di quelli a metà strada fra la spiaggia e il piccolo maneggio ai piedi della cappella-spaccio-dancing. Il conte e il bellimbusto non solo erano non-paganti, ma il conte non aveva neppure lasciato capire quando e se avrebbe interrotto quel soggiorno-farsa. Nel ricatto furono inclusi i pasti (durante l'orario delle cucine perché lui "detestava farsi malvolere dal personale") a qualsiasi ora del giorno, le telefonate, i drink pomeridiani e serali, lenzuola fresche ogni giorno, sdraio per due e ombrellone in prima fila, la possibilità di avere una *persona* extra di tanto in tanto, con discrezione, non voleva approfittare, un pranzetto, una cenetta a una serata di attrazioni internazionali... E a proposito di attrazioni, lui... Ma non finì subito quel che di meraviglioso gli passava per la testa, volle far notare che era troppo gentiluomo per chiedere anche solo cinque lire in contanti, anzi, appunto, chiodo scaccia chiodo, e avrebbe apprezzato tanto poter mettere mano a, dare la propria disinteressata consulenza in, allestire qualcosa di, perché lui non era un ingrato e Anastasia avrebbe potuto, anzi, dovuto contare sul suo immenso patrimonio in fatto di numeri di intrattenimento. Questo gratis, aveva subito risottolineato, per amicizia, e perché *uwai not?* le romanze danno tono e una mano lava l'altra – e aveva fissato i manici insanguinati delle valigie. La mattina dell'indomani stesso aveva buttato lì la possibilità di far arrivare niente di meno che Rita Ribaldi in concert e, va da sé, i dodici orchestrali della Polifonica di Sassuolo. Il *cascét* della signora Ribaldi era di... Polifonica compresa e trasporto strumenti, si capisce... Certo, la Nellah, la divina Nelly, era un'altra cosa ma... la speranza, *purquàpà*, era l'ultima a morire.

Anastasia aveva fatto di no con il mento e lui aveva detto che si sarebbe subito dato da fare, avrebbe scomodato tutte le sue conoscenze in campo teatrale, mandato a monte contratti già stipulati, stagioni già fissate, la Ribaldi sarebbe accorsa al suo richiamo, quell'anno stesso, anche se non bisognava fare i conti senza l'oste, *why not*, pardon *uay not?* e sarebbe stato un punto d'onore per lui convincere l'usignolo di Sassuolo, a lui la Ribaldi, come favore personale... Anastasia aveva perso la parola. Il pensiero le era corso al Tenente Albigian, a un'esecuzione sommaria, all'impossibile per una sete di vendetta così nervosa. E la semi-irraggiungibile, la semi-impossibile a aversi – non meno della divina rivale –, era arrivata lo stesso luglio, con bis a ferragosto, e ri-bis a settembre, per tre anni consecutivi, lei e i suoi scagnozzi in frack a quadrettini, dei tromboni. Finché Amilcara, che da climateri non varcava l'alcova della padrona, nel bel mezzo del concerto verdiano, non era strisciata di cella in cella con uno spillone e insieme ai polifonici aveva fatto ragliare anche i cavallini nani. Tale fu lo sconcio d'applausi immeritati che la Ribaldi, già traviatissima nell'ugola, se n'era andata sdegnata, non prima di schiaffeggiare per bene l'ex-fiorista vero e proprio, che alle nove e mezza di sera passava da quelle parti per una certa postilla sul vecchio contratto, con la Ribaldi che gli gridava dietro che stavolta col cazzo che gli dava il venticinque per cento del *Kaché*, e che lei di scherzi post-moderni ne aveva piene le palle. L'ex-fiorista, imbesuito dagli schiaffi, pensò che non era leale picchiarlo per delle ragioni che gli sfuggivano, tanto valeva continuare alla vecchia maniera, prenderlo a sberle senza nessuna ragione del tutto. Il vero conte, si capisce, era assente, a godersi le dune crepuscolari del Lido di Classe e intento a una dichiarazione d'amore a un saccopelista particolarmente duro d'orecchio che era lì fin dal mattino. Anche Anastasia, non solo la Ribaldi, ebbe le traveggole – come a suo tempo, ma ad arte, la signorina Scontrino. Anastasia, da lontano, aveva udito tutto dell'alterco, dalla faccenda del 25% alla sonorità degli schiaffi, e dal fatto che *il conte* se la fosse data a gambe subendo in pieno lo smacco senza correre immediatamente da lei per intraprendere una qualche ritorsione, aveva arguito quanto costui fosse attaccato alla Delfina Bizantina e non intendesse a nessun costo farne a meno per il resto dei suoi giorni. E se i privilegi allungano la vita e non si può accorciare i privilegi... Teodora, da parte sua era stata l'unica a notare l'assenza del famoso papillon al neon.

L'unica concessione che Anastasia aveva strappato a Eutifrone degli Insaccati in quel fatidico giorno in cui il suo *vero* passato minacciava di ribaltarsi come una pattumiera sulla scena del più imminente dei presenti, era che il signor conte le si sarebbe rivolto, in pubblico *e* in privato, con il *lei* e avrebbe fatto precedere il nome dal titolo di *signora*, come tutti – signora Anastasia, e nient'altro che questo. Lui aveva ghignato, sentiva quanto l'aveva in pugno, e con quale sottomissione lei gli si dava *e* dava. Ne fu estasiato, e questa soddisfazione, quasi una restaurazione dei per legge decaduti titoli nobiliari, riverberò nei suoi modi pacati, di sospesa decenza, ora, con i suoi esseri umani – erano tanti i Salvatori, i Nunzii, i Santini, cambiavano a ogni stagione operistica e a volte persino quattro o cinque volte fra giugno e settembre, e quante cenette extra su, alla chiesetta, nel ristorante giardino, con una *persona* rimediata nel pomeriggio chissà dove, secondo lui tutti bravi carpentieri e muratori e imbianchini che stavano dando una ripulita alla sua villa... Per fortuna ogni tanto il conte faceva le valigie, il cuore infranto da un'ennesima rottura, e correva dietro alla Nelly Nellah, senza dire, però, quanto stava via – non c'era verso che lasciasse libero il cottage nemmeno se era assente, il sedici doveva stare a disposizione, e più di una volta lui era rientrato di punto in bianco pieno di fili d'erba, una cicca americana sulla camiciola, pazzo d'amore per un imprevisto della strada, un produttore di lane merinos della Barbagia, un coltivatore di fichi d'india di Ragusa, una promessa dei cinema d'*assai* (?)... Una tirannia insostenibile e dispendiosa – conti alla mano, il conte incideva sul cinque per cento netto del fatturato stagionale. Abitava sempre a Modena, nella magione avita, e Dulcis degli Insaccati, che aveva ampliato e moltiplicato salumifici e consorzi a dismisura, reggeva ancora, su una sedia a rotelle, le sorti delle porcilaie e della casata. Il conte ogni tanto si lamentava che tutto era intestato a lei, che lui non possedeva una lira, e che tirava avanti con uno stipendio da fame come l'ultimo dei veterinari... Quello scapestrato sessantenne doveva condurre una vita così dispendiosa che, senza quei freni materni, avrebbe già dato fondo dieci volte dieci al patrimonio – e questo già in gioventù, quando esistevano ancora gioielli di famiglia da sgraffignare (tutti, tutti pignolescamente falsi: per questo donna Dulcis – Giusy per gli amici – era di manica così larga) e passarli ai famigli più belli, per diventare in seguito così tirchio da mettere su una virtù imperniata sul sudore della fronte e lasciarsi tentare soltanto dalle bancarelle "americane" da cui attingere l'ultima follia per il suo Valentino di turno... A volte il conte veniva solo per il fine settimana, scuro in viso, non accompagnato, con espressione penitente dietro gli occhialoni bianchi e lo svolazzo del foulard al collo o allacciato in vita a fusciacca, o legato a un polso – e a distanza di anni la signorina Scontrino non voleva ancora capirla che non si trattava dell'ex-fiorista, ma di un conte, e a ogni buon conto voleva sapere assolutamente perché non pagava, ostia, perché. Veniva di venerdì sera e passava sabato e domenica chiuso nel Gallia, a telefonare... Perché, aveva detto il conte a un'Anastasia dallo sguardo sempre più vitreo, di sabato e domenica si risparmia sulle tariffe e lui non voleva essere giudicato male; voleva dimostrarle quanto era giudizioso a scegliersi quei due giorni lì – notti comprese: tre. E quando a fine settembre dell'anno scorso aveva preteso una specie di complicità fra lei e lui in fatto di giovanotti di primo, secondo, terzo pelo, una complicità a senso unico, ovviamente, di cui lei, tutt'al più, era obbligata a fare le spese, e si era lasciato sfuggire, per tastare il terreno, per vedere, che, certo, in quanto a *mona*locale uno nel centro di Ravenna...

... ma, per carità, niente fretta, per l'anno prossimo... non c'era fretta per far fare un duplicato delle chiavi, anche se era roba di un minuto, non di più... E adesso quel duplicato, un altro tiro alla fune durato cinque mesi e perso, sta lì, nella borsetta, insieme agli abbonamenti. Le viene istintivo di allungare il braccio verso il cruscotto. In crisi. Lo sono tutti, oggi, in crisi. Ma la sua è così speciale, innaturale... Apre la tabacchiera, si infila le due dita nelle mutande. Era tutta una presina per il culo...

Sì, a quel pacciottello di carnina delicata e ossa dure in sovrappiù piaceva molto telefonare quando non aveva nessun scappato di casa a cui insegnare le buone maniere a tavola e nei foyer – telefonava a New York e a Sidney e a Londra e a Parigi, ovunque ci fosse un teatro d'opera, e poi a Bombay e a Karachi e a Manila, in Kenia, in Costa d'Avorio, a Tokio, dove probabilmente ne stavano costruendo uno... il terminal del Referendario registrava tutti i numeri e i prefissi. Si rinchiudeva nel suo 16 e scialacquava un capitale nel 15 e in dirette – era riuscito a accumulare 5678 scatti in trentasei ore, il malinconico Ciroepatico. Al telefono parlava di ah! gentile signora, carissimo amico, che cosa è mai la vita, degli alti e dei bassi, di cogli la rosa oggi, e che la vita senza musica era uno strapazzo come dice Nice – ? – *uhay not*, con il tempo, con la paglia... E su questi concetti elaborava ore e ore di intrattenimento telefonico in una specie di esperanto dove capitava dentro di tutto in fatto di masticature di lingue straniere fra lui e altre decine di patiti per l'opera sparsi per il mondo e affratellati via satellite a spese sue. All'opera lirica e al sacro fuoco dell'arte – cioè, alla *voce umana* e alla musica e ai libretti e ai direttori e ai soprani e alle prime, tanto più alate quanto più lontane da raggiungere in aereo a spese proprie –, il conte, diceva, aveva sacrificato tutto, anche l'amore – Anastasia restava anche lei ore e ore, attanagliata nell'*office*, con le cuffie alle orecchie, rapita dalla velocità supersonica delle frasi e del teletax. E lui era il primo, diceva, a non capire perché dovesse essere attratto solo da *persone* indegne che poi, saltava fuori, non avevano alcuna sensibilità per la Nellah o la Ricciardelli, anzi, non gliene fregava niente, e restavano fuori, insieme alle guardarobiere, o nel foyer, a fumare e a sfogliare i giornalini sporchi o "La Gazzetta dello Sport". Perché lui cercava di redimerli tutti, ecco perché i suoi amori erano di così breve durata – perché ai giovanotti in giro per il mondo (questo a uno chiamato madame Butterflai, di Buenos Aires) piacevano sì, le grandi firme, però Ernani e Boris Godunov non erano stilisti di loro conoscenza, e che dal popolo non c'è niente da aspettarsi, che fa di tutte le erbe un fascio, e che prima c'era più umiltà nei ceti bisognosi... Erano state beghe furibonde quando decideva di sbarazzarsi di qualche ingrato marchettaro che aveva sbadigliato già alla seconda scena di "La Bella Addormentata" o de "La Sonnambula", il conte era sicuro che tutto il teatro degli *aficionados* lo stava guardando con riprovazione per aver contaminato la concentrazione con l'inqualificabile comportamento di *suo nipote* – ormai dovevano essere non meno di mille quelle alme ingrate imparentate e, a scanso d'equivoco, diseredate. Ma la cosa che più mandava in bestia Anastasia era che, dopo aver sciorinato tutta la sua trista e pignola autobiografia a memoria, il conte si riprometteva, non meno dell'altro sessual-contrario all'altro capo del filo che ne aveva una perfettamente identica, "di scrivere tutto per lettera perché adesso devo scappare". Era strano come fra certa gente si ricorresse alle lettere quando non avevano veramente più niente da dirsi, non prima – e, perciò, mai più neanche dopo. Perché, per quella *spece* là, o tam-tam o niente, ne arguì Anastasia. Il conte lo si sarebbe dovuto isolare in galera e incerottare per costringerlo a chiacchierare un po' di meno via cavo e a scrivere una lettera altrettanto fluviale e a vanvera...

La colonia di libici – di solito tre – parlava un italiano perfetto, andreottiano, e erano perfettamente identici, come tre gemelli calabresi. Infatti solo dai versamenti bancari si era arrivate alla conclusione che non fossero dei veri meridionali, visto che le loro carte d'identità li dichiaravano nati a Mandatoriccio, provincia di Cosenza, ma pagavano – regolarmente – con assegni circolari emessi dall'ambasciata libica a Roma, controfirmati talvolta niente di meno che dallo stesso Presidente del Consiglio della Repubblica Italiana. In questo non c'era ingenuità da parte dell'organizzazione *segreta*, ma piuttosto teneva a far sapere a Anastasia e alla signorina Scontrino, per vie traverse come conviene, che i tre facevano da *tre d'union* fra il campeggio estivo e l'accampamento invernale, e che dietro c'era il Tenente Albigian e, quindi, la protezione era del tutto reciproca e imprescindibile. I tre, Anastasia ne era sicura, avevano trasformato il P38 in un arsenale, visto che erano i soli ospiti a esigere che nessuna donna o uomo di fatica vi mettesse piede per rimettere in ordine, peccato, perché non le sarebbe dispiaciuto far battere al volo qualche tappeto imbottito di trinitrina al Sindaco, che lasciava capire chissaché con il suo "fondare una colonia della Delfina Bizantina sui Dardanelli"... e sì, anche a Amilcara/Amilkan, sempre più alacre e pesante e acre e sempre più insopportabilmente trasformista, tanto che andava in visibilio quando le si chiedeva chi era lei e che ci faceva lì ai fornelli e chi l'aveva chiamata. Sotto le nuove spoglie diceva che l'abito non fa il monaco e che il suo cuore era sempre fedele alla stessa *persona* e Anastasia dava i numeri ogni volta che Amilcara le rinfacciava la propria fedeltà sessuale. Amilkan pretendeva gratificazioni linguali per ogni sua iniziativa e faceva un po' schifo con quei baffetti non del tutto posticci alla Dalì e il cranio rapato alla marines con la crestina davanti, secondo l'idea che lei si faceva delle acconciature *mutatismutandis* del Tenente. Amilcara, con gli anni, aveva messo su un odore di piccione selvatico che a Anastasia dava un po' le vertigini. Da lavata invece puzzava di cavolo bollito in brodo di piccione selvatico. In più aveva trasformato la sua camera sopra le cucine in una cella di prigione, un ricatto sentimentale bell'e buono, per far vedere quanto fosse soffocante il martirio di una prigioniera innamorata non contraccambiata. Invece che sul calendario aveva preso a segnare i giorni con uno sfregio sui muri e al posto delle tapparelle aveva fatto mettere due sbarre di ferro alle quali si aggrappava per dare ordini a fantomatiche galeotte, a notte fonda e a squarciagola e poi nitrendo come un cavallo – ridendo. Sembrava aver nostalgia del passato manicomiale, e anche questo dava tanto fastidio a Anastasia: che Amilcara non aveva mai commesso il madornale errore di rinnegarne una minima parte e che non si portava dentro immondi segreti che, se rivelati al mondo, avrebbero comportato la rovina senza scampo come per lei. Amilcara aveva avuto la fortuna di essere troppo bestiale per troncare con il passato e rifarsi una vita. E poi una notte era piombata nella sua camera da letto sfondando la porta con una spallata, nuda, con un sandalo verde ficcato nella vagina e l'altro stretto tra le chiappe non si sa a che profondità, invocava un nome, gridava "Ultima!", quella che glieli aveva ceduti in prigione, Ultima la Simonmaga, Ultima la Grandonna, la Grantutto, maschio compreso... Anastasia era rimasta allibita, e era stato difficile tapparle la bocca con i buoni proponimenti e un'emicrania: Amilcara voleva qualcos'altro, lì, un terzo feticcio, una potta col tacco come la sua. A tal punto Amilcara conviveva con i suoi ieri, nessuno escluso, e fino alle tomaie invocava il suo diritto alla follia di essere stata tutta d'un pezzo e mai altro che sé. Anastasia aveva chiuso gli occhi e mentalmente si era chiusa il naso – piano, perché alla radice la minima stretta le faceva male – cercando di concentrarsi sui contributi che Amilkan e gli altri perpetui le avevano fatto risparmiare in tutti quegli anni, ma neppure ciò riuscì a distrarre l'impressione di essere per le fauci fameliche della cuoca il terzo sandalo ticchettante in una frenetica muta di simboli crudeli in cui si inserpentava il sesso in cattività delle donne... E nelle tempie aveva preso a martellarle quell'eco di sconosciuta: Ultimaaa, battevano, Ultimaaa, invocazione simile a una voce del sangue. Anastasia era rimasta incantata a ascoltarla intanto che veniva il momento di godere: Ultima di che? E, sotto la lingua che le smaniava sopra quasi a volerle sollevare una pelle e poi un'altra e un'altra ancora, dopo averle rasato la bifida come se dovesse partorire qualcosa di imminente, di meraviglioso, Anastasia arrivò a concepire un pensiero inesprimibile, in linea retta, con un'ultima e una prima germinazione che si stavano cercando e avvicinando... Aveva goduto al solito come una matta, ma stavolta per qualcosa. In quanto agli altri dipendenti stagionali, contavano così poco nella sua considerazione umana che li aveva subito assicurati e messi a paga sindacale.

... lei sì che ha problemi con il personale, altro che le campeggiatrici-mogli che non parlano che di pigre e esose colf e dei tic delle somale e delle filippine che gli tirano su i negri a casa... Quanta gente sconosciuta da far far fuori se il Tenente Albigian non le avesse detto una volta per tutte che la fama e la gloria degli individui nascono esclusivamente dai mormorii della plebe e degli impuri. Stagionali che andavano e venivano, pulivano patate, cottages, *pelose*, lavavano, stiravano, dicevano sempre "signorsì" e chini sugli avanzi dei ricchi pensano a come vendicarsi... Lei non si sentiva mai tranquilla del tutto, temeva che fra gli innocui mormoratori e mormoratrici si celasse un'Ant..., uno come lei, una mente capace come la sua in un corpo come il suo, casseforti di memoria dell'odio che a un certo punto si mettevano a giocare in borsa con la società da distruggere, e a vincere... Il corpo che si allena a far buon viso a cattivo gioco – il loro, con le *loro* regole – e ci sta, si mette a disposizione, mentre la mente organizza e trama...

Ancorato al molo (un'insenatura in cemento armato e attracchi sufficenti a riparare una ventina di imbarcazioni di piccolo e medio cabotaggio) fatto costruire a spese della Regione, Siciliana, i tre libici avevano un bel cabinato, un due alberi convertibile in motovedetta turbo, e c'erano sere che lo si vedeva sfrecciare via e poi per una, due settimane non lo si vedeva più ma in compenso quante belle telecronache alla televisione. Certo le missioni compiute richiedevano pazienza. Sembrava che dall'altra sponda i voli di collegamento fossero di gran lunga meno complicati e sbrigativi, c'erano dunque slavisti amabili e ospitali. Però il telex bancario era puntualissimo, si vedeva che il Gheddafi trascurava solo i debiti di nessuna importanza e che con lei ci teneva a alleggerire la propaganda nefasta che telegiornali e quotidiani sfuggiti al controllo del Presidente del Consiglio facevano al Musulmano, reo solo di essersi legato al dito qualche esule che gli aveva mancato di rispetto anche dieci anni prima. Come lo invidiava, Anastasia! era sicura che quelle esecuzioni, incendi o piraterie aeree, non fossero affatto politiche in senso stretto per lui, ma di ordine sentimentale: un saluto fatto male, un cane che gli aveva fatto pipì contro il parafango della Rolls, tanto bastava al cuore in tumulto di un vero uomo con qualcosa dentro il cafetano. Non come lei, che ha perso nerbo, e con esso il suo indomito spirito di vendetta. E del resto lei aveva *tutto*, il tutto divinato dalla signorina Scontrino. Poteva permettersi sensazioni di nausea e di lassistico snobismo: ovunque girasse lo sguardo non vedeva che la malinconia di non desiderare altro e la vanità dello spazio che non era già suo e della Delfina Bizantina – forse, con uno sforzo di cupidigia, riusciva appena a desiderare di desiderare i campeggi, suoi limitrofi. Doveva sforzarsi – per far piacere alla signorina Scontrino – di annettersi quei due emuli ficcati nelle costole della Delfina pieni di gente di quart'ordine che schitarrava fino a notte fonda, ma doveva essere un'impresa facile, che so, una piccola catastrofe naturale per farli evacuare e farli scendere di prezzo, oh, una piccola guerra biochimica liofilizzata, dirottare su entrambi un fustino di qualcosa sciolto nelle tubature dell'acqua.... Fin lì ci sarebbe arrivata, sì, ma le costava uno sforzo indicibile desiderare *altro*, prona all'intransigente imperativo della signorina Scontrino, appena rientrata da una velocissima visita a don Basilio e alla Cappella Sistina, le sue smanie di ristrutturazione immediata del Referendario, gli affreschi sul gesso ancor fresco del nuovo soffitto a tutto sesto... Anastasia non aveva pace né fuori né dentro, e dentro il dentro, ora, questa sensibilità umana ormai eccessiva, questa piaga del ragionare troppo sulle cose e le diverse vanità, dell'averne ancora, del non averne altre, del volerne di più, del volerne di meno, e quell'altra là, immensa, la più grossa di tutte: accontentarsi a che pro? E il suo farsi sempre più riguardi, il badare allo stile di ogni ulteriore appropriazione indebita: se non ci dava un taglio sarebbe diventata una donnetta qualunque che commette peccato su peccato e non va in chiesa, e non avrebbe neppure ricevuto una laurea ad honorem dai "Questo O Quello Qualunquisti Italiani".

Girando la testa verso le due Dulcis trepidanti dietro, non può fare a meno di pensare a quanto sia diventata importante, e a livello occidentale, e a quanto, infine, sia gradevole essere *qualcuna*. Il Tenente Albigian le aveva confidato – durante una delle sue rarissime e dubbie telefonate – che per certe zone tabù la parola d'ordine era "Mi demanda Anastasia". Dal Libano a Santo Domingo a Phnom-

Penh al Branco Ambrosiano. Certo: la Delfina Bizantina, con la scusa che ospitava un Commando della Morte ai diretti ordini del Tenente Albigian, si era assicurata una protezione speciale da parte dei servizi e segreti e di routine delle forze di polizia – chissà di quante nazioni. Nessuno avrebbe mai osato fare un sopralluogo serio là dove si rischiava di non farlo invano e sarebbe stato difficile tirarsi indietro. A parte la *pista da sballo* piccola ma florida gestita la domenica dai veronesi in cambio di un gettone di presenza forfettario – oh, bustinine, sniffatine, piccole dimostrazioni dei nuovi raffinati prodotti –, la prospettiva di acciuffare finalmente la Primula Sanguinaria (?) e invisibile (!) del Tenente Albigian era davvero apocalittica per più di una nazione neo-civile, Italia compresa. Tutto ciò che speravano in cuor loro i cervelli preposti all'inseguimento era che i passaporti del Tenente fossero più che falsi, autentici, e che mai e poi mai nessuno di loro avesse la sventura di incappare nelle mentite spoglie della bollente patata italo-americana, perché tutto nella vita purtroppo è possibile, anche aver successo nelle missioni e non far in tempo a dare le dimissioni.

... queste cagne puzzano proprio di muffino in calore... suvvia, Anastasia, altra presina...come apre bene le narici! Anche Basilide, Carpocrate e Filone ne vanno matti, specialmente a fine autunno, quando Anastasia arriva e gli butta dentro il loro regalo speciale da monta, per invogliarli a essere saggi durante l'imminente inverno, quando dovranno sgobbare a far d'esempio a nuovi cuccioli – ora solo e sempre pastori tedeschi – a girare per il campeggio notte e giorno senza museruola. È per questa ragione che Anastasia spesso preferisce il treno all'automobile per i suoi spostamenti estivi, a Ferrara. A volte capisce subito quella che fa per lei – cioè, sia per gli Gnostici sia per la signorina Scontrino, che intanto sta fuori dal recinto a fare il tifo e a affilare i suoi coltellini... Personale a buon mercato, globe-trotters sarde e pugliesi, disoccupate lucane odorose di basilico e diploma di maestra d'asilo e, soprattutto, matte, tante matte in libertà, di ogni peso e forma, della cui scomparsa nessuno si accorge, nemmeno prima.

È in questo modo che ha incontrato la Pelagra, la Sguercia, la bionda del Perigord e altre, a suo tempo, e poi Scopina, proprio a un inizio stagione, non come al solito verso settembre. Anastasia se ne stava in prima classe e il donnino era entrato all'improvviso, con straccio scopa piumino e detergente che uscivano dalle tasche della vestaglietta cilestrina e si era messa a fregare in alto e in basso, a rimuovere i sedili, a sbatterli con insolita energia, a alitare sopra i vetri quando lo spray non faceva effetto, o fare sputatine di saliva per darci il tocco finale, e poi, con il piumino cominciò a scopare per terra. *Negli angoli!* Era di piccola statura, curva; sulla mezza età, di poche parole sbiascicate quasi fra sé, e Anastasia notò che malgrado il gran cincèl non stava dando il minimo disturbo, che aveva il senso della missione, sorda ai comandi e intraprendente di per sé come a una crociata, che aveva l'ideale: uno spirito di iniziativa di tipo ottusissimo. Le parole che bofonchiava intenta a lustrare e incerare si fecero più chiare grazie alla ripetizione, erano tre ma mai dette con la stessa intonazione: "merda", "piscia-in-culo", quasi un'esclamazione, e "che gran mer-da-io", sillabato e declamato. Poi era arrivato il controllore e le aveva detto sbuffando: «Scopina, è ora di finirla, adesso scendi alla prossima e per un mese almeno non voglio più vederti», e con gentilezza l'aveva presa per la collottola e spinta fuori nel corridoio. Anastasia si era alzata e il controllore, temendo di aver alle spalle una dama di carità che avrebbe cominciato a inveirgli contro, come fanno sempre le mignotte della prima che improvvisano preoccupazione per il mondo, aveva detto trascinandola con ogni precauzione verso la portiera: «Sempre così. Niente biglietto, fine della corsa. Hanno chiuso i manicomi? bene. Però i treni non c'entrano». Anastasia intanto che il treno rallentava osservò come tutti i vetri del carrozzone, non del suo solo scompartimento, risplendessero e che non c'era né un filtro né un mozzicone né un involucro di pacchetto di sigarette per terra, né una lattina di birra o la buccia di banana che prima pendeva dal portarifiuti. Scopina lasciava fare, ridacchiava e diceva con voce sloganistica: «Più bianco? ma più bianco non si può!». Quando il treno si arrestò, Anastasia raggiunse il controllore: «La lasci stare, il biglietto glielo pago io», «Ma signora, guardi che questa è mica giusta, mica lo sa dove sta andando», «Oh, ci penso io, vero che vuoi venire a Ravenna?», «Piscia-in-culo!» disse Scopina, e era stata incorporata alla Delfina Bizantina come detersivo vivente.

La sabbia della spiaggia da quel giorno fu mondata da tutte le impurità, anche da quelle naturali: catrame e chiazze d'olio furono quasi centrifugate dalla sua immacolata concezione del bianco. Scopina aveva molti pregi: non dormiva quasi mai e scopava quasi sempre. Avanti e indietro, qualunque superficie le si parasse davanti. Una notte era scomparsa dall'ambito della spiaggia bizantinica. Paquito era stato mandato alla sua ricerca in motoscafo. La raggiunse alle prime luci dell'alba, a Cesenatico, lei lo riconobbe e perciò non volle salire con lui. Qualcuno di già visto una sola volta era per lei qualcuno di sozzo senza speranza, uno sporco da dimenticare visto che non si poteva fare altro. Lui si limitò a farle fare dietrofront e, dopo quindici ore, verso sera, era riapparsa sul bagnasciuga della Delfina e lì fermata e addestrata avanti e indietro, indietro e avanti, con parsimonia. Scopina non aveva riflessi mentali, ogni volta puliva come se fosse la prima volta, sembrava aver sviluppato anticorpi per ogni specie di scoria e di immondizia, chimica compresa. Solo gli esseri umani le facevano un ribrezzo tale da farla ritornare sui suoi passi: dove stava una figura umana, lì s'arrestava la sua mania purificatrice. Dopo una settimana di addestramento da qui a là e da là a qui, non aveva ancora capito niente, finché Paquito non si decise a mettere due spaventapasseri ai due capi della spiaggia di sua pertinenza. Scopina capì tutto meno che la terza direzione si arrestava alla bilancia sull'entrata e che la quarta e ultima, il mare, non andava scopata e che non doveva addentrarsi in acqua con in tasca le spugne... Così ogni volta Anastasia si aggrappava come poteva all'eventualità, presentata a una signorina Scontrino ultra-scettica, che Scopina non era affatto sfuggita, ma che si era certamente annegata inseguendo gli scarichi delle navi alla chetichella da Marghera...

... Le cagne dietro non danno segno di vita, sgranocchiano senza bisticciare, girandosi le spalle e guardando fuori dalle vetrate laterali.

La provinciale per il Lido degli estensi è già molto animata. Bel caldo secco, si annuncia proprio una bella stagione. Già qualche camper, Cuneo, Heindoven. Bene. Cagne poco vivaci. Ma ci penseranno i suoi begli idoloni a farle saltare. Ridacchia, Anastasia, premendo con stupefacente allegria tutto l'acceleratore. Ride a questo modo solo quando è sola. Le piace specchiarsi nel retrovisore, è come guardarsi da dietro le proprie spalle, ripercorrere con lo sguardo la strada dalla roggia al suo Arco di Trionfo. Sono davvero invisibili e trasparenti le rughe attorno ai famosi occhi... Allora...

Allora aveva seguito le istruzioni del tenente Albigian, pazzamente innamorato ma non egoista, e neanche dopo una settimana era diventata russa al cento per cento. Da lui aveva saputo quel poco necessario per scegliersi un'etnia che conta quando si è bionde, formose e con le pupille viola: Nicola II, le quattro figlie, Olga, Rasputin, i girasoli, la steppa, Stalin, Lenin e quell'altro là del Messico, bambole a scompartimenti multipli, e soprattutto il caviale, nero e rosso, e alcune citazioni sul Salmone. E il nome: Anastasia. A ricordo della disgraziata principessa. Insistere sulla sopravvivenza, accreditare tutte le attribuzioni. Anastasia a quel tempo capiva e non capiva, ma restava ammaliata a ascoltare e ricordare i suoni. E parlarne lo stretto necessario, e di sbieco. In cambio lui non voleva niente, era nato pigmalione, solo salire paternamente con lei negli appartamenti particolari a fine feste: una volta chiusi in camera cominciare la messinscena delle grida *d'amor*, lei doveva urlare di *piacer* e anche intercalarle con degli "ancora!". Fine. Lui non faceva nemmeno il gesto di spogliarla, recitava da fermo, anche se poi qualche scudisciata se la beccava davvero. In questo non era affatto un materiale, cioè con le donne. Non le sfiorava nemmeno con una gomitata. Allorché uscivano dalla camera erano perfettamente mascherati dall'uragano della passione, sconvolti a arte, lei con trucco sfatto e lui tronfiamente, umilmente pronto a ricevere il plauso dei suoi subordinati. Un uomo dolcissimo in privato, mansueto, un impotente senza farsene un problema con qualche nostalgia per certe passate eiaculazioni precoci, almeno quelle. Loro due erano esibizionisti di gola e quegli altri fuori guardoni di orecchia. Lei era fiera di averlo portato via a *madame*, mentre *madame* era fiera in sé e per sé, menefreghista al punto di far finta di niente – lei la sua parte di doglie col Tenente l'aveva già avuta...

Che Anastasia non fosse mai riuscita a eccitarlo una sola volta, per dimostrargli almeno la sua profonda gratitudine, dopo i primi casini non l'aveva angustiata più. Con il Tenente aveva dato fondo a tutta l'inconsapevole teatralità del sesso vivo, vero, fatto – inconsapevole nei comuni mortali. Mimandolo, aveva azzerato in parte il bisogno naturale della sua natura focosa, e lei si era tanto più innamorata di lui – che poteva essere suo padre e avanza – quanto più l'atto materiale con i banali frequentatori dell'avanti-e-indietro era spossante e soddisfacente. Lui le aveva insegnato che guardarsi vivere era il più sfrenato degli erotismi, senza trascurarare poi il carisma sulla massa dei pecoroni, il ruolo divino che gli inferiori pretendono da te, e che non bisogna mai mandare a casa deluso il mondo. Loro due non stavano montando, disse: officiavano. Ogni tanto, comunque, a insaputa del Tenente, lei seguiva la propria indole primitiva e ci dava dentro in modo speciale, ritrovandosi poi – insieme a uno stato d'animo che ci voleva proprio – fasci di gladioli con astucci farciti dai migliori gioiellieri della città. Godeva al massimo e ne ricavava il massimo. Nessun altro tipo di sensibilità era mai venuto per decenni a sconvolgere quelle perdite superabbondanti dei suoi plessi nervosi, che in quanto a maestria prensile non avevano uguali in tutta Ferrara, Modena e Reggio comprese... Se *l'amore* o *la sensibilità* o *la delicatezza d'animo* o, nella peggiore delle ipotesi, *l'intelligenza* non erano che spinte per *la natura* , lei ne faceva a meno, il sesso per il sesso la faceva bagnare già più del necessario. Lei c'era nata con la rincorsa nella carne... E adesso, invece...

... Dulcis, la vecchia cagna Dulcis! dovrà ricominciare a frenare sulle zampe anteriori, a sostenere con quelle posteriori il peso dei maschi e a porgere il collo ai loro morsi, col suo bifidone spaparacchiato e fetido – sempre uguale a se stesso –, e Dulcis la giovincella, forse con il fighino ancora intatto o usato solo una stagione o due, lei sì che ce la metterà tutta illudendosi di far parte della festa. Ma i maschi non chiavano mai con una femmina, sempre e solo con il proprio cazzo. Una cagna, a fine carriera, lo sa.

Tutte le sue cagne stagionali Anastasia le chiama Dulcis... Ogni volta sembra appena ieri. Donna Dulcis l'aveva lasciata sanguinare in soffitta, lei, la Pasionaria Rossa, la trotzkista, e le aveva frenato il sangue con un panno di bisso per pulire i pavimenti e non aveva neppure chiamato il medico di famiglia, e poi l'aveva costretta con le buone a dire che era scivolata e basta, del resto *era* scivolata... e che non doveva immischiarsi negli affari del signorino, né tanto meno bere i liquori, e imparare "a stare al suo posto"... Poi, così conciata, chissà come, di notte aveva preso la porta, non aveva roba con sé, niente da prendere su, e a piedi aveva attraversato campi e villaggi di striscio sotto la luna piena, chissà da che parte andare per ritornare a casa, all'osteria, dove c'era un altro tipo di infelicità più sicura, più conosciuta... c'era un gran movimento di uomini armati in giro e detonazioni vicine e lontane, stava certo cominciando la guerra della cui fine avevano tanto parlato nei saloni del maniero per prendere la ciucca brindando alla pace, e mai nessuno che si accorgesse che ogni volta qualcuno mancava alle loro riunioni... e Anastasia sapeva che fine avevano fatto. Per questo lei non aveva mai voluto assaggiare la mortadella della servitù, messa a disposizione in abbondanza da donna Dulcis. Era mortadella di partigiano. La contessa era una spia e come tale, senza dare nell'occhio, parlava di inviare aiuti agli espatriati. Li faceva espatriare tutti nella macchina dei ciccioli... Queste sono le prime cose che saltano agli occhi di una serva sapientemente ottusa. E Anastasia era scappata perché non voleva venire immortadellata. Era arrivata senza rendersene conto a Ferrara. Una volta scesa dal carro di fieno di quel buono a niente, era stata sfiorata da una mano sporta da una camionetta militare. Il Tenente doveva averla adocchiata da dietro, lui e gli altri: i lunghi capelli biondi scarmigliati fuori da un avanzo di treccia, la cintura stretta stretta attorno alla vita, quasi per dimenticare i morsi della fame di quei tre giorni all'addiaccio e mettere in risalto che era bellissima e che aveva tutta l'intenzione di contarci, gli zoccoli di platano allora non ti facevano camminare a passo spedito, davano tempo ai fianchi e molleggio ai seni, e lei aveva dei bei modi... E adesso eccoti qua, Antavlèva: una Cadillac, una Mercedes, conti in Svizzera, nel Lichtenstein, a Mondello, corteggiata dai Ministeri degli Interni di mezzo mondo, padrona del più lussuoso campeggio-residence dell'Alto Adriatico.

Ecco il primo cartellone stradale!

La Delfina Bizantina

è annunciato a nove colori dal mosaico sul letto della piscina, anch'essa opera d'ingegno dell'architetto Antemio: un peristilio su cui si attorcigliano convolvoli bianchi grandi come campane, e al centro del colonnato guizza una donna grassa con la coda di pesce. La faccia rosa ha soppracciglia nere ben tratteggiate, le guance cremose sono aperte in un sorriso troppo sensuale, da spot pubblicitario, per essere di tutti i giorni; l'acconciatura è la stessa, onde d'ebano brillante attorno al disco dilatato del viso, dalle cui tempie cadono rivoli di perle e rubini rimontanti sulla corona d'oro sopra la testa; veli ocra e violetto trattenuti da fermagli d'oro sulle spalle nude danno trasparenza al seno rigurgitante di pietruzze rosa sistemate a scaglie. Le mammelle non hanno capezzoli. La fantasia dell'architetto e del capo mosaicista si è spinta fino all'indelicatezza concependo anche un doppio mento – come in realtà Teodora possiede – ma riscattando il tozzo collo con un collier ostrogoto trapunto di topazi e smeraldi. Le braccia della figura – un'ondina, una fata marina – sono aperte in un'accoglienza che si deduce lunga, rigeneratrice e priva di conseguenze. Dai polsi due vipere di ferro si attorcigliano fino ai gomiti. È incredibile come, per contrasto, sia possibile stabilire immediatamente la qualità dei metalli e delle pietre preziose che si vogliono evocare. Due delfini ai lati e alghe rosse simili a un broccato ridondante di passamaneria antica, alghe da sartoria teatrale, completano la soave figura lunga trenta e larga quindici metri variegata di onde azzurrine – piscina olimpica , dice la scritta. In effetti quelle non sono volutamente alghe perché qui e là, sospesi, ci sono dei pomi, interi o incrinati, che dovrebbero essere delle melegrane. I delfini ai lati ridono a tuttodenti e sopra il naso quello a sinistra tiene in bilico una bilancia a piatti pari e quello a destra un globo d'oro rigato da riquadri bombati e sormontato da una croce con all'interno un triangolo e all'interno del triangolo una cazzuola. Essendo questo globo stato commissionato dalla Signorina Scontrino in un momento di grandi spasimi, il simbolismo è forse quello più incasinato di tutti – e lei che insisteva perché, visto che non era possibile dare il senso della pallina da ping-pong, si desse almeno il senso della sfera da tennis... Su un piatto della bilancia dai piatti pari c'è in miniatura l'intera riproduzione del mosaico – salvo che qui Teodora è a figura umana intera e seduta sul piatto, con un peplo che le lascia scoperti i piedi, e è controbilanciata da un rigurgito di salsicce, piadine, aragoste, bottiglie di vino, ananas, spiedi, tortelloni, una montagnola di ogni ben di dio. I pannelli che si susseguono a ogni chilometro fin sull'entrata mostrano anche un Gallia Placidia in sezione – la dicitura in basso: **ottantasette Cottages Templari** – sotto un sole che porta a cappello una falce di luna. Anastasia si è opposta alla luna piena. La stessa dicitura continua:

"**Spaccio carni e verdure, pesce fresco, forno a legna, parco giochi con maneggio per bambini, pista da ballo, attrazioni internazionali, santa messa, tabernetta. Fuochi d'artificio e fatui.**"

La prima cosa che se ne deduce è che questa *promotion* tridimensionale non presuppone un turista che alle due di notte non sa dove andare a fare la nanna o uno che ha nel cofano la sua bella scorta di patate tedesche e scatolette danesi: va da sé che è un posto per milionari e per quelli che stringono i denti pur di sembrarlo almeno una settimana all'anno.

L'attrito d'invidia nell'aria di chi non può andarci elettrizza coloro che i pannelli non li guardano neanche, hanno in tasca una prenotazione da mesi e vanno diritti a dove menano.

Anastasia al quarto pannello respira già con una sola narice, l'effetto della coca al volante è davvero effimero. Vive con mezzo raffreddore perenne, come se la pressione del suo corpo si stia abbassando di anno in anno. Riesce a calarsi in vasche con acqua a cinquantacinque gradi. Anche la signorina Scontrino a suo tempo accusava gli stessi sintomi, diceva che non era niente, e poi, ottantacinque uomini al giorno ottantacinque bidè, gli ultimi quindici con un cucchiaino di amido per farla rinvenire e cioccare ancora, per anni, e tutto quel lisoformio respirato, e la polvere del deserto, la minima contraria e... Questo freddo nelle ossa. Presina si sussegue a presina. Anastasia sa benissimo cos'è questo freddo: è il prezzo per aver lasciato insinuare nella sua natura un microbo maligno che prima non c'era... un morbo tipo cause prime/cause ultime... *genesi? destino dell'uomo?* sì, un cancro di questi, che non tiene affatto conto delle conoscenze necessarie a andare avanti ma impone un suo dominio astratto, psichico, su tutte le sue azioni, viziandone l'istintività. Deve essere stato questo continuo barcamenarsi con situazioni disparate e impreviste a averla resa così aliena a se stessa, tanto che a volte, se si sorprende a guardare i pensieri, a fissarli nella loro messinscena, non si riconosce più. Troppe le vicissitudini e i cambiamenti radicali della sua esistenza perché alla fine lei, sopravvivi oggi sopravvivi domani e poi cantar vittoria, non si rendesse conto di essere diventata, da forza della natura, debolezza della mente... Ma l'impostura, se è perfetta e tutto di sé vi aderisce, porta inevitabilmente alla *conoscenza*... Molto spesso si sorprende a non essere lì, con sé, ma da qualche altra parte, e mossa non da un desiderio concreto – un imberbe, un abito da sera, un Testa Rossa –, che potrebbe anche scusarla ai propri occhi, ma dal semplice bisogno di *ragionare*, cioé di pensare di essere in crisi simultaneo a ogni pensiero stesso... Anche questo doveva capitarle: *pensare*... Corrompersi negli indugi dei deboli che *pensano* perché non hanno scelta, non hanno di meglio... Oh, ma ciò, grazie, grazie mio Dio, non inficia la sua capacità polmonare di ossigenarsi orgogliosamente per la magnificenza del suo creato. Suo, e di nessuno altro – va be', suo e della sua Maestra, la signorina Scontrino, e di Teodora: ma loro sono un essere trino e uno, fa lo stesso... Peccato che a forza di regolare le voglie degli altri per piegarli ai propri fini si finisce per perdere le proprie... per staccarsi dai dettagli e calamitarsi tutta verso il Tutto... Oh, ma ne valeva la pena: capitale investito per sei miliardi e mezzo già interamente recuperati e reinvestiti in Buoni della Sacra Ruota, in parte, e nessun interesse bancario passivo da ammortizzare. Sotto la guida della signorina Scontrino – che nel momento stesso in cui faceva voto di povertà decideva, per sicurezza, di diventare un demonio in fatto di quotazioni in borsa e comperava tutte le azioni del cardinalato di don Basilio –, grazie all'infaticabilmente moribonda Mimì-Adelaide, che se dovesse tirar fuori mille lire di tasca sua non saprebbe dove sbattere la testa, Anastasia ha, fra le minutaglie, una villa con parco e pista d'atterraggio sulla Sila, venti case a schiera nel chioggese, due negozi di haifai, due di abbigliamento per battesimi, cresime, e sposalizi, possiede un allevamento di pavoni a Montale e uno – dietro espresso desiderio della signorina Scontrino stessa – di ermellini a Trento, vicinissimo a ogni eventuale, nuovo concilio e, con l'ausilio di don Basilio, ormai del tutto asservito alla signorina Scontrino, azioni nel ramo alimentar-siderurgico-nuclear-tecnologico-immobiliare e ciellino in genere. Se non fosse per la pletora di registi russi in esilio troppo curiosi che vengono a chiedere asilo e cestini di merenda – finanziamenti – per *vaudevilles* sui Gulasch in Siberia, avrebbe aperto un salotto letterario e fondato un premio romanzesco.

Con quello strattagemma del nome e dell'immagine regal-adriatica ha ottenuto che nessuno chiami più "balena" la sua discendente: Teodora è diventata per tutti una specie di patrizia tarda-romana, simbolo della prosperità romagnola, la mascotte del turismo costiero, una Delfina, la figlia, seppur un po' tocca, di una Sovrana... Tutto va a gonfie vele. Il commercio delle icone l'ha interrotto lei per tenersele tutte quante, al sicuro nella sala blindata sotto il caminetto: non ci starebbe più uno spillo di madonna con bambino. Magari un giorno ci fa un museo, sta alla cassa e diventa una benemerita dell'Asse Forlì-Mosca.

Ha assicurato tutto: cose cani vita. Ha comperato poi azioni per il 30% della sua stessa Assicurazione. I piccoli nèi nel suo impero: l'esosità mandibolare della signorina Scontrino che pretende di trovarsi la pappa pronta, la morte progressiva delle conifere, i continui inconvenienti della balneazione, tutti quei casi di salmonella da alghe rosse e iprite... ma santo dio, le industrie dovranno pur scaricarli da qualche parte i residuati di fabbricazione! (azioni Montedison per seicento milioni)... e questa cosa nuova, l'Umanella III, che grazie all'immensa bontà di dio colpisce solo i già più abbietti avendo riguardo solo per i veri abbienti (non farsi illusioni sul conte: sarà portatore sano, lui!), tutto quell'andare avanti e indietro delle autoambulanze che non mettono su la sirena per non allarmare ingiustificatamente le colonie della gente veramente per bene (Industria farmacopea: azioni per...).

Essere potente per Anastasia non è più così inebriante, è diventato un tran-tran, e sono finiti i bei tempi delle corruzioni che portavano via tanto di quel tempo prima di imporre allo Stato uno Stato di fatto. La corruzione, allora, era una seduzione, un corteggiamento, uno studio dei punti deboli. Una faccenda pazzescamente romantica. Corrompendo ci si sentiva importanti perché nel limitato campionario della propria carne si riusciva a inventare la merce-fantasma richiesta dal contraente del momento... Ci si addormentava con la responsabilità di trovare in sonni ispirati nuove esche per il risveglio. La vita aveva sensi a dismisura. Era emozionante, il sangue svampava troppo velocemente nel cervello per decantarsi in un pensiero di estraniazione tipo crisi di identità o, per dirla secondo il ricorrente lògos della signorina Scontrino, vanità delle vanità... E ai suoi di tempi d'espansione, i corrotti erano uomini-uomini, dunque sentimentaloni. Li si poteva mettere nel sacco facendoli spiare un prodigio obeso che si spogliava in camera sua o ballava davanti allo specchio. Facevano tenerezza a confronto di questi uomini-tangenziali di adesso, già con la bustarella incorporata nel prezzo prendere o lasciare, per non dire dell'esosità palancaia delle nuove leve d'assalto: soldi, nient'altro che soldi, il baratto era nudo e crudo e nessun'altra nudità che quella della filigrana contava. Tutti rasapotte. Perché certo era stato con i peli figonici che si era intrecciata l'Unità d'Italia fino a quando non erano state definitivamente chiuse... In quanto a questo adesso si ha veramente l'impressione che sia finita un'èra per le donne e non ne stia cominciando nessun'altra.

... ecco, sono per esempio queste le cose che non dovrebbe pensare, com'è potuto succedere che una donna sana e robusta come lei abbia preso questa piega di pensare a quel che pensa e al pensabile che resta da pensare, anzi, di andarlo a snidare intanto che guida o fa cose che andrebbero fatte senza pensarci su? dove arriverà mai se continua a starsi così ai calcagni? Oh, basta! Pensare ai gemelli Farfarello! appunto: deve prima imporselo, prima saperlo che fra una frazione di secondo penserà a qualcosa che le faccia piacere! e allora che fine fa questo piacere? Ecco cosa voleva dire col *guardarsi vivere*! e quella testa di niente del Tenente Albigian che diceva: «È il più sfrenato degli erotismi!».

Solo ora a Anastasia sembra di capire. Allora, poco più che bambina, delle parole aveva afferrato il suono e il suono delle parole del Tenente Albigian era ammaliante... da pifferaio magico... e se ne era innamorata! perché mentre gli altri non potevano far altro che parlare, lui era capace di emettere dei puri suoni. Un maschio musicale! maaa...

Ma senza spartito, un uomo diviso, le arie non incontravano il libretto: non aveva libretto, né trama. Solo scene e scenate, discontinue. Un mito per donne appassionate come lei, sentimentali e senza esperienza, appena appena alfabete. In altre strofe: il Tenente era una testa di c... Un cazzo senza testa, una testa senza cazzo: la meravigliosa irrealtà per una donna realmente violentata e bisognosa di un sogno più brutale. Quel sogno è durato fin troppo a lungo. Cosa le sta succedendo? non ha mai pensato cose così degradanti del Tenente Pigmalione, possibile che tutta l'ammirazione per quell'immaterialità virile si sia ora improvvisamente trasformata nel livore di una maltrombata? La mente! la mente, che crea orribili scherzi una volta che la si immette nella propria testa... Ah sì: i Farfarello!

Anastasia conosce bene le abitudini dei Farfarello padre e madre, con i due figli sono più i divieti dei permessi. Betsabea/Betel/Ezechiela, ogni stagione quella mania di farsi chiamare con un nome nuovo, più autoritaria del marito, più inflessibile, più timorosa del bene dei suoi maschietti... Una donna di una sciatteria non inelegante e di un'eleganza tortuosa, greco-boema-catacombale. Entrambi con il pallino delle religioni all'ultimo grido, purché non permissive. Orari ferrei per pasti non ancora messi a cuocere e per i bagni e le scorribande sui pedalò – scroccati al noleggiatore, che li ha in simpatia – e le ore di studio, sempre rimandati a ottobre entrambi, recupero e preghiera – dagli "O gesù d'amore acceso" dei primi anni ai campanellini dei Krishna nel mezzo agli "ahmm! ahmm!" tibetani delle ultime stagioni. Nessun fumetto permesso, solo Pentateuchi e Apocrifi Evangeli e Corani e Dianetiche che né lei né lui, così passivo, hanno mai avuto in mano ma che ci tengono tanto a imporre, quei moralisti; linguaggio compìto quando sono proprio loro due i primi a lasciarsi prendere lingua e gola e braccia da imprecazioni, un vituperio, una recriminazione divina... Impensabile attirare i gemelli nel piedater in centro, non li lasciano mai andare da soli in città, nemmeno per visitare una chiesa...

Questo scollamento fra forma e sostanza nell'educazione perseguita dai due genitori legalmente separati – a causa di guerre fredde di religione: i Farfarello non avevano mai la stessa nello stesso periodo –, così apprensivi e svagati, avevano fatto di Fritz e Moritz due compagni inseparabili ben oltre il loro gemellaggio speculare, dei buontemponi in cerca di avventure laiche non appena voltato l'angolo dell'elasticità fanatica della famiglia. L'unica virtù che condividevano con padre e madre era il comune amore per il danaro da procurarsi per fare bella figura, perché non nuotavano nell'oro. Per esempio non disdegnavano farsi il segno della croce a tavola e prima d'andare a letto se c'erano dei ficcanaso disposti a sganciare un deca – gli svaghi: angurie, gelati, birra e un tric-trac in compagnia del noleggiatore di pedalò... E non si sognavano di sprecare energie ribellandosi al puritanesimo-quacquerismo-mormonismo di importazione Banca Biancofiore del Veneto di lui, che faceva il cassiere, né al buddismo-moonismo-animismo di importazione un po' qui un po' là di lei –, che faceva la maestra elementare –, e questo dal '70 in poi non era più sufficiente per darsi delle arie.

Era così facile e comodo scendere a patti, anzi, avevano finito per adorare ogni frustazione religiosa dei due sposati fedeli e falliti in cagnesco. I gemelli vi si attenevano scrupolosamente in certe ore del giorno... Per il resto Paquito avrebbe giurato di averli visti uscire in coppia, una sera di già due anni prima, dal Gallia del conte Eutifrone alle quattro del mattino. E anche l'anno scorso: che continuavano loro, sempre così squattrinati, a ficcare il naso attorno alla bancarella dei veronesi? Peccato che Paquito, tutto preso a incamerare della padrona pneuma su pneuma, non avesse il diritto di versare niente del suo in quello di lei, e poi la signora Anastasia era buona e tollerante con i finoci fintanto che la cosa non la riguardava direttamente e lui non poteva certo portarla a sospettare che quei due picaros *in erba*... Per esempio: gli aveva detto una volta, ridendo ma alquanto convinta, che se l'avesse pescato a fare certe cose con i suoi cani lei... Paquito non sapeva mai se faceva sul serio o se scherzasse, certo fece sul serio quando, per precauzione, visto che lui era sempre fisicamente con i tre Gnostici, l'aveva mandato a un suo istituto di analisi per l'esame del sangue. Lei disse che era per il suo bene, in effetti pensava al pericolo che potevano correre quegli innocenti nei recinti... E guai a nominare i veronesi in sua presenza, non voleva che qualcuno osasse insinuare che nel suo campeggio si spacciasse droga, seppur solo nelle feste di precetto. La *dueña* Anastasia da un po' di tempo amava negli altri solo la franchezza che non disturbava il suo nuovo diritto più inalienabile, nemmeno fosse ereditario: quello all'ipocrisia.

... persino i pantaloncini da bagno dei gemelli non erano di quelli elasticizzati ma di tela, larghi alla coscia, fuori moda, che sulla spiaggia li spaesavano come bagnanti di fine secolo... Anastasia, che ancora fino all'anno scorso non era riuscita a cogliere nessuna forma del sesso dei ragazzi e si esasperava a immaginarselo dietro quelle telacce scampanate a quadrettoni che non si toglievano nemmeno di sera per giocare a biliardino, anno dopo anno non aveva perso un pretesto per entrare nel Gallia, un tè e ogni altra piccola circostanza fra signore, o un dettaglio trascurabile su faccende di saldo e di sconto da discutere fra un assaggio e l'altro di storia delle religioni fra i due coniugi deliziati di avere un'ascoltatrice così illustre e ricca, finché immancabilmente fra Ezechiela e suo marito non scoppiava il putiferio oriente versus occidente. Se uno dei Farfarello fosse morto e Anastasia fosse stata ancora impresaria di pompe funebri, non avrebbe saputo a che rito votarsi: Farfarello padre, malgrado da anni facesse l'impiegato di banca e pollice e indice della destra fossero affetti da sindrome della conta, professionalmente parlava al passato spacciandolo per presente per questioni di prestigio: era stato per alcuni anni nei deserti statunitensi per conto di una società petrolifera, la Total o Esso, e anche lui aveva avuto la sua bella parte di vita avventurosa chiuso in una baracca di legno a preparare le buste paga e tutto ciò, nel tempo, si era trasformato in una mansione affine all'ingegneria petrolchimica. Doveva essere stato là, fra un colpo di sole e l'altro, secondo Anastasia, che aveva inconsciamente immagazzinato quelle strane religioni multiple che cavava fuori adesso con tanta abbondanza per far rabbia alla consorte di tutt'altra trascendenza, per tirarne il monopolio dalla propria parte. Erano beghe furiose e ispirate ogni giorno su chi aveva più Dio dell'altro... Ogni anno Farfarello marito si dimenticava di averle già detto almeno cento volte che "l'entroterra per arrivare alla Delfina Bizantina è in tutto e per tutto simile a Dallas, centro città". Per non essere inospitale, Anastasia ogni volta gli richiedeva di essere più specifico sul paesaggio americano dell'entroterra bizantinico, lei, che già tanto aveva dovuto sopportare le non richieste descrizioni di Onofrio sulla Nuova Inghilterra.

Anastasia lo induceva a scendere nei soliti dettagli sulla desolata landa adriatica – "un po' grulla", come diceva Farfarello padre – sempre che nei paraggi saettassero quelle bellissime quattro gambe ambrate sotto la graziosissima arcatura vertebrale... E che mancavano soltanto i grattacieli e qualche cactus per essere Dallas nell'ora di punta, alla Delfina Bizantina, e che i cactus però, potevano venir immaginati nelle migliaia di bagnanti esclusi dal paradiso delfinico e in cerca di un angolino alla buona di spiaggia libera per sdraiarsi fra gli scarichi... E intanto che quel pedante ricamava una sua proposta allo spirito di patate di gemellaggio Dallas/Delfina Bizantina, adesso, Anastasia mascherava con sorrisi vaghi di condiscendenza il vero punto focale della sua attenzione e passione tuttorecchi: i gemelli Fritz e Moritz, che dovevano portarlo per forza sotto le cosce, dividendo le palle, come i libici, accovacciato fra i peletti del... ammesso che ci fossero i peletti. Chissà se si rendevano conto di essere così sfacciatamente imperscrutabili e appetibili, in quel contrasto di corpi robusti e voci melodiose, quasi da bambine. Il signor Farfarello era sulla quarantina passata, abbastanza yankee, versato a modo suo nelle lingue straniere, semicalvo, pancetta, unico svago il tiro al piattello, il vino d'annata, le grandi imprese storiche, Giulio Cesare, Napoleone etc.; la signora Farfarello, Betsabea o vattelapesca – Baale, la passata stagione –, era una che cercava degli svaghi, a parte la "pietas kristiana" – fissa – e aveva trovato nel nirvana la compensazione al dover rinunciare a una cameriera in casa e, quindi, al parlarne come facevano tutte le altre signore di un certo tono, che lei trattava con la bonomia di chi non si mischia perché a corto, sì, di personale domestico ma sostanzialmente ricca di tante altre tematiche superiori. Non legava con le altre campeggiatrici e si trascurava un po' perché faceva più devoto. A parole amava l'ordine e la pulizia ma lei stessa si lavava poco, e ogni volta avevano lasciato il Gallia come una latrina pubblica in cui fosse passata una torma notturna di dissenterici. Una donna amorfa, un'insegnante elementare il cui sogno sarebbe stato di sposare un vescovo anglicano da portare sulla retta via, poi, per tutta la vita. Si sentiva socialmente segnata da una o due missioni contemporaneamente e si riaddormentava appena poteva, stanca morta, dopo aver impartito altri ordini ai gemelli mescolando una tisana in polvere a palpebre semichiuse, asceticamente. Non era mai scesa in spiaggia una volta: odiava il mare e tutto ciò che, infine, non poteva essere messo su un'ara a fare bella mostra di sé. Non era affatto iconoclasta, amava gli altari, gli ornamenti, gli addobbi, e non solo licheni secchi e conchiglie avevano trovato le donne delle pulizie nel loro Gallia, ma anche altarini di... Sì, proprio, e tutte secche, sparse fra armadi e ripiani, a torciglione, piatte, cesellate. Non buttava via niente, la signora Farfarello, e quelle robe lì forse avevano una oscura funzione contro i diavoli simile a quella dell'aglio, che scaccia i vampiri. Chissà che religione era quella lì, e la Farfarello le stava tentando tutte per crearne una tutta sua, dal niente, di cui essere profetessa... Per fortuna Fritz e Moritz in fatto di religione erano quanto di più similmente irriverente la natura avesse mai potuto generare in un unico ventre accuratissimamente pio e strambo. Si sentiva che erano nati per far carriera e che niente li avrebbe fermati. Fritz portava i capelli tagliati a spazzola con le tempie rasate e Moritz – per intercessione del nonno friulano – una treccina sottile tenuta da un elastico giallo. Slanciati verso una terra di conquista e idealizzati dal bisogno di Anastasia di bellezza assoluta e meglio se doppia, di scorta, per sicurezza contro gli acciacchi di gelosia della terza età, uno, uno almeno, avrebbe potuto restare suo per sempre per alcuni anni. E ne avrebbe fatto un poeta innamorato e sotto vigilanza, a lei lui avrebbe dedicato i suoi poemetti d'amore, in lei avrebbe visto chissà quale fonte di ispirazione, come quello là della "Schiacciànoci" che componeva la musica... Quanti sogni fa una baldracca miope allorché si compera un cannocchiale... Oh! Presina... Nel frattempo, dopo la faccenda dell'anno scorso, avranno maturato bisogni più complessi... ah, i birboncelli... e questa è la stagione migliore e poi, come tutti gli uomini romperanno le catene e gli agnelli cominceranno a puzzare di caprone...

Li aveva pregustati stagione dopo stagione, dovevano essere suoi prima di ogni altra e prima che fosse troppo tardi, nel senso del latte cagliato... Betsabea etc. lo scorso agosto, la mattina della partenza, le aveva confidato che proprio lì, al campeggio, si era accorta – perché le mutande, quelle almeno, se le prendeva su – che erano diventati *uomini* insieme, la notte prima, cioè, alle prime ore del mattino, non era incredibile come andassero d'amore e d'accordo anche in cose così individuali? e che adesso sarebbero cominciati i grattacapi, con quelle smorfiose di dodicianni disposte a tutto, mentre ai tempi loro... Anastasia si astenne da qualsiasi commento e sollevò gli occhi al cielo sospirando... Adesso il problema sarà come riuscire a far arrivare i gemellini in centro, da soli, per qualche oretta... Potrebbe comperargli una moto adatta alla loro età, come una vecchia amica di famiglia, troverebbero una scusa e andrebbero difilato in *garçonnière*... lì alla Delfina neanche a parlarne, nessuno la lascia mai in pace per più di cinque minuti. E anche i Farfarello padre e madre erano a buon punto, cotti di lei e delle sue mille attenzioni, eppoi, dopo la cena di commiato dell'anno scorso! Anastasia aveva dettato a Amilcara un menù prelibatissimo – andu-glie ingualdrappate di fine mostarda, l'ammorsellato di bue con marroni e i mirabolani in confettura –, Paquito serviva in tavola; Teodora non era nemmeno il caso di trattenerla, era stata memorabile la sua presenza quella volta alla serata di rottura della Ribaldi e un'altra che aveva acconsentito a giocare a ping-pong con la signorina Scontrino... Malgrado cenassero, come ogni anno a inizio o a fine permanenza, secondo gli impegni di Anastasia, alla buona, con una tovaglia normale e né posateria d'argento né porcellana, le portate erano così raffinate e inusitate che i Farfarello erano rimasti sempre più stupefatti da queste cene, di cui sbandieravano meraviglie per le restanti tre settimane contro le signore con cameriera fissa che invitate non lo sarebbero state mai. E i vini, scelti da Anastasia, che non ci capiva un'acca, erano portati in tavola secondo un metodo infallibile: l'etichetta bella. E bianchi, rossi, rosé – il signor Farfarello si dimostrò subito bevitore straordinario, mentre per la signora, nel suo vestito più bello di baiadera a strisce ma picchiettata di serti di spine stampati, solo una goccia di moscatello frizzante, leggerissimo, però, per dimostrarle che non ci si dimenticava di lei e del suo diabete eucaristico-ural-visnuitico. I gemellini gli anni antecedenti avevano gustato i vini storcendo ufficialmente la bocca e altrettanto ufficialmente preferendogli la limonata, poi lei li aveva sorpresi parecchie volte su alla chiesa a scolarsi bicchiere su bicchiere di lambrusco di quel bel secco. L'anno scorso, però, la signora Baale aveva lasciato quasi intatta la bottiglia di moscatello di San Marino e era passata a un corposissimo Cabernet di 13° che aveva scoperto solo al dessert. Aveva stralunato gli occhi e, ammandorlandoli, aveva deciso di socchiudere le palpebre e tracannare come se fosse insulina per una vita, preferendo al solito languore che la prendeva l'invettiva aperta contro il marito, già da tempo sprofondato nel canapé a sospirare «hippy, hurrà, la vaca che ta cagà». L'invettiva di lei era: ho sposato un pantofolaio e i soldi non bastano mai, gli alimenti appena, ma falla 'sta rapina benedetta una buona volta, chi vuoi che si accorga di te, Devoto? come faremo a tirarli su?

A fine cena il personale era intervenuto per riaccompagnarli a letto: lei la Baale sollevata per busto e gambe, lui il Devoto appoggiandosi alla tuta mimetica di amianto di Amilkan, Paquito che sorreggeva da dietro Anastasia ciucca marcia che a sua volta, in mezzo ai gemelli, li scortava fremente e dolorosamente inibita. I due gemelli ridevano non si sa di che e anche lei rideva, felice finché fu sicura di dirsi contenta. Ma era incontentabile, li voleva, al più presto, entrambi... E per un attimo se li era sentiti contro, era scivolata, o forse loro, uno su ogni capezzolo, come se lo facessero apposta di essere così sbadati... Si sentì bruciare da una paralisi folle che, aggiogando le nocche, liberava un fluido incontenibile nei polpastrelli... Oh, sciogliersi e frugare lungo la schiena la compattezza di quelle reni, la pelle elastica, insinuarsi col medio dal nuovo smalto violaceo-azzurro nella scanalatura delle chiappe dorate... Solo per causa di forza maggiore era passata dall'incertezza dell'euforia alla determinazione della pudicizia di madrina... Ma la mano del sogno si divincolò e da quell'istante prese a scivolare giorno dopo giorno sui ventri ove il sole non aveva mai battuto, e né altre... Per la prima volta si era sentita porca incespicando lungo il sentiero semi-rischiarato e aveva sentito un'acquolina in bocca che solo il cervello, non la gola riusciva a deglutire: la voglia di una boccata d'aria fresca – di una poppata di latte di maschio appena munto... Neppure il fatto che fosse indigesta e che si facesse scoppiare nel naso rutti nauseabondi era riuscito a contaminare l'aspra dolcezza dei loro fiati... *Porca...* solo le vecchie di mestiere riescono a formulare le cose così chiaramente... "Una boccata d'aria fresca"... come se tutte le altre boccate fossero state di ossido di carbonio e loro, le donne, delle povere tube di scappamento... Era stata vicina a quell'emozione che sapeva fingere così bene quando era di monta e la vescica piena... Stavolta era sicura che se fosse riuscita a dar di stomaco sopra, sarebbe riuscita a dar di pancia sotto, non c'era bisogno di fingere... Ci furono movimenti bruschi e sbarazzini dei due gemelli, si sentì contro uno dei loro ventri... o era solo il suo bisogno di sentirlo? I suoi occhi erano solo e nient'altro che fisici... stava sognando o Fritz le aveva messo una mano sulla coscia? o era Paquito che l'afferrava al volo perché stava cadendo? L'orgasmo la stava prendendo a onde lunghe e ampie perché le dita del sogno adesso si posavano sulle due fessurine oleose e ne spremevano la prima goccia, quando Moritz le aveva chiesto se lei... *fumava*. O, anche, *meglio*. E se aveva la lapislazzola con sé per una presina di nascosto alla svelta. Si era sentita così vecchia di colpo, e che da quell'istante bisognava patteggiare seduta stante ogni illusione con un rendiconto per chi era in grado e disposto a procurartela... Lei capiva, si adeguava, inutile replicare che non stava bene. Mica era stata donna di riviere per niente: Genova, San Remo, Venezia, Chioggia, Napoli. Aveva dribblato la spina nella gora cardiaca e continuato a palpare a pieno sogno, a stringere quei due sessi onirici assolutamente mostruosi per due bambini cresciuti in ambiente DC, cercando di scacciare il pensiero che quel fondo schiena a destra e a sinistra assomigliava già a un'arista di maiale, e gli aveva passato la tabacchiera, che teneva nella scollatura. Come avevano fatto a saperlo era un mistero... E i gemelli pensando a lei e al tragitto insieme, sotto la luna piena di un'eclisse bianca, quella stessa notte avevano tirato su bene, si erano appisolati limo e risvegliati uomini, cioè dipendenti. Da lei, dalla sua segreta aspirazione poetica. E lei adesso li aspetta qui in mezzo, al *varco*...

Con un colpo di clacson Anastasia si immette nello spiazzo oltre l'arcata di travertino con il nome scolpito in caratteri liberty. Bisogna solo volgere gli occhi al cielo, mettersi nelle Sue mani e sperare che questa *intelligenza* sia solo un postumo passeggero della menopausa...

In fondo al campeggio, sotto un gelso, la scultura d'acciaio su rotelle scintilla sotto il sole a picco: è la Bilancia alta due metri – e con un'apertura di quattro – raffigurata anche in piscina. Sul basamento è incisa una doppia rima baciata: "Induvinel curios e bèl,/en mès al gamb al gh'a un bindel,/ al gh'a un bindel ch'al pês na lirâ/semper al môla e mei an tira". Sì, tutto torna a fagiolo, anche le scritte goliardiche imposte dall'Ente Turismo: lei e Teodora i due piatti, la signorina Scontrino il bindello della bilancia, le State Unite d'Italia... Qui e là imbianchini, carpentieri, giardinieri – i respinti della Paralasta – che si tolgono reverentemente il berretto al suo passaggio, tutti rapati a zero. Oggi è l'ultimo giorno di penso.

«Oh, bueno giorno, segnora Ana» grida Paquito correndole incontro. Mai una volta che faccia la fatica di dire il suo nome per intero. «No se puede mas tenerli, tienen que ciular pronto, prontisimo. Perras, siempre perras... Perros, segnora, perros!»

«E no, eh? non cominciare che è una gran brutta mattinata» sospira Anastasia scendendo dal carrozzone, un po' traballante. «Forza, Dulcis in fondo, adesso tocca a voi, aveta mangiato a sbafo abbastanza. Altro che tenere la coda fra le gambe! Una spruzzatina di Violetta di Parma e via!»

Dai recinti arriva un coro di latrati. Cagne e padroni scendono per il pendio.

Le gabbie sono tre, separate, spaziose, ricoperte da ondulato di ghisa, con ciotole di rame e cuccia interna, dotata di impianto di riscaldamento a acqua, per l'inverno, e di aerazione per l'estate. I tre cani vengono trattati in tutto e per tutto come tre alti ufficiali dell'esercito. D'estate gironzolano inermi e burloni fra campers e Gallia, tirano fuori le linguone dalla museruola per dar a vedere che se non l'avessero darebbero leccatine affettuose a tutti, personale escluso; poi, da metà novembre in poi, vengono sguinzagliati per la proprietà, pronti a sbranare chiunque non gli sia stato portato prima a annusare. La signorina Scontrino, che a differenza di Amilcara, del Sindaco e di

Paquito non sverna nella dependance – isolata dal campo militare vero e proprio –, ogni mattina, ghiaccio, pioggia o burrasca, si fa accompagnare qui in elicottero dal convento e con una disinvoltura un po' forzata per prima cosa scende in spiaggia. Le barche dei pescatori-sommozzatori non sono ancora rientrate e lei è già lì a aspettarle. Fa finta di essere lì per caso, una cliente qualsiasi che ama il pesce fresco, e compera da ragazzotti sull'attenti due etti di molluschi, che sarebbero la base del *garum piperatum*. Va su al Referendario – ben sapendo che quelli non sono gasteropodi oceanici della famiglia dei Mitridi –, tira fuori la mezzaluna e comincia a tritare, facendo altresì finta con se stessa di ignorare che ci vuol ben altro! e infatti senza froge di ranocchio non fa effetto e ci sono giorni in cui nessuno dei ragazzi, andati per lei a caccia nella palude artificiale, ne ha messe insieme quella dozzina che basta a farne ventiquattro, una per ogni ora di struggente blasfemità assicurata. Per fortuna il Tenente Albigian ogni tanto gliene invia un pacchettino, già frollate – dopo le nozze di platino e di diamante, che cosa si potrebbe virtualmente festeggiare in segreto? Sono froge di ranocchi giganti, marrone scuro, a volte un po' gialline, l'ultima volta il pacchetto era stato inviato da Lesotho, Sud Africa, erano proprio nere, ostia... Comunque, arrivata alla Delfina, comincia a perlustrarla in lungo e in largo per vedere se qualche testa insabbiata non ce l'ha fatta a tirar mattina, e è spirata per congelamento, o se qualcuno ha preso la scossa. Poiché la selezione qui è ferrea e non le è mai successo di imbattersi in una cosa non necessariamente viva ma almeno ancora calda, comincia a sperare subito in qualche malintenzionato – e pazienza se sono sempre meno le donne che vanno in giro di notte – finito sotto le fauci dei tre mastini e a brandelli da qualche parte, non del tutto morto, si augura, in attesa di venire imbustato nei suoi cellofanini anche di dicembre, perché la signorina Scontrino è in effetti un po' cicala. Ma non le è mai successo niente di cui ringraziare una spia e i cani, qui lo spionaggio lo si fa altrove.

Del resto lei detesta la carne di maschio, e le Mata Hari di oggi sono tutte pentite e ormai al sicuro nei bal tabarin delle Sottosegretarie Anarchiche di Montecitorio...

I cani sono di razza purissima e di valore inestimabile ogni volta che, travestiti da etero-perfetti cani signori che devono generare, vengono condotti a un qualche randevù con una partner della stessa razza... Ma Anastasia è stratega di stragrandi vedute, non sarebbero mai stati dei fuoriclasse se non gli si dava una seconda vita almeno una volta all'anno: una femmina di donna. Povero Tenente Albigian, come gli mancheranno! sempre conteso di qui e di là, fra America Latina e Latina, che non fa in tempo a scomparire che è già ora di andare da qualche altra parte, alla sua età, senza una faccia propria, che non si può nemmeno dire com'è, come sarà stata, se *in origine* ne aveva una, tutta la vita spesa a rifarsi un'esistenza, plastiche facciali, impronte digitali, le corde vocali. E l'anno scorso, che a fine ottobre non sapeva bene dove si trovava e come avrebbe fatto a portarsi via da dov'era per raggiungere la Delfina e quando Amilcara s'è offerta di sostituirlo il tempo necessario a concentrarsi su se stesso nessuno s'è accorto della sostituzione, lei meno effeminata che mai e lui grato, gratissimo, perché era la prova vivente che aveva raggiunto la perfezione perché non si era affatto sentito sopraffatto dallo scambio con Amilkan, non c'era stato in effetti nessun scambio e era stato persino piacevole essere lì da qualche altra parte a vedersi dare ordini per bocca altrui, cioè *propria*. Amilkan, al contrario di Anastasia, era singola e compatta fino allo sdoppiamento. Tanto che Anastasia non sa ancora chi ringraziare per il provvidenziale incidente di percorso, se il Tenente Albigian o Amilkan: un mingherlino pieno di ideologia semiotica, uno non destinato a niente di buono comunque la si metta, fiato corto e nessuna resistenza fisica, uscito anche lui da Pisa ma dalla Normale, non dalla Caserma Superomo, e tanta, tanta chiacchiera a vanvera, anaforismi, chiasmi, sineddoche, è stato un bene, un piccolo giro di vite alla bombola per l'immersione e subito bolle di altro tipo a galla, rischiava di influenzare perniciosamente gli squadroni dei veri professionisti che non hanno idee o ideali, ma sposano quelli per i quali vengono assunti e tanta manna se dopo gli si lascia dire che hanno almeno quelli. Siccome tutti i partecipanti, di stretta nazionalità italiana, sono qui sotto pseudonimo – Folgore, Belva, Vinceremo, Boario T.–, Anastasia al telefono ha detto: «Ci penso io», e ha pregato il Tenente – o chi per lui – di consegnare le spoglie a Paquito, il quale, al solito, ha tirato via il superfluo e più vistoso, fatto barba, ceretta e mèches alla buona e ha passato la carogna ancor tiepida alla signorina Scontrino per la spolpatura – era appena arrivata al Referendario e ci stava dando dentro con la mezzaluna. Bisogna sempre prenderla per le lunghe con lei per certe cose, metterla prima nella condizione ideale per giostrarsi la propria ipocrisia, e così, quando le conviene fa finta di starsene sul fico senza cadere, salvo poi lamentarsi che, in verità, se proprio doveva essere sincera, non che lei fin per carità non apprezzasse il gesto, ma questa signorina qua era un po' come quella bionda Perigord là, quella che aveva per marito il gagà lasso editoriale che le aveva pubblicato tre opere prime e poi l'aveva abbandonata in aperta campagna, sì, ecco: sapeva un po' di castrato...

Quando il Commando si scioglie, lascia la Delfina Bizantina in un ordine meraviglioso che la rende agibile e fascinosa immediatamente, ogni marzo splendida come il primo giorno: lavori di falegnameria, di elettrificazione, di tubazioni, rimboschimento, potatura alberi e ripristino aiuole, di piscina tirata a specchio tassello per tassello, non un cincischio di muschio fra i seni e la coda, anzi, con in più quella patina nostalgica che hanno tutte le antichità davvero moderne. Ogni primo aprile sembra il giorno dell'inaugurazione: non un lampione fuori posto, non un relitto sull'arena, né una foglia morta, non una pignatta arrugginita o una sdraio sbilenca, non un *ananas* in giro, o un bozzolo o un graffito nei cessi, e le paludi artificiali ricomposte in laghetti giapponesi, con le piante nane così ben nutrite dal solito imbranato non più venuto a galla... I non-promossi domani partono per Nuoro a fare il corso di recupero.

È la signorina Scontrino che durante le trattative della Paralasta tiene i contatti via telex con l'estero, anche se venire qui di persona è diventato per i vari governi un *must*, mondano ma abbastanza divino. Vengono rappresentanti dei Ministeri degli Interni e Forze Armate di paesi che ufficialmente dichiarano su una qualche *Charta* di aborrire una polizia segreta e aspiranti a una polizia segreta che vogliono vagliare, documentare, confrontare le esperienze e le statistiche circa il mantenimento della democrazia, cioè della Civiltà, vale a dire dell'Ordine. Mezzo mondo viene qui a comprare contro l'altro mezzo: anche un solo sardo o un torinese meridionale, tre trentini e due lucchesi. Una cosa a parte quelle teste di cuoio dei bolzanini e dei meranesi, che valgono tanto oro quanto pesano. I mercenari sfilano in perizoma su una passerella – sottofondo musicale: colonne sonore di "Rambo", "Spaghetti Now", "E Ti?" – sotto il grande tendone buono anche per i simposi estivi, devono rispondere alle domande degli acquirenti – traduzione simultanea – e attenersi al tabellone delle risposte imparate a memoria, il minimo cenno di protagonismo non costruttivamente manicheo sono punti in meno e guai a mostrare addirittura scorie di pallidi pensieri invece di sanguinari clichés; poi devono dare dimostrazioni ginniche e di risata cinica, in seguito vengono sottoposti per endovenosa a mezzo grammo di cocaina eroinizzata per vedere la reazione a caldo – cinque gatti per ogni soldato: la perizia con cui gli staccano la testa o gli spezzano le zampe o li sbattono contro il pavimento tenendoli per la coda. Poi il presentatore al microfono descrive di ogni Soldato di Dio doti caratteriali, inclinazioni da tempo libero (gladio, mazza, frombola, machete etc.), grado di preparazione in arti marziali – paracadutismo e immersione vanno da sé – e si passa a battere le offerte.

Per un buon Parapapà si parte anche da settanta milioni, per un kamikaze del Belice si arriva a cento; venti milioni per quelli che ce l'hanno fatta per un pelo a essere ammessi e vengono dati a prezzo di costo come zavorra per aereodirigibili o mine vaganti. Ultimamente sembra che non è vero che la bellezza non conti, i pomidori si infiltrano dappertutto, mettono su i gradi e si fanno pagare le marchette dallo Stato... La signorina Scontrino smista le buste con le offerte segrete e vaglia con occhio da allibratrice le domande di massima sul teleschermo, quei preordini e desiderata sempre più sfiziosi del Medio-Occidente. Durante la Paralasta – inderogabilmente fissata il giorno dell'Epifania, ché a tutti quanti dà il senso dei Re Magi che si spostano, anche se poi le trattative continuano per un altro mese –, Anastasia è la sola donna-donna ammessa un istante sotto il tendone (nessuno si è mai curato del sesso della signorina Scontrino): arriva in pelliccia e colbacco di ermellino, a spirali, lascia fare baciamano e inchini a tutti i gentiluomini presenti, guarda a destra e a sinistra in un raggio abbastanza vasto in cui possa trovarsi il Tenente e se ne va. Ha più che altro la funzione dello pseudocarisma del "cherchez la femme" caro ai misogini. Lei, da parte sua, non sopporta l'odore di carta filigranata straccia degli uomini, e del sudore, e poi, tutto quel sangue di gatto in giro. Nel parcheggio luccicano automobili da favola con vetri antiproiettile e maniglie d'oro, sedili ricoperti da pelle di tigre convertibili in un istante in water di esclusivissima ceramica dipinta a mano, televisori, doppi telefoni, bar, stuoini elettrici contro la gotta, optional a non finire, e poi ci sono sempre alcuni carrarmati per i più stoici. Targhe dei corpi diplomatici di tutto il mondo e relative Sante Sedi, autisti seduti sul parafango che fumano una sigaretta e chiacchierano fra di loro, lancia in resta, mitraglia a riposo, ognuno con il suo schiavetto macedone che pulisce la carrozzeria e controlla olio e batteria. Gli schiavetti macedoni e dalmati sono un pensierino recente del Governo Italiano a tutte le nazioni accreditate, costano poco e non c'è neanche la trasferta da pagargli perché raggiungono Istria e Trieste a piedi o in carovana e poi fino a Napoli, dove vengono smistati, è un salto, peccato che le bambine non riescano mai a superare Padova, altrimenti che bon-bon fra diplomatici filantropi... I giovanotti addestrati non sono mai gli stessi, nessuno ritorna qui a fare un salutino né ha mai mandato una cartolina, eppure c'è un rinnovo costante degli aspiranti, un *turn-over* eccedente la disponibilità, e se la disoccupazione va avanti con questo ritmo bisognerà allargare il mercato – gli *stages* – con il rischio di inflazionarlo, sì, ma d'altronde è il solo ramo dove anche la domanda sia in continuo aumento. E con il quindici per cento, finché Anastasia non arriverà a strappare il venti, pagate le cedole d'asta all'erario – come ci tiene il Tenente a pagare le tasse allo Stato! – lei riesce a mettere al sicuro un miliardino ogni anno, e "Il Mariuolo di Bagdad", almeno uno dei due, ha già cominciato a mollare le braghe, si direbbe... Altro che i mesi invernali sono mesi morti! per gli altri campeggi, mica per il suo! E in più grazie alla Paralasta c'è una certa pubblicità spontanea fra gente di un certo livello dal quale sono automaticamente esclusi i balordi con la lira contata, Farfarello a parte, che è una questione di cuore.

La Delfina Bizantina è un cerchio immobile che si allarga sempre più e gira solo e esclusivamente su se stesso, una Mecca che mantiene le promesse che fa: tranquillità, relax, confort, discrezione e la Pietra Nera per eccellenze: impunità, come dire, parlamentare...

«Ode come mugulano, segnora Ana? es el calor, non la gana de bagaia, anche se tienen che sboraciar pronto prontisimo» continua Paquito ostinato scendendo per il declivio con le cagne ben strette ai lacci. Disgraziato, non ha mai imparato a esprimersi in un italiano corretto. In due settimane di vacanze natalizie – con spaider sgangherata di terza mano, un coloraccio ordinario blé metallizzato, una stretta al cuore per lui ma meglio di niente – dimentica tutto e ritorna ogni volta smantellato come il Campo Zero. E lei è stata bene attenta a fare in modo che non abbia ancora abbastanza soldi per comprarsene una nuova di zecca color orizzonte iugoslavo. Ma adesso, forse, è venuto il momento di concedergliela, di aumentare. La sua mente ha fatto posto al suo piano, lui sente quasi a puntino quello che pensa lei a proposito delle modalità esecutive circa l'eliminazione del conte. Ma prima bisogna calcolare la sintonia fra libidine cessaiola di Eutifrone, intervallo alla Rocca Brancaleone e abilità pragmatica di Paquito...

Qualcosa di non completamente nuovo si è insinuato nei tartufi mnemonici delle cagne: è l'odore della parte del sesso non loro. Le due Dulcis si guardano stranite. I latrati dal fondo si fanno spasmodici e feroci. Tutto teatro di natura.

«È ora che ricominci a farti piacere l'opera, Paquito... c'è una ferrarina che so io...» dice Anastasia dando un calcio d'incoraggiamento a Dulcis la giovane che ha cominciato a frenare sulle zampe anteriori. «Non è male qualche volta, visto che ci va anche il nostro conte...»

«Oh, che sbadaciar, segnora...»

«Ora di rioliare la tua garrotta... Ti ho preso un abbonamento... Ne riparleremo al momento opportuno...»

«Molto bien, segnora... es necesario prenotarla molto adelante, la ferarina, segnora?»

«Non a Ferrara, non per me.»

Le due femmine vengono spinte a calci dentro il recinto e l'entusiasmo di simulata famelicità dei tre maschi si ripercuote nel clangore delle reti metalliche. Per inclinazione, e per rispetto verso il diritto di anzianità, Basilide verrà per ultimo: è il solo a aver preso tutto l'erotismo del suo vecchio istruttore. Se le cagne non sono già ben terrorizzate prima dagli altri due, come potrebbero cominciare a gridare e a slanciarsi contro il recinto alla sola vista dell'inerme mastino napoletano? Che meno le sfiorerà nemmeno con una zampa e più si danneranno a tributargli ululati e lamenti e suppliche terrorizzate. Comunque di notte vengono liberati tutti e tre assieme, Basilide, Carpocrate e Filone, che si divertano in compagnia e alla buona, chi le sente?

A fine monta, grazie a sviste fatte per noia, sono sempre incinte, inutile tenerle sino a ottobre. Eppoi a novembre c'è questa faccenda del compleanno della signorina Scontrino e della gratifica pre-natalizia ai suoi tre viziatissimi Rock Azzon ...Scopina se la darà inconsciamente a gambe di nuovo e... per fortuna mamma Dolores ha promesso di far visita al figlio quest'anno, e quel che non farebbe Paquito per una spaider nuova di zecca e variopinta, lo farebbe certamente per due spaider... un po' di salmì di lepre per darci l'odorino di selvatico, gorgonzola in un altro buco, baccalà crudo incerottato sotto le ascelle e voilà! tre piccioni e una capinera con una fava. Una donna nuda, cruda, farcita e delirante. Per un riguardo non le si legano i piedi ma solo le mani: più la matta di turno si dibatte e si arrotola su se stessa e più loro se la spassano.

«Ah, gli uomini! i cani!» e Anastasia, dando due colpetti di tosse, fece dietro-front lanciando a Paquito un sorriso di sfida e di vittoria al contempo, cioè di intimidazione.

La segnora, quando Paquito ha tentato di dirle a lettere più chiare che poteva che sono venuti su *velados* un po' mas e che sì, quella di Filone e Carpocrate è tutta scena non meno di quella di Basilide, seppure per altre ragioni o vizi, Anastasia l'ha interrotto e ha scrollato le spalle e gli ha detto che lui qui c'ha un chiodo fisso, e che i suoi maschi erano cani al cento per cento, oh, un lapsus, s'è corretta subito, insomma, come si dice adesso, *mas-cio* (e lui a correggerla: *macio segnora Ana, macio,* niente ferma quella linguaccia!). E lui a insistere che se li lascia liberi se inculan ocultamente dietro il muro di giorno e nel folto del pittosporo di notte... Ma li aveva allevati lei personalmente! erano cresciuti fiutando la sua traspirazione e il suo profumo! «Apunto, segnora, apunto», aveva ripetuto il disgraziato, e lei aveva girato i tacchi e se ne era andata sdegnata. Ma, con il sospetto nel cuore, dalla finestra, col cannocchiale, era stata a guardarli cosa facevano in sua assenza: intanto che Basilide, compiacente, teneva giù la testa alla bassotta già bassa con tutto il peso del posteriore, Carpocrate e Filone facevano a turno, e poi non più, a ficcarle dentro non, mio dio, quello che sarebbe stato più ovvio, ma le... a due a due e con unghie e tutto! Aveva di scatto distolto il cannocchiale dagli occhi e cercato di dimenticare che i suoi tesori tutto quello che sapevano fare a una femmina era un tremendo dital mettendoci più di uno zampino... Ma poiché alla fine in qualche modo erano incinte (grazie certo alle elaboratissime eiaculationes di Basilide che per essere *praecox* sembravano arrivare da remotissime arche di Noè) tutto era a posto, nessuno aveva il diritto di avere dei sospetti sui suoi tesori, i suoi protettori... L'importante era che stagione dopo stagione continuassero a far male a una femmina come tutti senza farle altro, perché un vero maschio non sa fare di meglio né si guarda bene dal volerlo. Bastava non farne parola con nessuno, e che fossero *mas-cio, velate* o addirittura quella parola là nuova (?), finché c'era qualcuna incinta c'era un vero uomo in giro... Anastasia non aveva certo bisogno di farsi venire altri pensieri e essere costretta a altre, sconvolgenti definizioni della sua *crisi*, in cui certo un passato di uomini aveva la sua inestricabile parte. Le importava solo che il mondo mantenesse un briciolo di vecchia ufficialità per poter sospirare ancora senza tema di venir smentita. «Ah, gli uomini! i cani! che mascalzoni!» Erano già abbastanza le novità dal presente che avevano minato e messo fuori uso le novità dal suo passato con i ragazzini e con Teodora, un'indifferenza ambulante di circa due quintali di preferenza seduti o al volante del carrozzone... non ci mancava che questa dei cani... (?) Comunque, l'ultima volta, due anni fa, prima di passare la prescelta, anzi l'eletta alla chirurgia meticolosa della signorina Scontrino, l'aveva trascinata anche da Didi e da Dimo, i ponies, anche essi di pura razza friulana che non nascondevano nessuna di quelle problematiche lì con la veletta. Lei assisté di persona e poté continuare rassicurata a pensare che di maschietti veri e mascalzoni era pieno il mondo. Cominciando da quelli di Udine, l'aveva assicurata il Tenente Albigian appoggiando in pieno il suo desiderio di fare dei due gemelli due ufficiali dell'aviazione, dove non c'è posto per i (!)... *GHEY*!

Ai primi di aprile, come sempre, Paquito fa fuori le cagne con un colpo di garrotta, per non disimparare il mestiere, poi prende la barca. Lo fa all'alba per non impressionare i primi coraggiosi bagnanti scandinavi o dover dare spiegazioni sulle due carcasse spelacchiate. Rema poco, non più di un chilometro e mezzo. Dopo cinquecento metri il colore dell'acqua sembra ristorarsi e scaldarsi in tinte meno ammalate, decisamente bianche e rosse come una bandiera. Suo padre era un uomo molto sensibile che non lo dava a vedere. Per questo se ne andava a Alicante da solo, nella loro casetta sul mare, dopo ogni esecuzione. Paquito ha imparato da lui a remare, a pescare e a dare il colpo di grazia. Il padre, tuttavia, non doveva accusare nessun pentimento o rammarico o senso di colpa – eseguiva un ordine di Stato. Le sue mani che mettevano in funzione lo strumento non avvitavano la morte come punizione ma come un ventisette del mese. Esse espletavano un movimento a loro delegato dall'intera civiltà spagnola. Eppure quel senso, quel bisogno di alba e di solitudine, dopo, quel salire sulla due cavalli – color nespole vomitate – e partire per Alicante...

Le due carogne giacciono sul fondo della barca dentro una rete e con Paquito non esiste il rischio che la marea le ributti a riva. In effetti l'ordine di Anastasia è di interrarle dietro il recinto come quelle altre – le ossa umane –

dietro la sagrestia, ma è tutta fatica sprecata e remare gli piace – lei ha detto anche: «Certo che a volte un bello scherzo alla signorina Scontrino ci starebbe proprio bene» e entrambi sono scoppiati a ridere. Paquito venera la sua salvatrice e sarebbe disposto a fare tutto per lei, anche farsi togliere la fimosi e rinunciare alle sue scappatelle nell'angiporto con vecchi ma ben tenuti lupi di mare. Forse a metà stagione o in quell'altra addirittura verrà assunta anche sua madre, che là a Tomemolo si immalinconisce dentro e fuori di chiesa, avanti e indietro dalla grotta della Madonna Nera, senza niente da fare, stanca di scambiare i doppioni delle immaginette con le collezionatrici fedeli... Lui però le carogne preferisce gettarle in mare. Alle cinque, cinque e mezza, sente i primi tuffi dal molo e il mare che tutto raccoglie e si chiude sulle cose e i corpi, morti e vivi, con l'indifferenza di chi mai s'è aperto mai s'è chiuso, accoglie anche i sudtirolesi, per i quali l'acqua non è mai abbastanza fredda. Le carcasse fanno un tonfo non più forte di un rullio di lenzuola al vento e vanno subito a fondo. A ognuna ha ficcato dentro un mattone, per sicurezza, l'ha spinto finché non è stato sicuro che era incastrato per bene negli ossi sacri. Adesso rema con calma verso riva, ha appetito... Remando verso la Jugoslavia, gli sembrava di essere in Spagna e guardava l'orizzonte rosso. Gli orizzonti sono opera dello stesso creatore, non ce n'è uno differente. Adesso sua madre gli farebbe trovare una tortilla di salsiccia o ricotta, e caffè nero. Peccato che, una volta qui, dopo i primi giorni di spaesamento comincerà a pretendere spiegazioni su tutto e su tutti. E come metterla con il conte Eutifrone lì in giro, al quale ha continuato a scrivere inserendo ogni volta nella busta un'immaginetta nuova e dicendo che lo ricordava nelle sue preghiere, e che non le ha mai risposto? A Anastasia questo far domande facendosi il segno della croce non piacerà proprio, non è così che una segnora di polso si immagina la moglie di un boia. Meglio con la signorina Adelaide, che come referenze di massima ha chiesto soltanto quanto pesa. Sarà una stagione pesante con questa santa di sua madre così impicciona, e con il conte, quando si vedranno, chissà che scuse inventare. L'unica è che il conte non arrivi al giorno dell'incontro... Santa madre! adesso le sue immaginette con la Madonna e Giuseppe, il bue, l'asinello, non funzionano più, non hanno mai funzionato. Sarebbe stato meglio che gli avesse guardato come cresceva il caccio invece di invocare le protezioni. Oh, ma lei non avrebbe fatto niente comunque, sempre organo del demonio sarebbe rimasto, una cosa da prendere dentro senza mai toccare con un dito. Anche se si fosse mai resa conto, avrebbe canticchiato un salmo ringraziando la Signora Nera di averglielo fatto nascere già con preservativo e tutto. La signorina Adelaide resta la sua ancora di salvezza se, per esempio, mamma Dolores fosse proprio una lagna e mettesse in pericolo la sua spaider color...

I cani ringhiano, reclamano il petit-déjeuner. Interi polmoni di vacca e riso liofilizzato, un mestolo di tè jasmine tiepido alla fine... Ieri la segnora Ana ha dato il primo pranzo ufficiale nel giardino dei cotogni con il grande velario sopra le tavole imbandite: tutto il personale in ghingheri ha mangiato insieme al capo dei vigili urbani, al pretore, al maresciallo, a un colonnello, due onorevoli, un veterinario, altri signori vestiti di popeline che Paquito ha già visto a altri pranzi, alcune mogli molto eleganti con stola perché faceva ancora freddino, tutti alla stessa tavolata, e tutti gli ospiti e le ospite che facevano domande al personale su come era il trattamento e ognuno ha risposto senza far parola delle cinque ore giornaliere di straordinario non pagato, felice, come da ordine, che fossero gli altri a dire al loro posto che al giorno d'oggi è normale un trattamento familiare. Anastasia aveva una *miss* – quante parole straniere si imparano in un campeggio! – rossa bianca e verde con una forcina a pennacchio dietro l'acconciatura, la signorina Adelaide era in lungo, porpora oro e una pompadour color cielo al polso; anche Teodora, nella sua solita gentile abulia, era elegantissima, camicetta nera, di seta, ricamata a mano – stadere, pesi, bilancine dorate –, gonna di velluto nero, lo scialle cinese attorno alle spalle, palloncini multicolori che si riflettevano in uno specchio dorato e, oltre la cornice, un drago verde. L'obesità, se avesse un altro sorriso, come quello della piscina per esempio, non così compiacente e deteriorato, ne farebbe una bellissima donna, almeno di mezzo busto. Invece Teodora non parla mai, presenzia di corpo ma non di spirito – eppure senza la massa della sua presenza il pranzo inaugurale non avrebbe alcun valore. Lei, per le superpotenze regionali, è la garanzia della crassa continuità e della fiducia che hanno riposto adesso in Anastasia. E anche per via delle sue tette, visto che sono quasi tutti uomini di una certa età. Le sue tette trasformano ogni piatto di portata messole davanti in uno della bilancia, lì sopra e attorno oscillano gli sguardi più guardinghi. Paquito sentiva quanto ogni commensale gliele soppesasse guardandola, lui ha avvertito – grazie a quell'esasperata sensibilità tipica dei figli unici di boia – quanto due uomini su tre fossero sconvolti dentro da una vergogna impensata e guduriosa, mentre il terzo, guardandola senza accorgersene, sembrava succhiare anche il pane. Lei, a fine pranzo, ha tirato fuori lo spillone nero dalla camicetta e sotto lo sguardo compassionevole di Anastasia s'è messa a pulirsi i denti. Teodora, indifferente, ha continuato brandendolo come un'arma impropria e fra madre e figlia c'era una certa tensione.

...Custode di cani! da bambino al catechismo ha sentito la storia del figliuol prodigo, ma costui aveva fatto il guardiano di porci e poi aveva fatto un ritorno a casa, poteva permetterselo, lui un padre ce l'aveva, la legge era la legge e su certe conquiste non si discuteva. Invece lui è orfano e anche quando c'era, suo padre era sempre o a Madrid o in altre caserme e poi in riva al mare. Lavorava molto sotto Franco, aveva bisogno di molta solitudine; forse giustiziare uomini lasciava cicatrici nella mente, non come garrottare cagne già semi-sbranate... Doveva aver fissato gli orizzonti africani ogni volta con sguardi di diversa malinconia: spavalda, pusillanime, religiosa, pentita, innocente malinconia, a seconda dei condannati e della loro ultimissima reazione di fronte alla grazia non ricevuta. Suo padre doveva aver trasformato il terrore di ognuno di quegli sguardi e ultime parole nello stato d'animo più languorosamente neutro – per sopravvivere e affrontare il seguente sguardo e ultime parole come se lui le vedesse già riflettersi laggiù in fondo al Mediterraneo, in attesa di accadere. Invece lui figlio le cagne le fa fuori quando non hanno più né sguardo né guaito, niente che si fissi nei suoi occhi con un messaggio indelebile da risciacquare dove l'acqua non ha confine. E se non è di Stato, la morte in sé non ha fantasia, è a venire giustiziati per ordine di un Capo che si tira fuori il meglio come sguardo da un uomo. Ma sono tutte teorie. Ah, sapere cosa suo padre pensava, *sentiva*, per tutte quelle settimane a Alicante, faccia a faccia con gli sguardi timbrati sul suo cartellino, ritornare da lui, fare un ritorno alla grande, biblico, con la spaider di un bel color figliuolo. Sua madre, alla quale a suo tempo si è rivolto come ogni figlio per saperne di più, ha detto che suo padre Carnero avrà guardato il mare anno dopo anno come ha guardato lei anno dopo anno, senza pensare a niente, in altre parole senza vederla. E che non erano domande da fare a una madre.

«Postaaa!»

Anastasia si rigira la cartolina fra le mani, pallidissima: "Cara sposa, è passato tanto tempo, perdoniamoci. A presto, *Onofrio*". Un pugnale di smeraldi, in una teca. Istanbul. Grafia sua, e a chi se non a lui verrebbe mai in mente di indirizzare a Anastasia *Cofani? Sposa*... nemmeno da morto perde la mellifluità della sua vuota adorazione... Grida dall'esterno che arrancano su dal pendio e s'avvicinano.

È il Sindaco che a modo suo sta correndo trafelato verso il Referendario, dove la signorina Scontrino è già al suo posto di vedetta, caritatevolmente seduta sul suo tripode, curvissima ma altera, con le cuffie alle orecchie. Da qualche tempo ha deciso che doveva perfezionare una lingua straniera obbligatoria per certe carriere e ha comperato un corso in cassette della Borgatarphon, "Il romanesco in tre mesi". Il latino, ha sempre insistito lei con don Basilio, lo conosce già, e ogni tanto propina a Anastasia una citazione. "Maiore longinquo reverentia", per esempio, per dirle che a dargli un dito si prendono il braccio. Poveretta, è agli sgoccioli, anche se la sua mente, con tutti quegli inconvenienti psicologici dovuti alla salute della sua inarrestabile malattia, si può ben dire più lucida che mai... Le grida del Sindaco si sono fatte un po' più forti... Onofrio vive? vivrebbe *adesso*, lui, che già faceva così fatica quando non gli è mancata l'occasione? Onofrio sta covando una resurrezione, dunque dieci anni fa... il Sindaco... chi altri se non lui... o Amilcara stessa... l'hanno aiutato a fuggire, a mettersi in salvo e poi hanno messo su tutta quella farsa incendiaria... Fondare una filiale sul Mar di Marmara... rifarsi una vita...

«Là, sulla spiaggia... è ritornata la mondatrice totale!»

Accorrono tutti. Anastasia fa a pezzi la cartolina e si appoggia a uno spigolo del tavolo. Cosa significa tutto ciò? questi rimestamenti annunciati, questo rigurgitare fra la morte e la vita? cosa prevedere? come prevenire? Chi l'avrebbe mai detto che anche quel finto tonto contava sul surplus che uno deve avere a fare l'impresario di pompe funebri...

... Ma c'è un'esclamazione latina che arrovella il capino sempre più conico della signorina Scontrino e non le dà pace, il ritornello in lontananza dei suoi *drills*, lezione 3, "Fare il palo e arriva la madama": "Annamo, li mortacci tua", che in latino diventa "Huffa rihuffaque!", che poi altro non è che "Gutta cavat lapidem" – qui don Basilio le è tuttora di grande utilità, via telex –, e cioè, in poche parole e amido permettendo, "chi l'ha dura la vince".

«Eccola là!»

Scopina, nel suo logoro trench sopra la stessa vestaglietta color niente, sta ginocchioni sulla sabbia e sarchia con un rastrellino-giocattolo. Si aiuta con le unghie e i gomiti, e sconsolata scuote testa e rastrellino dentro il sacco nero di plastica. Più che pulire, ha sempre dato l'impressione di star cercando qualcosa appena perso. Ecco che si blocca con tutto il busto e irrigidisce il braccio dentro la sabbia fino al gomito, i suoi occhi si sono illuminati per tutto il tempo che centimetro dopo centimetro il braccio si sfilava e la mano sollevava una vecchia cuffia di plastica, poi si sono spenti subito e la cuffia è stata buttata dentro insieme agli altri rifiuti.

«Che merdaio... non si fa in tempo a girare la testa che è tutto un merdaio... un gran merdaio... e io che scavo e sbavo sbavo e scavo...»

E parte dalle onde una proto-traduzione non appena l'accumulo della lamentela si infrange con la risacca in quell'eco di atavica malìa:

«...aaavo... aavo... avo...»

Istanbul/

A maggio ci furono molte cartoline più o meno nello stesso tono remissivo, solerte, insolente, tutte da Istanbul: moschee, harem, Topkapi, a volte due al giorno, poi più niente. Una, mostrata al Sindaco per campione, ebbe il solo effetto di farlo ridere sino a mostrare le gengive, anch'esse a pied-de-poule e senza denti. Anastasia non ne cavò la piena confessione che sperava, anzi, si sentì presa in giro e intrappolata dalla sua mania di persecuzione; sospetti su sospetti presero a accavallarsi a causa della reazione ridanciana del Sindaco, troppo furbo e prevenuto per essere preso in contropiede, e forse adesso in lei c'era persino una certa stima, maligna ma effettiva, nei confronti del buonoanulla: a modo suo, come chiunque, non era riuscito a ritagliarsi un potere dal niente, cioè da un ricatto? E che ci faceva Onofrio a Istanbul, e perché si faceva *vivo* solo ora? e se tutto ciò era una berta di pessimo gusto, a che mirava il Sindaco per inviare un seguace in Turchia a impostare cartoline? cartoline con grafia assolutamente identica a quella del defunto (?) ? Chi era veramente il Sindaco, chi stava diventando, da che parte stava? che ambizioni covava? per chi lavorava? O non era stata forse Amilkan a prendere il primo aereo per Istanbul dicendo che andava a Pisa, al Giuramento della Superomo? Anastasia si sentiva in pericolo, forse non era riuscita a nascondere bene le proprie emozioni nemmeno da giovane, ma adesso un solo sguardo della signorina Scontrino la metteva fuori combattimento, la teorica del "Tutto nuovo sotto il sole, mie care, altro che palline" non sopportava di vederla abbattuta per nessuna ragione, e contro lo *spleen* qohèletico le consigliava bistecche di cavallo al sangue, senza peraltro darsi la pena di saperne le cause, essendo cause e origini stupidisie e basta. Alcuni nuovi detti latini fatti seguire da traduzione simultanea fecero la loro comparsa: "Si vis bellum, para bellum", se vuoi la guerra, preparala, e "spes sibi quisque" che, per tagliar corto, la signorina Scontrino tradusse fulminandola con impazienza: "La speranza va ordita con l'inganno, specialmente quando è speranza in se stessi, di cui diffidare". La signorina Scontrino non ammetteva la debolezza di sciogliersi in confidenze, questa falsa solidarietà fra donne che poi è tutt'altro, andare al sodo, e lei stessa per prima cercava di far dimenticare che, a suo tempo, aveva sentito in un cimitero bisogno di una grata. Ora, da alcune sue allusioni, sembrava invece che al funerale della Rakam lei stesse semplicemente dandosi da fare per un segretario o per un futuro maestro di cerimonie, giammai per un confessore, figuriamoci un esorcista. La sua malafede quando si trattava di violentare ogni debolezza altrui per costringerla col ricatto morale a diventare una forza era senza limiti. Anastasia si sentiva più sola che mai, sballottata fra istinti di auto-punizione e altri di punizione e basta – anche fino a tre grammi di coca al giorno...

E Simonmaga era arrivata con la mutevole corporeità di una premonizione a fine maggio, e perfino le rose guardate da Anastasia, che non aveva più pensato all'esistenza di eventi sensati e ciclici come una fioritura di roseto, si biforcarono subitaneamente sotto il flusso astrale della nuova meraviglia. L'essere si era presentato al Referendario a mezzanotte in punto, spaccando a cronometro i due tempismi del vecchio e del nuovo mondo di Anastasia. La quale si era svegliata di soprassalto, le era sembrato di sentire il motore del carrozzone giù dalla discesa, poi uno sbattere di portiere accompagnate con la mano, un rumore innaturale, ticchettii? o un frinire repentino di grilli e poi più niente nella notte illuminosa. C'era la luna piena e lei stava facendo il solito sogno, ma non c'era più nessun incubo specifico nella realtà se non la realtà, e – gemellini a parte – era tutto tanto più orribile. Nessuna traccia del carrozzone, Teodora del resto dormiva rarissimamente alla Delfina, solo se aveva una qualche lussazione alle caviglie, povera balenona. Vide un bagliore mobile su un oggetto che caracollava giù dalla discesa come appeso a qualcosa. Sentì un pizzicorino insolito alla radice del naso e poi, prepotentemente, il pizzicorino aveva preso a scendere e a scendere. L'improvviso solletico, *lì*, la paralizzò completamente altrove.

Nello stesso istante Amilcara aveva sbattuto violentemente le ciglia, le pupille virarono nel buio come ali di pipistrello sotto un lampione inatteso e aveva sentito spore di materia verminosa strisciare dalle sbarre giù sui fregi sui muri sino al guanciale e le pupille dilatate nel sonno avevano fissato il paio di sandali verdastri e rampognosi appesi con il rametto d'ulivo sopra la spalliera della branda. Poi era rimasta in ascolto di quell'odore ineffabile che risvegliava nella sua nuova natura di militare quella vecchia della femmina desta nella notte in una cella piena di altre assassine ormai disposte a prestarsi a fare gli uomini, a ricreare lo stesso errore fra chi dovrà stare sempre sotto e chi sempre sopra. Amilcara si era trovata subito a stare sopra e la bocca non era mai stata piena abbastanza con una donna da sentire l'istinto di addentare a morte.

Voci improvvise dal Referendario, alcuni acuti non sconosciuti, di timbro metallico, un sarcasmo implorante, un pretendere l'impossibile senza fare concessioni... Amilcara si girò dall'altra parte, convinta che avrebbe cambiato sogno.

Anche Anastasia seguiva quello strano tramestio provenire dalla cappelletta sistina-cucina-dormitorio-laboratorio-elaborazione-dati della signorina Scontrino. Nessuno si era mai permesso di disturbare così a quest'ora; sì, adesso erano grida, e anche insulti. Era fuori regolamento.

Perché né Paquito né il Sindaco intervenivano? Si era vestita alla svelta e era scesa a vedere, con una gran voglia di guardarsi il seno allo specchio perché si era sollevato, inturgidito...

Lo strano individuo luccicava al lume della lampada del Referendario sotto uno zaino di plastica trasparente, un essere tarchiatello, sembrava una ragazza mal riuscita e pestata a sangue di fresco. La signorina Scontrino, che prima di essere risvegliata dal suo sonno scalare di impure astrazioni aveva continuato a raggrinzirsi sulla brandina-pergamo nel retro, stava spiegando a fil di voce un'ennesima impossibilità mettendosi a posto il berrettino mozzetta da notte legato sotto il mento con cordicelle di seta dorata, e avanti a dirgli daccapo che non erano ammessi visitatori per una notte e poi col sacco a pelo, non era mica il Festival dell'Unità quello, era la Delfina Bizantina, mai sentita nominare? L'individuo, l'essere, la creatura insisteva, diceva che non poteva più fidarsi di dormire dove capitava, che l'avevano appena buttata giù da una macchina in corsa e che un'altra macchina piena di uomini sbronzi la stava inseguendo e che moriva dalla voglia di essere raggiunta, e non aveva visto la luna lei? La signorina Scontrino aveva guardato fuori dalla finestra come se un fuori di finestra esistesse davvero; lei non era meteopatica, acqua o sole, notte o giorno, faceva sempre qualcosa, non era questo il punto. Solo nei momenti di carestia tirava fuori la testa perché affamata di vento, l'unica cosa del tempo che avesse il sapore del sangue, umani esclusi, e una fame di finito niente, di finito tutto, un aperitivo, un anticipo sul suo fine ultimo... Comunque, effettivamente, fuori c'era la luna piena e il chiaro di luna piena attirava ai vetri i rami narcisi della buganvillea. Poi, dopo questo educato cedimento nei confronti delle suggestioni di quell'impertinente, lei riprese subito la propria atemporale rappresentazione del caos rimesso in ordine e adesso ascoltava imperterrita le osservazioni che avrebbe fatto non appena quell'altro o altra le avrebbe ridato la parola.

No, insisteva o aggiungeva il... forestiero? la forestiera?, *l* forestier? non perché non si fidasse degli altri, era di *lei stessa* che non si fidava! – aveva calcato su quella *a* come su un tacco a spillo con uno scorpione sotto, e la signorina Scontrino per un attimo si era illanguidita e correva col pensiero alle sue scorte che scemavano, alla sua fame strana nuova, insaziabile, ventosa e che anche l'ultimo rifornimento di Anastasia, un ennesimo avanzo della legge Basaglia, garantitole di pura femmina, aveva invece quello strano sapore... Nelle notti di luna piena, spiegava trafelata trafelato trafelat, dava i numeri, *lei*, numeri nel vero senso della parola, da circo, giochi di prestigio – e cominciò a tirar fuori roba dallo zaino: limoni, birilli, coltelli e... vibratori, sì, gridava, cazzi finti, belle mie, cazzi finti per aria con la batteria che non sai mai che traiettoria prendono, e sempre dove c'era via vai di gente, di famiglie, perché era un'artista, *lei*, e però ne portava le conseguenze per giorni, di solito tre, quattro settimane, o addirittura sino alla prossima luna piena. Dentro e fuori dagli ospedali, e che si lasciassero stare le ferite recenti, quelle erano ecchimosi dell'ultima volta... qui e qui... e *qui*. La signorina Scontrino non distolse lo sguardo mentre la creatura accennava a sollevarsi la gonna e a scostarsi le mutande sul di dietro... E tutto perché era incontinente di vescica, sì, una cosa più forte di lei, nelle notti di luna piena, quasi contro la sua stessa volontà, ma non ne aveva una. Insomma: da un certo punto in poi lei se non pisciava addosso alla gente sottostante non stava bene. Nel bel mezzo del numero – trapezismo etc. –, tracchete e balzava sul primo sostegno a tiro e a chi tocca tocca. E queste erano le conseguenze, niente a che vedere con le violenze sessuali che era un'altra questione che non si finirebbe più e aveva sonno: mostrò il labbro spaccato che sanguinava ancora, la ferita sull'occhio sinistro nerastro e i lobi bluastri – prima c'erano due bei *pendents* di strass, regalo di una sua amica, e adesso guardate qui, due squarci gocciolanti... Domattina, con comodo, sarebbe andata al pronto soccorso a farseli ricucire, non voleva farsi trovare in disordine.

Anastasia ne provò una pena lacerante ma benefica: se tutto improvvisamente si divideva così di netto dentro e sotto i suoi occhi, tutto si sarebbe a suo tempo ricomposto in indifferente, spicciola unità. Fra la commessura delle cosce, alla vista di quell'essere che così disgustosamente la attraeva, qualcosa trasecolò, una solitudine bestiale, una singolarità alla riscossa di un ottimismo a tutti i costi. Si sentì persa sin dal primo istante, ma tangibilmente persa. Contemporaneamente a quella formulazione repentina che le saliva su dalle viscere, un effluvio di intimo sugo – anche se sapeva che, fosse corsa con le dita a tastarsela, avrebbe incontrato solo secchezza, e un chiodo entrato tutto nel legno del "brizzolato bovindo di venere" –, sentì che tuttavia qualcosa si faceva più largo fra le mezzelune del sesso e si proiettava fuori più duro sopra. Era una risata che non le apparteneva per intero a scrosciare lì nei paraggi dell'organa, e il chiodo si rivoluzionava su se stesso, veniva battuto dal di dentro al di fuori e spuntava davvero, anzi, si aguzzava sempre più verso il corpo estroverso del mondo. Si sentì mancare, persa e ammorbidita davanti a quell'essere che in pochi istanti aveva operato tanto umidore in lei da farle capire bene finalmente ciò di cui aveva maggior bisogno, visto che Teodora la ignorava completamente: un'amica con cui confidarsi parlando di scarpe e di moda. *Un'amica...* Subito si insinuò in lei il pensiero più intollerabile: non stava oscuramente rifacendo passo passo il percorso esistenziale della signorina Scontrino, diventata saffica e bigotta più o meno alla sua età una volta impossessatasi della poltrona dietro il bancone del *Movenbien*? Era semmai sensato opporsi al destino dopo aver tribulato tanto per inventarsene uno da seguire? No. Bigotta o no, amilcarizzata o no, intimamente Anastasia diede il benvenuto alla Grantutto come al tramite della propria redenzione, decisa sui due piedi a toccare il fondo della sua crisi per uscirne una volta per sempre, mettere al bando tante ciance sul niente e, novella Donna Chisciotte, fare come l'ex-Mimì Schisciada: combattere non più *contro* ma *per* i mulini a vento.

Anastasia era stata colta da una leggerissima vertigine anal-fabetica e la signorina Scontrino, ritornando in sé a proposito della sua incertezza sul sesso e chiudendo la boccuccia beante, aveva esclamato:

«Ma questa qua non è mica normale!»

Era la prima volta in vita sua che esclamava. E con questa frase Anastasia era tornata in sé, già nel Referendario da tre minuti e un'eternità da soglio, sconvolta, prostrata dentro una matassa di fili del destino che la faceva rotolare su se stessa come un fuso sotto un aquilone e ora la depositava lì, disavvolta, e con quel boccheggiamento di resa fra le cosce.

L'essere beccheggiava da dietro occhiali enormi, a ali di farfalla, e si capiva lontano un miglio che aveva problemi di luna, cioè di luk e lei lui l, sentendosi osservat, disse che erano i suoi occhiali di repertorio e che le lenti non erano andate rotte durante gli incidenti a catena quella notte perché appunto non era il caso neanche di farle mettere. Spiegò non richiest che portava una montatura di quella foggia perché "non solo non aveva più paura di volare, ma nemmeno di stare a terra", "che si librava nell'aria con la grazia di un fiammingo rosa" e poi che le famiglie belghe o delle Fiandre in special modo si aspettano degli occhiali così da un'artista – Anastasia e la signorina Scontrino avvertirono tutta la pregnanza di quell'apostrofo... E che un'artista, continuò, è una farfalla super ben salda alla propria larva che deve far prendere lucciole per lanterne si suoi fuchi... Anastasia era ormai in preda a quell'attrazione-repulsione di tipo bilabiale che non l'avrebbe mai più abbandonata e che adesso chiamava in causa anche le sue parti intime posteriori, forse per pressione di quelle davanti, tanto che lasciò scappare un po' di vento. La signorina Scontrino guardò la sua vice come se ne avesse tratto un'ispirazione, un'illuminazione ulteriore di tipo sacramentale.

«Piantala di scambiare scorregge per serenate thatcheriane» disse il figuro, certo uno impegnato dalla parte sbagliata, rivolgendosi alla signorina Scontrino che trasecolava, «e sistemami alla svelta da qualche parte.»

La signorina Scontrino ebbe nelle ridottissime viscere un'implosione da nemesi storica e rimase di stucco, confondendosi michelangiolescamente con il serpente dell'affresco alle spalle. Anastasia, imbarazzatissima, ammutolita, sul liminare di una dissenteria incipiente, si era messa senza nessun scopo a rovistare nel casellario degli ospiti e solo adesso diceva:

«Buonasera, piacere» come se fosse arrivata in quell'istante, e continuando a adocchiare attraverso la faccia pontificante e attonita della signorina Scontrino quella impiastricciata di fard e rimmel della stracciona straccione straccion. La cui voce stridula, minacciosa, come se tenesse qualcosa in serbo per entrambe, doveva poi averla indotta a alzare la testa e a far fronte a se stessa e all'emozione inguinale che stava per orgasmarsi in superficie. E adesso l'essere prendeva dei contorni e dei colori, diventava sempre più quel che era: esisteva, non era l'appendice del sogno di un incubo, e lei era lì, fuori, nella realtà senza speranze, in uno specchio d'altro tipo. La lastra stavolta non rifletteva la testa turrita di una marca da bollo sofferente, ma una zazzera a cresta di tacchino arancione con le cime verde pisello e lilla, tempie e nuca rapate a zero, naso aquilino rampante in una poltiglia di rossetto nero e tumefazioni grigio perla sbavate di muco carminio. Gli occhietti incolori alati – ma dove aveva mai visto lo stesso sguardo di madonnina infilzata? – lanciavano lampi di collera contenuta e capacità immediata di rappresaglia sulle note isteriche della sua autobiografia di masochista non tanto ortodosso. Pagava, *lei*, i soldi li aveva, stare lì solo per il tempo delle notti di luna piena, evitare un altro ricovero, altrimenti addio stagione di spettacoli, un paio di giorni, non avrebbe dato fastidio a nessuno, lo giurava su... peccato, non aveva niente su cui giurarlo... sì, sulla sua prossima operazione all'ascella (?), voleva soltanto stendersi un po' sotto una pianta fra gente norm... no, niente gente normale, inutile correre rischi: si sarebbe riparata da qualche parte, su un tetto caso mai, dormire a lungo, dormire dormire dormire, mettersi in sesto – e con lo sguardo lacrimevole aveva percorso la cappella – e fare forse una attraversata, una nuotata all'alba – aveva detto "traversata"? –, che non avrebbe no fatto andare di nuovo fuori dai gangheri qualcuno pur di prenderle di santa ragione per banali pretesti di enuresi non nel cartellone. Avrebbe mangiato una scatoletta di uova di lompo – e fissando Anastasia aveva aggiunto: «Ognuno il caviale che può»... – e avrebbe deposto con cura ogni più piccolo pezzettino di carta e altro negli appositi cestini o bidoni o container. Che era molto educata, e pulita, *lei*, *una donna* molto pulit*a* alla moda, mica *una zingara*. La torbida attrazione di Anastasia continuava a crescere, era una sensazione stranissima che inalava, si sarebbe detto, respirando, respirandol*a*, ma non con il solo naso, con la pelle tutta, coperta e scoperta, un che di vibratile che si comunicava a tutto il corpo e particolarmente là, dove doveva aver trasformato gli orifizi in altrettante meduse che acchiappavano chissà quale plancton inebriante nell'aria che inspiravano da sotto le mutande... Mio dio, che immagini orribili le passavano per la mente! e le mani le prudevano, e tutto le prudeva ormai in maniera spasmodica, persino nelle scapole sentiva sprigionarsi l'inconfessabile libidine di prendere il volo in picchiata e schiantarlesi addosso. E con gli occhi continuava a frugare sulla patta della gonna o pantaloni-palazzo dell'essere meraviglioso. Non le era mai successo niente del genere prima, non così almeno, da partecipe e caldamente volente, anzi, impaziente verso una *donna*... succuba di lei lui l. Erano secondi o anni quelli che le fischiavano alle orecchie come pallottole mentre contemplava il proprio sgomento in quello sgorbio di natura trattata, impiantato dentro quei sandali dai tacchi a spillo, dai piedi grandi e tozzi, che era pronta a leccare, a suggere, a adorare fino alla zazzera così poco conforme alla sua idea di taglio?

Dallo zaino di plastica, oltre al già esibito, si intravedeva un rotolo di sottilissima fune d'acciaio, alcuni cenci maculati, tipo pelle di leopardo, un cappello a cilindro a scatto, un guscio di tartaruga, altre cianfrusaglie – "Hatu", "Harmony", "Decrescendo", "Goldoni *Biagio*", tutte scatolette variopinte –, e due scatole più grosse bene in vista, una rosa e una azzurra, certo biancheria intima a seconda. Cielo, la poveretta doveva essere davvero particolare per andare in giro conciata così, e certo non per quelli che erano davvero pantaloni e non una gonna, chiusi al ginocchio e ampi di cavallo, sbuffanti, a brandelli vagamente orientali. E adesso che forse stava per strappare un consenso alla signorina Scontrino, l'aspirante campeggiatrice prese a darsi grattatine veloci ma in profondità davanti e di dietro e anche questo non finì di stupire Anastasia perché era lei a sentire prurito e quell'altra che si grattava! Niente da fare: la signorina Scontrino notò l'eventuale presenza di parassiti dell'uomo e non cedette, anche se riconobbe con se stessa che quel tipo o tipa non la lasciava indifferente e, chissà, forse faceva al caso per qualche scorticina a venire. Poi spazientita – e perché mai adesso sentiva quella puzza di maiali e di sbobba? – disse in un soffio:

«Guardi, qui c'è la tenutaria, glielo chieda a lei se può restare.»

Anastasia compresse un balzello nelle reni: nessuno l'aveva mai chiamata così, anche se era riuscita a diventarlo davvero per un paio di anni, gli ultimi. E quale astio e compiacenza le aveva mostrato la signorina ormai Adelaide nel passarle la consegna mentre lei, dalla cassa, assurgeva ai conventi... La signorina Scontrino non era poi così analitica come la si faceva, adesso non si era nemmeno resa conto di aver scambiato *donna* Anastasia con una donna di paglia alla quale, per convenienza si dà della *madame* e della padrona il tempo necessario per sbarazzarsi di uno scocciatore, e pensava a tutt'altro: che un pezzente che femmina non era e continuava a spacciarsi per tale non meritava l'onore della sua digestione, ma che, volendo strafare con la beneficenza...

E ora finalmente l'essere e Anastasia venivano posti di fronte l'uno all'altra come il destino, tortuoso ma implacabile, aveva infine voluto. Anastasia ora *la* squadrava senza ritegno, da destra a sinistra da sinistra a destra, come se facesse passare gli abiti sugli ometti in un inerte guardaroba o nel solito specchio, con cui puoi fare anche la sfacciata tanto chi ti vede? Lo specchio storse subito la bocca, non gradendo quell'approccio da costumista teatrale. Anastasia corresse il tiro dei suoi viola tribunalizi: concedeva a quel manichino in carne indefinita la facoltà di rifiutare gli abiti mentali non suoi a patto di... Ma subito si accorse che fra le due era l'essere a avere dei patti da imporre, non lei. Di nuovo si sentì persa e grata, e continuò a osservare. Malgrado la differenza di corporatura – Anastasia era più alta di una spanna – e di tutto il resto, si persuase subito di avere a che fare con lo scarto del suo doppio... Era una vecchia favola sentita in casino da chi faceva cilecca e lambiccava scuse e non era neanche Tenente... sull'altra metà dell'essere primordiale che era stato l'uomo prima di scindersi per poi mettersi a cercarsi e così avere qualcosa di fatuo e imprescindibile per ammazzare il tempo dell'impotenza... Come rendere altrimenti comprensibile e dunque accettabile questo magnetismo carnale che la sferzava nelle aperture di nuovo più che mestruali, più che riproduttive, più che smaniose, questa esaltazione chimica del corpo al solo immaginarsela e annusarla?

«Va bene, ma niente sacchi a pelo. Se è per questa notte starai nel Gallia. Dategli il P 12.»

La signorina Scontrino lanciò uno sguardo di stizza a Anastasia, e incredula staccò la chiave dal trittico di sughero. Chiese, dopo, quello che chiedeva subito o mai: un documento. Le arrivò in mano una carta d'identità passata almeno tre volte in lavatrice e altrettante sotto il rullo di una macchina da scrivere. L'aprì un po' schifata e diede in un sussulto scalare a rallentatore: la foto mostrava una faccia con capelli cotonati a sbuffo e sguardo stolido da brava ragazza, volitiva ma stanca, e nel correre al nome alcune sovrapposizioni di lettere andarono a correggere la sua speranza di rimpinguare il frizerino con dadini di pura femmina. La *o* finale era diventata *a* e la *F* di Fulvio era diventata *V*. *Vulvia* Nascinpene. Un nome infausto per chiunque. La signorina Scontrino passò l'immonda reliquia auto-anagrafica a Anastasia, come per un ultimo tentativo di dissuasione: Anastasia lesse a alta voce nemmeno fosse una pagina di diario di fanciulla:

«Vulvia Nascinpene... La dimora è fissa, *qui* sulla carta...», disse e poi, come soprassedendo a quel "Segni particolari: parecchi": «Simpatica la tua capigliatura, non se ne vedono tante da noi.»

«È metallara» buttò lì con sufficienza la pressoché quarantenne galla facendo spallucce in orizzontale.

La signorina Scontrino, risentita da quell'amabilità da scorno nei suoi confronti e messa sul chi va là da quel luogo di nascita che non le era nuovo e da un paio di grugniti che persistevano in memoria, disse che bisognava pagare in anticipo.

«Non è necessario. Suonate il campanello del Sindaco e ditegli di accompagnare la signorina. Buonanotte, e mi raccomando...»

«Era ora! Che antiche! del *voi*!» sbuffò Vulvia, tendendo le vene del collo con amaro sarcasmo. Si vedeva che era abituata solo a certe reazioni di repertorio e che aveva disimparato a aspettarsi insoliti qualcosa e perciò non aveva formule con cui reagire lì sui due piedi a quella civiltà senza preavviso. Tanto che batté due volte i tacchi, come per scaricare una mancanza di spontaneità. Anastasia, già sulla soglia, si girò di colpo e si rese conto che un paio di sandali simili non era la prima volta che li vedeva: verdi, tacco vertiginoso, a scaglie – deambulanti in buchi in calore. La fissò di nuovo, come se da Vulvia si aspettasse una spiegazione, su un equivoco o sulla quadratura del cerchio. Si fissarono brevemente, interrogativamente. Il labbro ferito doveva farle male, e il rossetto nero dentro la screpolatura con il sangue rappreso non doveva essere un gran disinfettante. La signorina Scontrino schiacciò il bottone con tutto il polso, quella situazione fra le due colombelle era intollerabile, non lontano echeggiò un trillo querulo ma rabbioso.

Prima di lasciare l'*office* accompagnata da un facchino in pigiama pied-de-poule e cispa giù dagli occhi in fiamme, Vulvia si girò verso la signorina Scontrino e le tirò fuori la lingua battendosi la destra all'interno del gomito dell'altro braccio e facendolo scattare in alto a pugno chiuso e a medio teso.

La signorina Scontrino smise per un istante di fantasticare sulla sorpresina per il proprio compleanno e sulla lungimiranza di Anastasia, che certo aveva acconsentito a dare ospitalità a quella maleducata solo per ingrassarla un po'... Anastasia l'aveva dunque in mente, Anastasia si interessava pur sempre delle sue esigenze, e voleva farsi perdonare l'insediamento del vero sosia del falso fioraio, un pappone come non s'era mai visto, di cui lei teneva via tutti i conti insoluti da tre anni a questa parte – Anastasia non voleva dare alcuna spiegazione, diceva "teniamoli lì, glieli farò pagare tutti insieme"... Ma era stato così gentile con lei, questo conte e nipote in incognito: i tanghi che non aveva fatto fare alla Polifonica di Sassuolo in suo onore e segretamente! E come si dava da fare quando c'era qualcosa da organizzare! che senso della maestosità aveva profuso perfino nella disposizione delle *corbeilles*, di tuberose e calle sul sagrato. Proprio un bravo, eventuale maestro di cerimonie o del coro... Perché il *Suo* momento si avvicinava... quel momento programmato ancora da quel lontano giorno, quando tutte furono portate in carrozza a San Pietro a vedere il sior Pacelli in lungo di raso delle tessiture nazional-socialiste, e lei aveva subito pensato: «Cos'ho io meno di lui?» e aveva cominciato dagli accessori a darci dentro... E già da allora si era presentata, nel diagramma della scalata divina messo a punto sul letto fra una marca e l'altra, la necessità di procurarsi subito la persona giusta a cui far occupare, al momento buono, la postazione raggiunta prima di lasciarsela alle spalle, perché nulla andasse perso, perché lei, Mimì Schisciada, potesse salire al gradino ulteriore senza dover sgombrare quello precedente, lasciandolo in dote, si fa per dire, a una di sua fiducia... E aveva puntato tutto su Anastasia... Checché Antavlèva avesse mai potuto pensare, la signorina ormai Scontrino la storia della figlia di profughi russi non l'aveva mai bevuta, era stata al gioco per meglio legarla a sé, per vincolarla a una costante dissimulazione difficile, sì, da far propria ma condizione indispensabile per aver successo – qual successo! – a termini un po' lunghetti. La sua prescelta era caduta nella gogna che l'avrebbe costretta per sempre a protendere una maschera che avrebbe finito per aderire al suo volto, di cui non importava niente a nessuno. E grazie a Albigian era caduta proprio bene: con quale spontaneità Anastasia rinunciava sin dai primi clienti a aver un volto! Rinunciare fermamente alla naturalezza delle proprie origini era, alla lunga, tanto più gratificante, e non si finiva nei sanatori di seconda come quelle poverine che erano state *se stesse*... Certo, ogni tanto era stato necessario rintuzzare in Anastasia le sragioni dell'auto-violenza, aiutarla a farle diventare ragioni per il fine, supremo. E allorché un paio d'anni fa Anastasia stava forse per cedere alla parte stanca della sua natura di ex-puttana coi soldi e sfogarsi in un'auto-denuncia liberatoria presa nell'utopia del *voglio vivere*! tipico delle menopausate, quando stava per sfogarsi di tutte le menzogne accumulate per arrivare *lì*, e buttare alle ortiche tutta la sacrosanta costrizione di un'anima cesellata dalla parte sbagliata per i soliti fini superiori, ecco che era successo qualcosa d'inatteso: era arrivato, inviato certo dal cielo, questo pappa di cugino nobilastro a rammentarle alcuni conti in sospeso e riuscendo insperatamente a farla di nuovo raffermare su se stessa e a farle capire l'importanza di non lasciarsi andare al lusso dei poveri di spirito di essere squallidamente quello che erano... E un giorno, se tanto mi dà tanto, se a gradino si sussegue gradino, toccherà anche a lei là, dal balcone, davanti alla Piazza gremita, annunciare mestamente nel microfono che non è vero che le puttane non sono intelligenti e che, sì, *una*, una volta tanto, è esistita, eccola qui... *Urbi et orbi*, si capisce, in mondovisione.... La signorina Scontrino si ridistese sulla brandina con baldacchino, pensò "tale la madre, tale la figlia", in romanesco, e, per vincere gli spasimi alle giunture prese a occhietti aperti a vagliare nell'offerta Nascinpene del momento: femmina, travestito, transessuale... Eppure lì, adesso, avvolta nella ricreazione in scala della Cappella Sistina, uno slittamento del gusto le accadde sotto il palato velandolo di una sensazione a venire di rimpasto argilloso e di scontentezza generale nei confronti della carne umana. Le sembrò che sarebbe stato non conforme accontentarsi ancora di dadini, di disumane – fedeli polacche, madri di *desapareçidos*, suore indiane, disintossicate di Muccioli – una volta riuscita a impugnare *quel* microfono... Doveva esserci un nutrimento più umile, più terra-terra, per un vicario d'assalto... Negli ultimi mesi, dopo essere stata presentata da don Basilio a mister Karol, la sua brama era diventata febbrile e non faceva che ripetersi, "Cos'ho io *più* di lui?". E non aveva pace, con tutte quelle azioni che aveva comperato, tramite i libici-calabresi, della Multinazionale dell'Attentato S.p.a. Era la prima volta che faceva una speculazione sbagliata, ma tutti a dire che ci si poteva fidare, che c'erano di mezzo i *bulgari*, non solo i càtari. E infatti lei l'aveva preso in quel posto, maledetto Alì! Come tutti i turchi, capaci di arrivare alle porte di Vienna e poi di fare dietro-front. E lei aveva dovuto far marcia indietro, e tutti gli uomini del Tenente Albigian, pronti a fare la breccia, già bell'e sistemati nelle pensioni dietro Porta Pia...

Anastasia, lasciatasi Vulvia alle spalle, appena rientrata nella propria camera aveva composto la combinazione della cassaforte per incassi di giornata e altre minutaglie... Sì, aveva giusto bisogno di una *persona* fissa che la sera le grattasse la schiena e che l'ascoltasse nelle sue paturnie senza interferire mai... Vulvia sembrava sì e no quella più adatta. Aveva mani piccole ma tendini tesi e forti... Belle scuse! No, non era per questo: ne era attratta per delle aulenti spulciature dell'olfatto che non riguardavano il naso soltanto, un effluvio di voglie impreviste, miste a sospetti e al terrore, che le bastavano per non opporre del tutto resistenza, ragioni oscure che svegliavano il suo corpo rilassato con un chicchirichì protervo del clitoride. Le ragioni oscure sono comode: contengono tutte le altre... Il buco nero dei soldi della giornata davanti a sé e l'unica cartolina da Istanbul non fatta a pezzi – più articolata: "Non si muore una sola volta: o si muore sempre o non si muore mai. Ti amo in rosso, lo sai mo' ben. A presto. Per sempre tuo, *Onofrio*". *A presto* –, ora l'avvertì come un rifugio antiatomico in cui aveva stipato molto più di quanto ne sarebbe valsa la pena anche se fosse spuntato quel fungo tanto grande quanto lo facevano le sponsorizzazioni edili svizzere. Ricomponendo il numero cifrato sentì di essersi rinchiusa là dentro – e alla Banca di San Petronio – in una sicurezza per l'avvenire che la stava perdendo del tutto. C'era un limite anche alla previdenza xenofoba contro gli ostinati che si sarebbero salvati non si sa come né grazie a quali angeli del paradiso in terra... Forse con Vulvia avrebbe potuto ricominciare a sfogarsi un po', a allentare i cristalli della sua ibernazione trentennale e passa... Piantare lì tutto, o sarebbe diventata la brutta copia di donna Dulcis... Magari saggiamente, dando tutto in subappalto e ritirarsi con del personale giovane su nella villetta sulla Sila, commissionare una monografia sulle sue icone, regalare un fuoristrada ai gemellini... *Vulvia*... perché ne era stata impressionata così a fondo, istinto a parte? chi era? e perché le pareva di sapere già molto di lei lui l semplicemente sgranando lo sguardo nei chicchi del suo rosario interiore, facendo vibrare tutti quei *chi* ricchi di oblio che si stavano dando la sveglia? Vulvia era tutto il contrario della sua meticolosa auto-conservazione che non voleva aver niente a che fare con il pensiero della morte e con la morte stessa. Pertanto le era speculare: dove là c'era un'ecchimosi, da quest'altra parte c'era un lifting...

Anastasia trovava più che mai insopportabile, ora, la morte; non per via del ragionamento di Onofrio sulla cartolina... Non si poteva aver fatto di tutto per non vivere come viene viene e poi dover anche morire... Doveva esserci un mezzo, una via di mezzo almeno... E Anastasia vagava con la mente su questo magico mezzo tenebrosamente in potere della signorina Scontrino, che però non le aveva mai permesso di rilassarsi un po' e tirare il fiato su quel *tutto* da incamerare pezzo per pezzo... Per questo già era da scartare l'idea del subappalto, che avrebbe mandato in bestia la signorina Scontrino... Doveva esserci una soluzione ulteriore, un ideale semplice semplice: si doveva poter non solo non morire ma vivere sempre e vivere bene, come te la senti te la senti...

Doveva non essere male vivere un po' così, fregandosene, senza freni inibifidori, in balia di un proprio spargimento di sangue dopo qualche goccia di pipì sulle teste delle giurie in agguato... Anastasia fu impressionata da questa considerazione a colpo di fulmine scaraventatale addosso dall'interno di uno specchio. Vulvia aveva, sì, corretto la data di nascita, si era certamente tolta tolto tolt minimo dieci anni dandosene trenta ma non voleva che non lo si capisse del tutto: ci teneva a essere civettuola e smascherata; quel naso da rapace nel faccino bislungo toglieva alcuni avvallamenti alla stralunatezza di quella esibizione demenziale ma li risistemava nello stesso tempo in una di celestiale pelle pesta. Pari e patta... E qualcosa l'accomunava a Amilcara, un'essenza di miserevole autenticità senza scampo... Nemmeno Vulvia era capitata lì alla Delfina per caso, Anastasia l'aveva capito subito ma, a differenza del conte, spuntava dalla parte non vissuta del suo passato e non era possibile stabilire cosa Vulvia reclamasse indietro, e per conto di chi, per andare avanti... Era il destino che la inviava alla Delfina, il destino e basta, mentre con il conte era il caso acconciato per la bisogna... Che il passato non portato a compimento, deviato dalla sua volontà, assunte le sembianze di Vulvia, reclamasse indietro di venire rivissuto, su questo Amilcara non ebbe dubbi. E che tutto della vita si paga: il resistere alle tentazioni e il non resistere. E che si paga per il volto e si paga per la maschera, e che non esiste un carro allegorico migliore dell'altro... Oddio, stava riattaccando con le nenie del *pensiero*! Prese la bustina che fungeva da segnalibro nell'*Ecclesiaste* con illustrazioni di Jacovitti, regalo recente della signorina Scontrino con autografo del Papa "Al di là dei limiti del mondo ci sei tu, ci sei tu, al di là del bene più profondo ci sei tu, ci sei tu, al di là, al di là della vita, della storia infinita: *Suo* Gianpaolo", e sniffò a piene narici... Quel faccino lungo e stretto le ricordava inguaribilmente qualcosa, qualcuno, qualcun altro in quegli istanti – secoli? – in cui si rispogliava per rimettersi a letto. Lei quella conformazione l'aveva già vista, ma dove? in una faccia o in un paesaggio alpino – come fronde di abeti, fregi sull'acqua...? Vulvia era sgualcita e raschiata e riscritta come la sua carta di identità e non desiderava essere altrimenti. Si sarebbe potuto risalire con quella al suo primo vagito e da lì rifare un gioco dell'oca in cui nessun tassello era mancante o restaurato a tal punto da far sembrare i clienti bovari di un'osteria con locanda una galleria di ritratti di antenati *nobili, russi...* Vulvia era stata ricattata e picchiata di giorno in giorno e non aveva conti in sospeso, cambiali che stanno per scadere con nessuno, niente da temere da *ieri*, tutto da domani, ma l'importante era non pensarci prima del tempo... Non come lei, Anastasia, aggrappata con tutte le sue forze e tutte le sue icone al fuscello di un ieri posticcio, pericolante, dispendioso e... in mani altrui... Ecco qual era diventato l'apice della sua furiosa e gloriosa ascesa: difendere ciò che sembrava da ciò che era, ciò che non era stato da ciò che lo era.

Non era padrona per intero dei propri spettri... Un mortadellaio-pomodoro in grande avrebbe sempre preteso da lei qualche cicciolo in più, un po' di budello in più per non sbandierare ai quattro venti quel che sapeva sul suo conto aperto e ignominioso. Vulvia no. Si vedeva che nel suo zaino portava con sé tutto di sé. La sua carta d'identità diceva che era, che era stata, che s'era inventata dei presenti a piacere, che ne aveva subìti altri e che, senza compiacersene, non si opponeva alla mobile ambiguità a cui veniva costantemente richiamata come a un dovere. Volta per volta.

Anastasia, di nuovo in piedi sul letto, incapace di prendere sonno, decise di fare le cose per bene, sul tavolinetto di lacca, ove predispose due belle striscione di polverina bianca. Prese a aspirarle con la cannuccia... E Vulvia poteva permettersi di assolvere le funzioni della sua identità del momento, sia scelta che imposta, a testa indifferentemente alta o bassa, non come lei, qui a officiare ogni anno questa sagra paesana protendendo il collo più che può vero il firmamento del Turismo e dello Spettacolo – del nulla... E con questa paura maledetta: che la signorina Scontrino, telepaticamente, le leggesse questi pensieri di ignavia, di disfattismo, di voglia di mollare *tutto*. Oh, la signorina Scontrino odia le depressioni psichiche almeno quanto quelle economiche, niente cedimenti con lei. E nessun segno di conforto da nessuna parte, per Anastasia, Dio... Dio era come fare la commedia con un uomo che non ti dice niente: se sai recitare bene ci prendi gusto... Perché non provare anche lei con una prima messa? andare in chiesa dopo tanti anni? chiedere un po' di grazie, o la va o la spacca?

Anastasia prese a rivestirsi, per essere pronta fra un paio d'ore per andare a messa prima in città.

Nel suo Gallia, intanto, Vulvia stava pensando che, belle le botte romagnole, ma mai come quelle prese al Museo Archeologico, alla Moschea Blu, al Topkapi per una settimana di fila sotto gli eucaliptus dopo esservi fatta scender a forza di perticate... Oh, le noccate turche sulla cotenna!

Viaggio e spese pagate più un forfè, il tutto per imbucare una cartolina al giorno già bell'e pre-scritta, solo incollarci i francobolli... Si era sentita molto *free-lance* e girando le discoteche dell'Adriatico era incredibile le proposte che una riceveva a fine numero... Dal fare la baby-sitter a coppie di gay a alfiere di compagnia per signore vecchie a corto di pezzi... Sì, quelle botte erano davvero speciali, così a mezzaluna... E che di ogni erba sapeva fare un fascino.

Si era appena tolta dalla simil-vagina la tavoletta di "Fucofly", che ripose nella scatola rosa, e da quella azzurra ne tolse una di "Farfallfly", andò al lavandino e con una spugnetta si fece un veloce bidè per non lasciare residui e creare confusione di tipo bisessuale. Il "Fucofly" era per richiamare le farfalle, che una volta sui pannelli restavano stecchite; il "Farfallfly" per richiamare i fuchi, che facevano la stessa fine e i raccolti erano maggiori e di qualità migliore. Entrambi i prodotti emanavano un potente ormone di base arricchito dai relativi ammennicoli *maschio* e *femmina*. Anticrittogamici d'avanguardia appena introdotti in agricoltura, niente di speciale in sé, che lei, una volta uscita dal carcere, aveva scoperto in vendita in un'erboristeria di frati che certo, come la Bayer, non erano al corrente del potere che quelle calamite chimiche, se artigianalmente ritrattate, avevano sull'*uomo*... Funzionavano a meraviglia, bastava tenere le tavolette a bagnomaria in urina anche di transessuale ventiquattro ore lontano dalla luce. In prigione se ne inventano di tutti i colori quando devi stare al fresco a scaglioni per tre anni e ogni volta non sai come far passare la dolenza del tempo. Erano così scarsi i bric-à-brac scacciapensieri! Lei, per esempio, una volta era capitata su un manuale della Scuola di Praga (?), "Come diventare ventriloqui in tre mesi e far dire tutto senza dire niente tu", e un altro, in qualche modo sempre di fonetica, "Come celare i propri veri sentimenti quando non se ne hanno più", e aveva quasi per gioco imboccato la sua strada professionale: l'arte di tirare a campare senza doversi portar dietro camionate di addobbi, dando semplicemente spettacolo di sé.

E durante un'altra delle sue peregrinazioni preventive – e sempre dopo le consuete scaramucce per decidere in che *genere* di carcere mandamentale – era capitata su quella contadina là contraria alla pillola ma pronta, nella sua fantasia infanticida, a usare quei due pesticidi perché convinta che servissero a far morire di schianto le ovulazioni, figuriamoci. Ah, fato & intraprendenza! quella contadina – dentro perché ne aveva messi al mondo sei e tutti sotterrati all'istante nell'orto – non fosse stata incontinente di vescica e non fosse diventata oggetto di forsennato lesbismo nel giro di una settimana, lei non avrebbe mai avuto l'intuizione del bagnomaria... E a forza di far passare il tempo, aveva scoperto come metterlo a frutto e avere un pubblico col fiato in gola e fisicamente proteso verso di lei ogni volta che decideva di esibirsi. Le offerte nel cappello a sonagli, però, per via della pisciata, le raccoglieva in giro prima se non era sotto contratto con qualche dancing... La prima volta era stata dentro per aver fatto fuori un Humphrey Bogart che aveva cominciato a dirgli, "Ah, se tu fossi una donna!", e lei zac! e l'aveva fatto felice. Dopo neanche due mesi Humphrey aveva cominciato a lamentarsi di nuovo, "Ah, se tu ce l'avessi ancora!", e lei via di corsa a farsene applicare uno di un'amica, dopodiché lui... E lei non ci aveva visto più, aveva sentito di quella che ne aveva mozzato due in un colpo e l'aveva imitata pari pari, e in più gliel'aveva ficcato in bocca con le palle fino a soffocarlo da qui a Casablanca. Si era sentita (sentito? sentit?) subito meglio, quasi aerea, aveva perso quel senso improvviso di vertigine che le era rimasto dopo le operazioni, aveva subito cominciato a occupare tetti di prigioni, cornicioni, e, appena fuori, guglie di chiese e adesso si spostava su ringhiere al ventesimo piano grandi tre centimetri, finché non era passata ai divertimentifici della costa e allo show-business senza impresari. E ogni volta che era in alto e giù la folla a testa in su – quella stessa folla che le rideva dietro e non aveva capito che non c'è malizia nell'avere un sesso al posto di un altro e viceversa o tutti e due o nessuno e che era ormai più faticoso avere pregiudizi a proposito che non averne – quel bisogno imperioso, inarrestabile, di allargare un momentino le cosce e lasciare che l'acqua andasse per il suo verso trasportata dal vento... Talvolta era finita dentro per oltraggio a pubblico ufficiale solo perché aveva macchiato i borderò di quello della SIAE. Era lì in carcere che, tanti anni fa, aveva conosciuto Porcadea, la sua musa ispiratrice. Fra pisciatine e degenze ospedaliere, Vulvia si sentiva perfettamente rirealizzata, nel senso che era riuscita a imporre alla società la realtà più difficile, la sua: non essere né carne né pesce e *essere*. Peccato quell'inconveniente del carattere, peccato che non ne prendeva mai abbastanza, era ninfomane di botte. A niente valeva fare promesse di starsene tranquilla se c'era la luna piena... Nemmeno se c'era un contratto che in teoria veniva prima di tutto.

E così un quarto d'ora dopo esservi stata accompagnata, era uscita dal Gallia, pronta a farsi fare baldoria a forza di sberloni, ammaliata dalle cicatrici in prospettiva proiettate sulla luna che sferzava su di lei raggi di completo assenso.

L'ormone femminile del "Farfallfly" fu velocemente trasportato fino alle due sbarre, dove rimase un po' incerto e sul chi va là finché non fu tirato dentro con virulenza dello scroto femminile di Amilkan, e sottratto agli altri centocinquanta maschi di media che stavano respirando nella notte lì alla Delfina. Amilkan balzò di colpo sul letto come sollevata dal turgore in crescendo delle mammelle, strette dalle garze. Lisciandosi automaticamente i peli dell'angioma sul mento si era slanciata fuori nella notte come se fosse il cortile di un manicomio durante l'ora di aria e attendesse la risposta da una biondina reticente. Il ticchettare dei tacchi a spillo rimbalzava sui bordi della piscina, si stava avvicinando al Referendario, alcune tende venivano scostate dall'interno dei Gallia, la signorina Scontrino si levava di nuovo e si affacciava il minimo necessario alla finestra dalla vetrata con su San Pietro che consegna le chiavi – ma non c'era dipinto *a chi*... andava da sé –, scostava un ramo della buganvillea e vedeva Anastasia con la testa sul davanzale, in *cloche* nera con veletta, che guardava verso la salita, un'espressione fra chi prega e chi tira a indovinare. E nell'aria echeggiarono quelle grida improvvise di esultanza:

– Ultima!

– Porcadea!

– Castenaso!

– Baricella!

– Quarantaquattro?

– Quarantaquattro!

E, sotto lo sguardo nascosto di Anastasia e della signorina Scontrino, Amilcara e Vulvia si erano corse incontro, a braccia aperte, di nuovo unite dalla radice dei capelli alla pianta dei piedi taglia 44 per entrambe. Nell'abbraccio trovò posto una storia di orfanelle, una di morsa di molari più lavoro di incisivi, una di sandali di serpente, quella, infine, di affetto e normalità e di tram-tram, cioè di disprezzo comune per le automobili e di chi carica su in coppia una povera ragazza sola che chiede un passaggio e si ritrova in un'autorimessa. E unite anche da qualcos'altro, a cui nessuna delle due era mai risalita né avrebbe potuto farlo... E questo qualcos'altro si palesò nel doppio slittamento della mitra da crepuscolo della signorina Scontrino, che accusò il doppio colpo e si appoggiò più che mai al lungo bastone il cui manico ricurvo le sopravanzava la testolina di due buone spanne.

Anastasia dal muto canto suo vide in quell'inaspettata alleanza un ulteriore segno della sua crisi e della sua effettiva carenza di vocabolario e si accontentò di qualcosa vicino allo svenimento, seppure lievemente a comando. Si tolse dalla finestra e si accasciò sull'unica poltrona della stanza e per trenta secondi non volle pensare né prevedere altro, solo essere puntuale alla prima messa. Era dunque la Grandonna a essere arrivata, la Grantutto, la vendicatrice di qualcosa, la salvatrice di qualcos'altro, come per ogni terapia anti-depressiva... Anastasia pensò che l'indomani, cioè oggi, non bastava più andare a messa, doveva essere messa cantata e su ordinazione e per lei, tutta per lei. E subito dopo esigere dai veronesi che a lei non si permettessero di dargliela tagliata o marsch!

Quanto alla signorina Scontrino, maledisse con tutto quel che di cuore le restava quei maiali inappetenti di cui s'era fidata cecamente, ma subito dopo, come ripassando a mente il vasto, infinito ma cassa contante suo disegno, prese a sfregarsi le manine. Erano come tante ciliegine sulla torta di Io Dio quelle figlie di nessuna – ex-nessuna... Avrebbe potuto persino fare del nepotismo con tutte e tre, come il Borgia, e nessuno avrebbe mai potuto fargliene una colpa. Perché era chiaro: la signorina Scontrino odiava le agnizioni più del diavolo l'acqua santa.

... Ma, come spesso accade dopo abbracci appassionati sotto tuoni e lampi fra orfane isolate in una capanna con le sbarre sperduta in centro città, dopo scambi di promesse per l'eternità, indirizzi di latterie dove incontrarsi una volta fuori, fra Vulvia e Amilcara, le inseparabili del braccio 3, non nacque nessuna nuova alleanza e entrambe scoprirono con raccapriccio che non avevano più niente da sfregarsi a vicenda e che l'aria aperta le aveva rese refrattarie alle pietre miliari che avevano posato insieme dal cortile al refettorio ai cessi. Il nome di Anastasia ricorse parecchie volte in quella mezz'ora di mano nella mano e a distanza di tre quarti d'ora serpeggiava sia nell'una che nell'altra un sordo rancore pieno di sorriso sempre più formale fra signore scalatrici sociali; staccate le mani e guardatesi negli occhi, avevano visto la rivale che non avrebbe mai acconsentito all'altra di far breccia definitivamente nel cuore di Anastasia. Si diedero un benvenuta e un buongiorno come a un comizio.

Amilcara, sovreccitata dall'infimo effluvio di Vulvia ma decisa a non soccombervi, appena rientrata in camera fece subito una cosa: staccò i sandali di vera pelle di serpente dal rametto d'ulivo e li fece volare oltre le sbarre, nel canale di scolo; poi prese furiosamente a scoccardarsela, cercando di immaginare come deve fare un sergente dell'esercito destinato a sei stellette e quindi a una certa castità di facciata.

Vulvia rientrò anche lei, stupita, perché questo incontro non se l'aspettava né rientrava nel piano, cioè nel suo contratto di artista a termine. O forse era prevista una parte anche per Amilcara? Non era stata avvisata della presenza di Porcadea, o Amilcara o Amilkan, come diavolo adesso si faceva chiamare; ma già, come era possibile per chiunque sospettare che fra loro due era esistito questo collegio in comune? o anche questa sorpresa era stata debitamente calcolata e preventivata? C'era gente che veniva contemplata in una storia solo per sviare i sospetti.

Tolse l'ex-Zenone dal frigoriferio e cominciò a frizionarsi tridimensionalmente le zone irritate. Un carapace vuoto e gelato era l'unico sollievo non paradossale contro l'eritema causato dall'uso, per quanto discriminato, di bastoncini "Fly". Poi prese il suo sacco a pelo e si mise a dormire fuori sotto la notte.

All'indomani del suo arrivo la strana capigliatura che alcuni mattinieri avevano visto sbucare da un sacco a pelo davanti al 12 si materializzò per intero in un brutto costume di lana verdone che tirava da tutte le parti e si slanciò con perfetto aplomb in mare dalla darsena. Nuotava in maniera splendida: i lunghi tendini delle braccia e delle gambe aravano il mare come pinne di squalo a un ballo in maschera. Poi la zazzera mostruosa era scomparsa dietro un panfilo e da lì verosimilmente aveva continuato a nuotare fino a scomparire. Era riapparsa stremata ma sorridente dopo quattro ore e venti e a ogni speranza ormai persa. E in mano teneva qualcosa di rosso e bislungo. Arrivata sotto il suo ombrellone, aveva tirato il fiato un paio di volte e aveva dato una dimostrazione solitaria di kung-fu spaccando due volte con colpi verticali le metà sempre più ridotte di quel mattone ovoidale. Siccome il costume di lana le era scappato sotto le costole, i presenti avrebbero giurato – e lo fecero in sordina – che sotto quei capezzoli, trasversalmente, c'erano segni di sutura e che malgrado il perfetto triangolo delle spalle, da stilizzazione egizia, e il pomo d'Adamo. negli slip non ci fosse niente di affidabile, e niente comunque che stesse fermo al suo posto per più di trenta secondi. Aveva un sesso – o chi per esso – che cambiava posto a seconda dei movimenti, e era un sesso che non ricordava niente né di virile né di anzichenò. La sparuta folla fece ala ammirata al passaggio di Vulvia, che dicendo "Oh, è solo il mio Zenone" adesso tirava fuori dal cavallo del costume un piccolo guscio di tartaruga e tutti un sospiro di sollievo dal profondo dei polmoni. Il turbamento corale stabilì che, tutto sommato, il genere potesse trovare nascondiglio sotto, come incollato, o addirittura, essere una vagina, seppure leggermente sbilenca. Uno snob di Busto Arsizio era andato a complimentarsi per la lunga e temeraria nuotata e le mosse di kung-fu aggiungendo, in perfetto italiano, che nel suo paese ce n'erano tanti come *lui* e che era ora di finirla con le discriminazioni e che il mondo è bello perché è vario, specialmente Milano.

«Le ho viste arrivare» disse, senza far mistero «saranno qui fra due lune.»

Il gentiluomo non chiese neppure chi o cosa, per quel periodo lui sarebbe già rientrato in patria, ma riferì la frase – bella e suggestiva –, che in un'ora si trasformò nella risaputa notizia dell'insediamento estivo dei QOQQI a cui tutta la stampa aveva dato risalto, augurando ogni successo al loro intento europeista, di promozione s'intende.

Vulvia ritornò al 12 a fare lo zaino, facendo finta di disporsi a partire come convenuto. Intanto Anastasia stava arrivando seguita da Amilcara che reggeva su un vassoio con nappetta un'abbondante e lussuosa colazione.

«Resta qui a lavorare, se ti va. Visto che vi conoscete, potresti dargli una mano in cucina. O fare la bagnina o...»

Vulvia si sentì dragata. Guardò entrambe con aria di strafottenza. Si stava truccando davanti al suo coccio di specchio, voleva farsi bella, indossare il suo costumino di leopardo di nylon, con le frange alla squaw e far impazzire i padri di famiglia col solo ausilio del suo fascino osceno, senza uso di "Fly" stavolta, molto più indicato di notte quando non voleva rischiare di tirarla troppo per le lunghe. Sorvolò dal coccio il vassoio porto come un contratto aperto decisa a fare la lavativa. Tutto andava davvero troppo a pennello in quell'incastro con melochecca. Si sentì agitata, volle fare la preziosa: lei un contratto l'aveva già.

«Quanto ci sarebbe da prendere in questo buco qui?»

Non chiese neppure per fare cosa: andava da sé che avrebbe accettato qualsiasi mansione e a qualsiasi paga, visto che il premio che le sarebbe venuto alla fine dall'altra parte giustificava da solo anche angusti orizzonti di cucina. Stavolta si sarebbe fatta operare a modo suo, come avrebbe detto lei, secondo i suoi estri, altro che legge e legge. E che gliene fregava al Governo se a un cittadino veniva voglia di farsela matricolare sotto l'ascella? o farselo attaccare in fronte, a rinoceronte?

«Più che dalle altre parti. E poi sai fare i numeri, no? Sai anche cantare?»

Vulvia sorrise, come a dire: ve la faccio vedere io se non so cantare.

«Sono abbastanza cara» e con lo sguardo scese ai polpacci di Anastasia: sembrò contarle le vene varicose, sottili, ma varicose.

«Va bene» disse Anastasia, incassando la stoccata. «Ma starai in...»

«No, io starò qui o niente.»

«...» acconsentì Anastasia senza proferir parola. Non poteva dire se la messa cantata le aveva fatto bene, ma farsi massaggiare da Vulvia le avrebbe fatto certamente meglio. Era come se sentisse una voce del sangue, del tipo che provava per Teodora sempre, a tratti per Amilcara e per la signorina Scontrino da un sempre più lungo ancora. Era come mettere insieme gli anelli persi di una stessa catena: bisognava sentire l'impulso di toccarsi per stringersi poi attorno a un centro perduto. Perché aveva tanta voglia di baciare quella bocca senza labbra, truccata di nero, e tutta denti falsi?

Amilcara già friggeva dalla gelosia e fissava nella rivale il mostro al massimo dello splendore e della banalità contro cui niente è possibile e che lei stessa, da anni, aveva contribuito a magnificare agli occhi trasognati di Anastasia. Grantutto! Grandonna! Simonmaga! macché, uno squallido travestito, un operato, un'operata, e adesso più niente, o a seconda di come aveva le lune.

Poi nel primo pomeriggio si sparse la voce che alla chiesetta quella sera ci sarebbe stato un numero di equilibrismo improvvisato e poi chissà. Alle cinque Vulvia stese la sua corda d'acciaio dal campanile a un ormeggio del molo. Guardando in su nel punto più alto di sospensione lo strapiombo non doveva essere inferiore ai sessanta metri. Alle sei comparve, appoggiata fra poggiolo e campana, una barra di resina lunga un paio di metri che scintillava come zucchero filato. Niente riflettori, disse Vulvia alle nove, doveva bastare la luce del buio sotto la luna piena, era di gran lunga l'ambientazione che faceva più presa sul pubblico. Poi aveva sgolato due boccali di birra da un litro e era riapparsa alle undici nel suo body di leopardo, senza frange stavolta, un po' tarmato davanti e didietro – i "Fly" smangiavano i tessuti, ogni genere, peggio delle tarme – e scarpette da ginnastica simili a due canotti che lei spolverò con talco solido prima di scomparire nel retro dello spaccio-sagrestia. Apparve fuori dalla volta del campanile e fece dei saltelli di assestamento sul cornicione, i muscoli li aveva già scaldati in precedenza arrampicandosi sopra alberi e Gallia e sforzandosi di trattenere la vescica. Svolazzarono velocemente le sue mani sul costumino e la figura andò stagliandosi fosforescente contro il buio fumigato da nuvole violacee. Sotto, tutti fiatavano. Ognuno in gran segreto lasciò volare un po' di sé in alto, un raccapriccio di indecifrabili desideri infantili avvolti in un cartoccio di possibili autoviolenze sessuali, e Vulvia si sentì appagata appagato appagat, pronta pronto pront un'altra volta a mimare la vita, e a altre chimere per più tardi. Stretta coi polsi rivoltati in su la sua asta in pugno, si avviò giù per la fune e al molo con la modestia sbrigativa di una casalinga in abito da sera paiettato senza concedere al mozzafiato neppure il suspense supplementare di una finta. Non aveva tempo, sembrava. Tutto benissimo, non fosse stato che, per l'appunto, dal primo passettino all'ultimo lasciò sgocciolare giù quanto aveva trattenuto su prima e anche i più caparbi dovettero concedere che non s'era messo improvvisamente a piovigginare, e che l'esibizione aveva oltrepassato i segni della decenza artistica. Ci fu un subitaneo accordo generale, e un'ovazione maligna dal sagrato si riversò giù per i versanti, verso la spiaggia, il molo, un risveglio brusco di istinti teologici collettivi misti alla frustazione individuale di aver desiderato accoppiarsi a quell'essere metà qualcosa metà niente, anche solo per giocare ai dottori o a chi ne fa di più. Correre a dargli un fracco di botte era l'unica autoespiazione per vendicarsi della coscienza che mai prima s'era tanto voltolata nell'incoscienza delle fantasie proibite anche fra sé e sé. Anastasia correva giù al molo anche lei, spalleggiata da Paquito e, si fa per dire, dal Sindaco, ma nessuno riusciva a vedere Vulvia, scomparsa. Là, laggiù, videro rotolare sul fondale di cabine faville di leopardo appallottolate su se stesse che fluitavano verso l'alzata di cemento del porto, dove schiantarono e si spensero del tutto: Vulvia! Anastasia piombò sulla masnada inferocita e riuscì a impossessarsi del fuso immobile con la testa incassata fra le spalle e le braccia strette attorno alla pancia e a trarla in salvo, invitando alcuni puzzolenti di urina a salire al bar e a bere alla sua salute. Siccome fu presa in parola e l'orda scemava imprecando su per il sentiero, Vulvia scintillò un grido non metaforico:

«Fatti i cazzi tuoi, invidiosa d'una neuro!»
Ma per lei lui l era troppo tardi, il bello era passato, l'invito al bar veniva eseguito e strada facendo i suoi spasimanti virtuali si stavano togliendo gli indumenti ammoniacati, tanto valeva farsi riaccompagnare al Gallia. Vulvia accusava un gran dolore nei polmoni e una caviglia fuori posto e di nuovo l'orecchio che sanguinava. Si lamentava, inveiva contro Anastasia, che se la stringeva al petto aiutata da dietro da Paquito, diceva che se non fosse stata così impicciona ora... Anastasia ebbe un attimo di raccapriccio in più, guardando la bocca di Vulvia:
«Oh signur, i denti!»
«Arterio, la dentiera è l'unica cosa che prima metto in salvo» bofonchiò Vulvia lasciando slittare la frase sulle gengive.
Neuro, arterio: Anastasia non vedeva l'ora di trovarsi a tu per tu per dirle di non darle del *tu*, che le forme andavano salvate. Vulvia non si perse in tanti salamelecchi, le sbatté la porta in faccia con una violenza da diva in camerino e spense ogni luce.
Un'ora dopo Anastasia arrivò con la fune arrotolata in mano e nella lingua un fremito da pagliaccetto a molla compresso in una scatola. La luce era accesa. Bussò timidamente, la luce si spense subito e dall'interno una vocina ferale prese, come se non avesse mai smesso, a sbraitare suoni privi di consonanti siderali come quelli del Tenente Albigian a suo tempo, strali alfabetici che davano visioni leggendarie al casino e mettevano in riga, davano, come dire, una direzione al non saper dove sbattere la testa. Anastasia posò la fune sulla soglia con la precauzione dovuta a una reliquia, si ritrasse, rassegnata e già col naso in visibilio, ritornava sui suoi passi, con le dita che guizzavano nella scollatura e tastavano la tabacchiera come un talismano. Ma fu più forte di lei, perché Vulvia era più forte delle strisce scacciapensieri: senza far rumore ritornò al 12 allorché voltandosi vide che la luce vi si riaccendeva e si acquattò dietro la finestra-oblò.

Vulvia non stava a guardare il soffitto né a medicarsi: lavorava di pongo e fiammiferi e stuzzicadenti a cinque pupazzetti contemporaneamente, con le dita perseguiva una forma, i pupazzetti erano allineati sul ripiano, indefiniti, tutti di pasta color avorio, ciascuno con segmenti diagonali tesi in avanti, arti, braccia, figure piegate, e ecco che faceva cinque palline ovoidali e gliele ficcava nel... Ma erano alla percorina! E adesso estraeva il guscio di tartaruga dal frigorifero, se lo passava sulla caviglia dolente, si avvicinava alla parete e il guscio stridette. Anastasia tratteneva il respiro, eppure aveva l'impressione di essere sola in una platea e di recitare per l'attrice di scena. Uno sfregio sul muro, come Amilcara. Era un mondo di prigioni quello, e attorno lei vi aveva edificato la libertà della propria... Aspettò che Vulvia uscisse dalla visuale dell'oblò e fece per allontanarsi. Una folata adenoidale scaturì lì intorno dopo pochi passi:

«*Io e te sappiamo dove ci siamo conosciuti. Io, te e Asdrubale.*»

Da dove proveniva quella voce vicina così remota? Anastasia si guardò attorno terrorizzata. Il Gallia 12 era di nuovo spento, nessuno in giro. Onofrio. Onofrio *fuori*? Onofrio *dentro*? Accelerò il passo, spaventata dalle immani possibilità dell'invisibile che perforava l'udito nella notte. Mio Dio, adesso cominciava anche a sentire le voci! Sarebbe tornata difilato in città, avrebbe aspettato in macchina davanti al portale, sgranando in mancanza di un vero rosario la sua collana di perle.

Vulvia di segni così, a sette a sette, ne aveva fatti millecentosessanta, tre anni due mesi e quattro giorni. E sempre per distrurbi alla pubblica quiete, compreso il primo scaglione di undici mesi per colpa di Humphrey, non altro. Giorni e giorni di galera frazionati in settimane e mesi, in attesa di ridicoli processi con avvocatesse d'ufficio per una lite sciorinata dalla pensilina di una stazione ferroviaria, dagli spalti di uno stadio, dalla galleria di un cinema, da terra – altezza più che sufficiente – ai comizi del PSI.

La libertà recuperata le era diventata più tollerabile se assimilata, da un certo punto in poi, a una diversa forma di galera... Tanto più che adesso in galera non ce l'avrebbero voluta mai e poi mai. Era come tenersi dentro una peste di saltimbanco, un'untora ventriloqua, un'artista del virus... L'avevano dimessa con ogni precauzione, spingendola fuori muniti di guanti di gomma lunghi fino ai gomiti: Vulvia era portatrice sana, anzi, sanissima, di Umanella III... Grazie alla diagnosi – che buffa d'una diagnosi! cavavano il sangue a te e scoprivano che era ammalato il mondo – si era sentita davvero speciale, ormai poteva combinarne anche di meno, non si sentiva più tanto coartata al cotto e al crudo, doveva soltanto vincere la nostalgia che ogni tanto la prendeva di quegli sguardi acquosi di secondini con entrambe le mani nelle flanelle e negli slip, e quegli altri, di naturale brutalità spiccia, delle donne... Tutto era più vero lì, in carcere, sebbene la sua proteiformità avesse finito per farla rispettare in maniera eccessiva, tanto che le sue bizzarrie di vescica non impressionavano più nessuno, preferivano tutti e tutte tenersela buona in caso di improvvisi sbandamenti della voglia, e lei era il riparo immediato in cui versarsi... Vulvia non aveva mai detto di no a nessuno e a nessuna, era un corpo sociale, passava a divertirli indifferentemente dall'infermeria-fureria alle brande. Aveva avuto un sesso per chiunque, anche per gli statali. Ma lei, di per sé, non si sentiva mai abbastanza viva, essere adorata non le faceva più brillare il cervello, e rimpiangeva di averci lasciato i coglioni: solo dopo tante e tante botte riusciva a ricostruire chimicamente il tramestio degli spermatozoi... Era una marea che andava sempre dalla parte opposta a quella dove la stavi aspettando... Adesso, allungata sul soffice letto di lino e piume d'oche del Bengala, pensò che doveva farsi un'idea precisa del mare, prendere nota delle ore e minuti esatti delle maree, tutto doveva essere essenziale ma perfetto.

Il materiale per le due figure più grosse l'avrebbe trovato direttamente lì sul posto, bastava scavare nell'ambito dell'abside della chiesetta, sul dietro, per non dare nell'occhio, ma per questo c'era tempo – e a un metro, un metro e venti al massimo, le era stato detto. E, idea! l'omone di gomma della Michelin fuori dal gommista sulla strada per Camerlona!

Lì, nuda nudo nud, provò a chiudere gli occhi aprendosi in una sua invocazione di bambino, di quando riusciva a farsi i vetturini e i mediatori scesi al "Vagito" a un'ora in cui, ormai, anche i bambini precoci perdono ogni speranza. Nelle tempie gli esplose quella segreta ninna-nanna: "Grazie, mio Dio". Era per aiuti a venire, ma non faceva più effetto. Lo mandò affanculo e restò profondamente sveglio.

L'indomani Anastasia era arrivata con il secondo vassoio, ma senza Amilcara. Sotto gli occhi aveva i segni di una notte aggrappata a filamenti di tarantola e ai comodi che si prende un sagrestano.

«Sei stata stupenda ieri sera, hai animato la Delfina come nessun altro prima. Io dico che pioveva, non è possibile che te... Come va la caviglia? Altro che le arie d'opera! Hai dell'altro in repertorio?»

«I vibratori?»

Anastasia si aspettava che Vulvia dicesse, "Sì, castelli in aria e mostri di sabbia tenuti su con gli stuzzicadenti e un piolo nel sedici".

«No, che ti credi? Niente cose da scala Mercalli, qui» ingiunse Anastasia.

«Perché, faccio concorrenza al tuo repertorio, bellona?» disse Vulvia raggomitolata attorno alla guancia tumefatta e alla zazzera avvilita, molle.

Anastasia trasalì: erano confidenze che si potevano tollerare di notte, da una pestata a sangue, ma non alla luce del sole e in piena convalescenza. Nel suo tentativo di mitizzare quella donna così virile e quell'uomo così femmineo – niente a che vedere con i soliti busoni, un sorello, ecco, una fratella –, non aveva però dimenticato che anche per gli enti morali le funambole andavano segregate fra la razza dei subordinati.

«Ti dispiace darmi del *lei*?» disse subito, amabile e ferma.

«O.K. E tu a me, cremina» rispose Vulvia, guardandola in tralice da sotto la ciocca-frangia color arancione. «Tu sarai anche la regina qui, ma io sono Sicionia la Giocoliera di Dio, ricordatelo.»

«Cosa?»

«Il mio nome d'arte. E adesso va' via, lasciami in pace. Manca la spremuta di pompelmo...»

Anastasia avvampò come non le succedeva dai tempi di Brunilì Rakam. Si girò di scatto verso la porta semiaperta, in preda a una crisi di astinenza che sembrava saltarle addosso fuori da una grotta marina che lei non sapeva di albergare: una schizofrenia oceanica in cui riuscì a provare pietà per se stessa, sdegno per l'affronto fatto alla sua dignità regale e onde e onde di ammirazione per quell'essere di fuoco purificatore che la trattava a pesci in faccia.

«Piangipaaaneee.»

Di nuovo quella voce!

«Hai detto qualcosa?»

«Ho molti numeri, visto che non ti decidi a smammare. Davvero non ti andrebbero i vibratori? Sono vibratori *giovani*... Vibratori fornaretti, vibratori garzoni... Ho fatto anche la smandrappata con Cicciolina. Riesco a farmi giostrare due cosi contemporaneamente, ho una dilatazione muscolare mondiale. Altrimenti birilli, giochi di prestigio, salti mortali o lotta libera. Ti andrebbe una lotta libera? Uno per ogni luna piena. «*Rifattaaa... rifattaaa...*». Comunque io costo anche quando non lavoro.»

«A serviziooo... a serviziooo...»

Anastasia si indurì, si portò una mano al cuore, stavolta la voce sembrò sibilare dall'interno di un'orecchia e strisciare fuori dall'altra. Si slanciò fuori dalla stanza, spronata da una falsa coscienza nuova del suo malessere senza nome. Un morto fallimentare che veniva a fare la lezione a lei! e Vulvia, che lei stava a ascoltare senza sapere il perché, stregata, e ogni volta con quello spalancamento automatico fra le cosce davanti all'invisibile ostia falloide che faceva solletico a tutto il resto del corpo, un'ostia-futuro...

Su nello spiazzo fece in tempo a vedere un paio di ambulanze e uno sbarellamento avanti e indietro, in un'altra zona alcune roulotte venivano fatte sgombrare, strano, chi l'avrebbe mai detto che stavolta sarebbe toccata proprio a quei giovinastri di ieri notte? Forse quella pipì... se persino la saliva dicevano che... un bacio, e anche una lacrima sulla spalla e... Mio dio, che cosa mai si era tirata in camping? Anastasia piegò il naso direttamente nella tabacchiera e aspirò più che potè, fino a accucciarsi sul water torcendosi per la ridarella... Quante tragedie per niente! se se l'era tirata nel suo, poteva anche mandarla di tanto in tanto negli altri due lì nelle costole... Dopo un quarto d'ora aveva già ridimensionato e piegato a proprio vantaggio il pericolo di un'epidemia, ritrovava bella la vita, e così allegra, e che mettere da parte era l'unica cosa che conta... Ma chi aveva mai messo al corrente la voce di Onofrio che lei era originaria di Piangipane? Lo stato di euforia e di forza del risparmio svaporò: cercò subito di dare consistenza a delle lacrime, si prendeva la faccia con entrambe le mani come nelle telenolevas, faceva tutte le smorfie della disperazione, ma invece delle lacrime sentì solo rimmel e cipria e rughe sotto i polpastrelli. *Piangipane Antavlèva*! ma chi poteva mai averlo messo al corrente se non lei stessa, *dentro*? Oh, Vulvia, Vulvia, kanker! lei, l'Anastasia che per anni e anni non aveva sopportato neppure le carezze con i boa di struzzo delle sventurate bisognose d'affetto con la scusa delle reni spezzate e che gli uomini sono materiali, lei, che anelava solo ai gemellini Farfarello, era diventata una buson... una pomod... Doveva vincere quell'impulso a abbracciarla e non dar mai fiato a quel grugnito remoto della carne che sentiva salirle su guardandola. E che non doveva toccarla mai; neppure per picchiarla. E mettersi sempre lontano dal raggio della pisciata, ammesso che... E concluse che Vulvia poteva vendicarsi dei torti del mondo anche facendosi picchiare e sanguinando...

Vulvia cominciò a dare una mano a Amilcara in cucina; fra le due rinacque una certa amicizia, molto più distante, fatta di piaceri da fare e ricambiare e stop, nessuna complicità nuova. Amilkan intanto ne approfittava per fare un salto a Tunisi, a Bolzano, e Vulvia diceva sempre che la sostituiva volentieri e Amilkan a dire che poteva contare su di lei se aveva bisogno di qualcosa, e che sapeva benissimo cos'è una lotta a corpo libero. Vulvia se la cavava egregiamente, anche se la sua presenza aveva creato scompiglio fra gli aiutanti di cucina e gli sguatteri; non compariva mai in sala da pranzo né nel pergolato, spiava tutti i clienti da un finestrino, o si faceva dire durante le ore di libertà quali erano quelli che si facevano servire nei Gallia. Parecchi le furono subito antipatici: gli indifferenti, quelli che non provavano la minima reazione né col "Farfallfly" né col "Fucofly", perché Vulvia, vanità per vanità, non ammetteva che uno non avesse un sesso qualsiasi a cui calamitarsi – Vulvia pretendeva di piacere a tutti, solo sui recchioni velati non faceva presa, e questo la mandava in bestia, umanoidi celati sotto spoglie normali di invertiti, tante Vulvie imboscate che le portavano via il pane di bocca senza aver dovuto subire neanche un'operazione. Ai primi di luglio, perciò, ci furono parecchie caparre non restituite di impassibili ospiti portati via con il solito sistema dell'ambulanza silente. In Anastasia prese corpo la certezza che fra la nuova cuoca e quelle improvvise defezioni, fonte però di un gettito costante di danaro non restituibile in cambio di niente o quasi, ci fosse più che un vago legame, seppure non sapesse quale, superstizione virologica non a parte. E che Vulvia, qualunque fosse la ragione ultima del suo arrivo alla Delfina, operava a fin di bene o almeno non così a fin di male da volere la sua morte e la distruzione totale della Delfina – e c'erano giorni che la sua crisi depressiva era così acuta che rimpiangeva che Vulvia non fosse davvero il suo personale flagello di Dio. Di certo, non era l'emissario segreto di Onofrio mandato a fargli strada. Vulvia era così folle e volubile che nessuno avrebbe mai potuto fidarsi di lei, e solo in sé, non in un piano, doveva avere l'orologio naturale che le dicesse quando era l'ora di fermarsi. E se tutto quel bailamme nel Referendario fra lei e la signorina Scontrino non fosse stato che una messinscena? Se...

Siccome Vulvia aveva praticamente tutto il bacino e il fondo schiena escoriati e un po' erpetici, adesso doveva rinunciare persino saltuariamente ai bastoncini "Fly" e Anastasia ritrovò una certa quiete e pensò sempre di meno al suicidio e a radere al suolo la sua creazione, tanto che finì col credersi fuori pericolo e d'aver semplicemente trovato un'eccellente cuoca in più nonché un'attrazione internazionale di poca spesa e, col tempo, una massaggiatrice. Cioè un altro affarone.

Quando il conte Eutifrone a metà luglio arrivò – senza cicisbeo stavolta – e per prima cosa le spalancò davanti il palmo della destra e fu chiaro che esigeva il duplicato delle chiavi della *paninareria* e subito tornò alla carica dicendo di aver contattato, qual giubilo, la divina Nelly Nellah e che c'erano buone speranze, Vulvia, che era venuta a prendere nota dei menù del conte, lo prese per il baverino-sciarpetta e, why not comme il faut, stavolta? gli cantò in faccia tutto il primo atto dell'*Aida*, soprano tenore coro, e nell'intervallo fra il primo e il secondo atto gli disse di scomparire e che se volevano dei concerti dovevano scavalcare il suo cadavere prima di dare la parte a un'altra, e che perché era stata gentile con la culinaria lei non era qui per questo, sciò sciò. Il conte capì che le cose erano cambiate, o stavano cambiando, e che l'unica era rinforzare la sua alleanza con la signorina Scontrino e darle in disco quanto non avrebbe più potuto darle *laif*.

L'odio fra lui e la signorina Vulvia Nascinpene in arte Sicionia fu totale. Tuttavia, sentì che Antavlèva dipendeva ancora da lui e dai suoi capricci e che il ricatto non era caduto di prezzo.

Anastasia fu presa da tale esaltazione per quella dimostrazione canora di forza che le spalancò le braccia attorno a un metro di distanza, mentre Vulvia vi si sottraeva, senza nessun bisogno, come a una sorella che viene a chiedere soldi in prestito. Anastasia credette di essere guarita per sempre, nell'aria sentiva il profumo dell'adolescenza friulana in arrivo: i gemelli bardati di struggenti promesse all'acqua di colonia 417, perché entrambi i Farfarello avevano la mania del Nord e della Prussia. Peccato che, a causa del tempo cernobylotico bisognava rimandare di un paio di settimane il Festino d'Estate: il melograno aveva appena cominciato a schiudere le gemme... Tutto era così gomito a gomito, tante le cose a cui pensare... La prima de "La Fiamma" era stata rifissata per il primo agosto e sembrava inevitabile che la "Kermesse" ravennate fosse rinviata al 31 di luglio. Tutto sarebbe accaduto di luna piena... La mente di Anastasia riprese a fare presagi infausti fino a quattro grammi al giorno di strisce, la miglior cliente del suo proprio mercatino "Giulietta e Romeo"... Riuscì però a far capire a Vulvia che i menù fossero, nelle spezie, lasciati sì a suo piacere e che lei non aveva mai sindacato con l'autonomia delle cuoche, ma si raccomandava che i pasti del conte – Anastasia si stupì di tanto riguardo – fossero del tutto ortodossi, niente condimenti all'ultimo minuto... Voleva dire, per esempio: niente sangue fresco di neo-cuoca che si svenava per il lavoro sino a cammuffarne un po' del proprio nelle bistecche *english*... Strano, pensò Vulvia, che dalle due opposte fazioni fosse arrivato lo stesso ordine a proposito dell'incolumità del conte – che lei avrebbe fatto fuori subito con un paio di goccine a portata di mano... Anastasia sperava che Vulvia si lasciasse andare a confidarle il suo eventuale segreto umanicida, così funzionale, anche in vista di un impiego a più largo raggio, ma Vulvia fece finta di non capire a dove mirasse la pseudo-padrona e ne fece tutta una lamentazione sull'indietro di sale e sul piccante... Nemmeno fosse stata la signorina Scontrino.

Anche questo tic di far sempre finta di cadere dalle nuvole era una caratteristica funambolica che a Anastasia non era nuova, e adesso sapeva dove andare a pescarla... La signorina Scontrino le aveva messo alle calcagna Vulvia solo per guardarle in bocca... La cosa la lusingò, per qualche secondo, poi non ebbe più tempo nemmeno per essere diffidente: una mattina di fine luglio, quando già alla palazzina fervevano i preparativi per il Festino, arrivarono i Farfarello. In roulotte, strano, e che roulotte! sembrava un grattacielo di traverso. Anastasia si fece tirar fuori dal sottoscala la motocicletta nuova di zecca e fu lei stessa a portargliela davanti alla roulotte odorosa di Kölnisches Wasser e concime artificiale. Per l'occasione aveva indossato scarpe da ginnastica e uno dei due caschi. Nell'imbottitura di entrambi c'era l'indirizzo esatto dell'ex-negozio di paramenti, ma stampato: doveva, nel caso, sembrare quello del rivenditore autorizzato. Si sentiva sbarazzina e disposta a tutto, seppur tirato per i capelli: sapeva di star esagerando con questa storia, con questo pensiero fisso un po' posticcio, e di abbandonarsi troppo a mente viva a questa passione, per quanto l'implumità dei volti e l'immaginazione sui sessi la turasse con poesia come una damigiana. Anastasia aveva fatto il possibile per non vedere i contorni artificiosi della sua voglia giovanile, inventati a bella posta per il suo ormai smorto bisogno di illusioni, ma tutto ciò non aveva reso la passione meno passionale. Invecchiando bisognava rassegnarsi a metterci un po' di testa... Sì, era una combinazione alla portata di una signora di 'ant'anni – un paio di più – piena di soldi, successo, accidia, crisi, un assassinio in sospeso, con una figlia unica che l'ignorava e un'ignominia di gioventù a discrezione altrui, e un po' di pomodoraggine galoppante... E quel senso di slittamento di tutto, verso l'alto, a rimpiazzare spazi vacanti da poco, a colmare gerarchie spietate, la vertigine di aver fatto di più – e che tuttora si poteva fare meglio – che compensava quel senso di vuoto alle spalle, di uovo vuoto, un anello-guscio infranto in quella catena che ci si lasciava dietro per sempre, di passato mai stato... Aveva l'impressione di salire verso mete così fuori dalla portata di una vera passione qualsiasi *dopo* che adesso s'era aggrappata ai gemelli – all'idea che si faceva del piacere estremo che ne avrebbe tratto – come all'ultimo sfogo di vera vita prima del passaggio definitivo in altre sfere della carne, in altri tagli dello spirito, inesplicabilmente... E la signorina Scontrino lassù, in cima a tutto, pronta a attaccare un altro gradino ancora, che guizzava verso di lei sinuosa come un millepiedi di pura luce che la tirava su a forza, a occupare quello che lei stava per lasciar scoperto... E che una non poteva sottrarvisi.

Grande fu la meraviglia di Anastasia, nel tardo pomeriggio, quando andò a far visita ai Farfarello per ricevere ulteriori ringraziamenti per la moto e lei – che disse subito di preferire a ogni altro un nome più aggiornato, e se Anastasia non aveva niente in contrario a convertire Baale in Frau Hitlerine –, la signora Hitlerine, appunto, disse con amabile noncuranza che i gemelli erano andati subito in città a visitare un museo, *da soli*. Tanta improvvisa liberalità pedagogica fece piacere a Anastasia, la quale di tutto aveva bisogno meno che di un dubbio ulteriore sulla buonafede della gente. Fu fatta entrare nel camper capace di ospitare una decina di persone e si stropicciò gli occhi, abbagliata: fiori secchi di ogni genere, merletti fatti a mano e ritraforati dalle tarme, vasetti di ceramica incrinata, bomboniere tenute insieme da scotch, teste di bambole di porcellana senza occhi: tutto, se anche la loro casa era così, doveva essere stato concepito dai Farfarello per assediare la vista e distruggerla, disintegrarne la potenzialità di discernimento in quell'infinitamente piccolo da riempire uno stadio... La signora, ma meglio Frau, Hitlerine adesso aveva il culto di Weimar, del 15/18 antenati compresi e, warum nicht?, della Razza, le spiegò, trasposta nelle feci. Cioè, continuò a spiegare, dopo attenti esami di laboratorio da lei ordinati e finanziati, si era arrivati alla conclusione che la Razza veramente eletta da Dio era quella i cui escrementi rispondevano appieno alla teoria dei colori di Goethe, e all'interno di questo popolo di defecatori si poteva capire subito quali erano i capi naturali in base ai rarissimi che rispondevano invece alla teoria dei colori di Runge, più esclusiva e selettiva. E che loro appartenevano a questa razza di capi... documenti alla mano. E che adesso tutti e quattro si erano votati a chiamare a raccolta gli ignoti detentori del Prisma e anche a far proseliti. E che il fine, si sa, giustifica i mezzi. E Frau Hitlerine l'aveva guardata in modo strano, con senno di poi.

A Anastasia tutto quel polverio di materiali scombinati e quegli stronzi sotto campane di vetro fece un po' senso, mentre annuiva con il mento allorché Hitlerine le andava chiedendo che cosa ne pensasse di quell'interno così intimo, così accogliente... Doveva essere una che mescolava riti religiosi come altri carte da gioco di semi diversi per fare solitari le cui regole non sono trasmissibili a nessun altro ordine di pazzia. Tutto lì intorno era fragile e incuteva timore e accresceva persino la consapevolezza dei gomiti prima di spostarli più in qua che di là. E strano: le fu versato non l'anticipo, ma l'intera somma, e in contanti, non in assegni post-datati. I Farfarello dovevano aver avuto un colpo di fortuna, forse erano già a capo di una setta e avevano trovato un finanziatore. C'era molta elasticità nei discorsi della signora Hitlerine, e ancora non aveva fatto menzione dei pericoli dei giovanotti al giorno d'oggi, specialmente emozionali.

Quando i gemelli fecero ritorno e baciarono Anastasia sulla guancia e le fecero di nuovo festa per la moto scatenando nel mobilio tintinnii e rovesciamenti, subito cadde a terra un bruciaprofumi e s'infranse e Anastasia, di nascosto, tirò un sospiro di sollievo perché di nuovo assaporava il diletto della mobilità. La madre accusò un'emicrania sui due piedi lanciando uno squarcio vocalico singolo, senza modulazioni, vagamente bestiale, da birreria dei lunghi coltelli. Ogni coccio rotto doveva essere un attentato all'integrità della sua vetromania di robivecchi depressa ma vitalisticamente religiosa. I gemelli sparirono in un baleno, non prima di averla degnata di uno sguardo di sufficienza a unico beneficio della turrita, sportiva, generosa cocainomane che gli faceva adesso l'occhiolino per un più tardi da stabilirsi. Sulla porta della fin troppo spaziosa roulotte Frau Hitlerine confidò a Anastasia che il suo sogno più grande era sempre stato di arredare chiese, basiliche, templi, piramidi, are, cioè, i relativi altari, e non bacheche polverose in scuole elementari di frazione... E che desiderava dare un'occhiata a tutto ciò che con gli altari e la cultura della religione aveva e aveva avuto una parentela... Anastasia fu lì lì per cedere alla debolezza di mostrarle la sua purtroppo famosissima collezione di icone, chiusa da anni a occhi indiscreti, ma poi rifletté, allusione o no, che era prematuro, che non aveva tempo per la vanagloria, semmai in un secondo tempo, come segno di riconoscenza per averle fatto assaggiare la doppia primizia di quel suo lontano puerperio... Ma perché Hitlerine-Maria Farfarello le aveva sorriso come una iena? e perché il marito, Devoto Giuseppe, che rientrava dalla spiaggia, l'aveva guardata con tanta compassionevole compiacenza virile? l'approvava come suocera estiva o cosa? Si guardò intorno in cerca dei gemelli, ma non c'erano, e neppure la moto. Certo non erano di quelli che si confidano con le mamme e ti piantano nella merda, erano ragazzi di una volta, loro.

Oltre la piscina si stava piantando la palizzata per il tendone estivo dei QOQQI... Che strana atmosfera di bufera nell'aria, malgrado il sole sferzante, l'orgogliosa preoccupazione delle mamme con i loro figlioli, ma poi guai se si sono fatti scappare un'occasione...

Il conte Eutifrone da lontano le fece un saluto con la manina, stava smontando dalla sua spaiderina, strano, era la prima volta che la salutava con tanta allegria, visto che quest'anno andava e veniva sempre da solo e sempre più lieto, come se avesse trovato dove sapeva lui la gallina dalle uova d'oro e, una volta tanto, gli bastasse... Lei non aveva più messo piede nella *garçonniere* e, se per questo, nemmeno lui sembrava farne gran uso... Molto meglio per lei se adesso restava alla larga per un po', anche dopo le 18...

Le si avvicinò e prese a farle delle confidenze non richieste di tipo sessuale sulle comodità del Lido di Classe e sulla realtà che, essendo frutto della fantasia, la supera. Il conte disse e non disse che stavolta si era innamorato sul serio – di un Kraft-cose-buone-dal-mondo di Ferrara che la tirava tanto per le lunghe, un bravo etero muscoloso di buona famiglia che non aveva accettato, lui orfano di madre, nemmeno un paio di blue-jeans di seconda mano. E che l'amore non ammette sotterfugi e bastano due dune di sabbia, specialmente quando non si fa che chiacchierare per conoscersi e prepararsi spiritualmente al gran giorno – e gli argomenti base sono: la fedeltà per tutta la vita, ognuno se la mena come gli pare, e idee-arredamento sulla casa. E che il gran giorno si avvicinava a ogni momento e che questo sportivo – il cui refrain era stato "guardare e non toccare" da maggio a adesso e che era tutta roba della sua fidanzata – conosceva persino "Le 4 stagioni" di Vivaldi e aveva visto un "Rigoletto" di sua spontanea volontà. E che con ogni probabilità la *paninareria* di Anastasia non gli sarebbe servita mai più: il conte stava mettendo su casa, ecco la grande novità, e per sempre, e stava sperimentando l'ebbrezza della castità fino al completamento dei quattro locali doppi servizi garage chiavi in mano. E che non si poteva coronare una storia così con lo squallido arredamento di un casino in piccolo: era come andare in una stanza d'albergo di quarta categoria, tipo locanda di malaffare, non sapeva se rendeva l'idea... Anastasia tirò un lungo sospiro e si contenne: ci aveva messo tre tappeti persiani e cristallo di boemia a parete intera intorno e *sopra* e con il materasso a acqua calda costavano almeno quanto le murature... Eppoi che il suo amico aveva già trovato indegna l'idea della sua bomboniera senza portinaia a Ferrara, la macina dei pettegolezzi, lui a Ferrara ci abitava, mica era di Modena e veniva a fare le sveltine come lui, la fidanzata di ceto sociale elevato, il padre impiegato del Comune, le conoscenze, fin per carità, e in macchina o lì al Gallia neanche a parlarne, se lo avesse visto qualcuno. Il conte non poteva per sovrapprezzo cadere nel cattivo gusto di fargli sapere adesso che aveva a disposizione uno scannatoio per vecchie ser...serpentesse! e a forza di guardare e non toccare – una meraviglia, stupendo! – e capire come raggirare tutti gli ostacoli di quel ragazzo d'oro che non era mai stato con un uomo e che non aveva nessuna intenzione di andarci, si era risolto a rivolgersi a un'Immobiliare, comperargli un appartamento e intestarglielo, come un regalo di nozze, e chissà... Lui forse, dopo, avrebbe capito quanto lo amava e avrebbe lasciato la fidanzata o l'avrebbe sposata – il conte non aveva niente in contrario: tutte le donne che voleva, ma uomini solo lui – o sarebbero andati a vivere insieme perché vuoi mettere gli interessi in comune? E tratteneva Anastasia per una manica, lei voleva andarsene, segretamente felice di non essere costretta a chiedergli indietro il duplicato in vista dei Gemelli, anzi, preparandosi a chiederglielo come conseguenza sensata di tanti progetti che stavano andando felicemente in porto. Per darsi un tono, aveva fatto spallucce, schifata da tanta arroganza confidenziale e già che c'era, gli richiese indietro le chiavi, per sicurezza. Solo per alcuni giorni, specificò. Troppo, pensò: anche stavolta aveva dato delle spiegazioni, non avrebbe imparato mai con lui a agire, pretendere e basta. Lui non fece una piega e disse che non c'era bisogno di chiedergliele: tirò fuori le chiavi dalla sportina-zainetto e gliele consegnò, con un inchino, "per sempre". L'aveva chiamata per questo, a lui non servivano più; lei si sentì in dovere di fare un complimento alla sua nobiltà d'animo di nome e di fatto, stupita che tutto fosse stato tanto semplice. Anastasia forse non avrebbe dovuto ignorare che in un rampollo di alto lignaggio tutto è più involuto, sia la semplicità che gli slanci... E adesso perché continuava a trattenerla per la manica? lei voleva andarsene, grazie tante delle *mie* chiavi, buona fortuna e marchette maschie. Che gliene importava adesso che lui continuasse a sbrodolarle addosso tutta la sua improvvisa ingordigia di perbenismo e di libidine da sposina col pallino della prima notte e della sua generosità che per essere pelosa era allocca? Incredibile: intendeva davvero intestargli un appartamento a uno dei suoi esseri umani? Anastasia se ne guardò bene dal toccare la questione, non la riguardava, e era troppo bello che anche il conte ogni tanto sborsasse di tasca sua; a una presina, a una moto ci arrivava anche lei, ma un appartamento... Eutifrone chiacchierava e chiacchierava, quei maledetti dettagli sulle labbra, le venuzze sulle mani, l'osso ileo, la lunghezza – spropositata – da molle del Carlino... Andava avanti per scatenare la sua gelosia, la sua invidia, la sua rabbia? Povero tribolato: se mai avesse potuto immaginare chi e richì aveva lei fra le mani, quali bocciuoli di primo spino! Il conte abbandonò la stretta, mise su l'occhio umido e divenne esplicito: voleva un prestito di settantacinque milioni subito sulla parola, al resto ci pensava lui, mutuo quinquennale, non era uno sciacallo, lui. Per la luna di miele non c'erano problemi, sarebbero venuti lì alla Delfina Bizantina, *dopo* sarebbe stata tutta un'altra cosa anche per il suo amico, che temeva le chiacchiere ma a un'ufficialità si esponeva petto in fuori. Anastasia avvampò e socchiuse le palpebre, vide un cassetto, una cassapanca e dentro la testa tinta del conte e lei che chiudeva di colpo. Il conte cambiò argomento, dando il precedente come di scontato esaudimento, bazzecole garantite dal suo onore, e prese a perorare perché il suo amico, un Maciste portentoso, Mister Costa juniores, facesse uno dei due schiavi il giorno del Festino insieme a un suo collega, della stessa associazione; avevano visto delle foto sulle riviste e adesso sognavano di stare dietro la bilancia a braccia conserte e con la tunica romana, a minigonna, che lascia fuori metà torace... E che anche la signora madre donna Dulcis degli Insaccati aveva visto alcune foto, e persino un cortometraggio a suo tempo, e non stava più nella pelle, voleva essere portata alla Delfina, aveva riconosciuto la vecchia fan... fanfaroncella, oh, donna Dulcis era ancora convinta che Anastasia fosse scappata con quattro chili di argenteria e... ma se fosse stata comprensiva lui avrebbe trovato il modo di tenerla lontana anche quest'anno, e data l'età, forse per sempre... Anastasia si sentì venir meno al solito modo, a metà, disse che se era solo per questo, per fare gli schiavi... Il conte la riprese per la manica e le diede un leggero strattone padronale: per questo e per il resto, sottolineò sorridendole con amabilità. Disse poi che non c'era fretta, che ci riflettesse bene, sarebbe ripassato fra un'ora per ritirare l'assegno. Anastasia tentò: se lei glielo firmava, lui prometteva di scomparire per sempre dalla sua vita? Si poteva vedere anche questo, trovare una mediazione, un accordo... Si era tanto affezionato alla signorina Scontrino, come a una zia... Anastasia capì che era inutile toccare il tasto del riscatto: bisognava eliminarne la radice, cioè quel tronchetto della felicità contorto e vizioso e succhiasangue ma longevo e di una sterilità che non perdona. Dopo dieci minuti dal commiato, lei lo stava già raggiungendo nel suo Gallia. Lui fece venire tè e pasticcini e lei gli firmò l'assegno, post-datato e non-trasferibile, pensando che tanto non gli sarebbe restato né il tempo per riscuoterlo né per godersi il nuovo focolare. Lui protestò, per celia, che era mai una settimana? e Anastasia se ne andò indignata anche lei, anche lei protestando che era inutile insistere per riscuoterlo l'indomani stesso, doveva almeno darle il tempo di trasferirli e giustificarli all'amministrazione, mica erano settantacinque salamine. E andò difilato da Paquito, anzi, a zig-zag.

Il conte Eutifrone provò immediatamente un corto senso di colpa palpando quella firma in rilievo. Forse, per quella somma, avrebbe potuto anche dirle che esisteva un duplicato del duplicato... Ma lui aveva temuto di rovinare l'effetto del suo slancio, lui non sapeva resistere alla tentazione di avere degli slanci, era di una generosità cieca e di stirpe socialista, ogni tanto lo prendeva nelle viscere quella tradizione di casa... Era stato allevato da madre fascista travestita da partigiana e da tate partigiane che sognavano di fuggire con Benito... E così lui aveva dovuto imparare a andare, sì, a fondo dei propri impulsi umani ma, come la contessa madre, mettendo un argine alla fonte, tutto qui. Come per l'appartamento al Carlino: glielo avrebbe, sì, intestato ma riservandosene l'usufrutto fino alla morte – o decidendo di comune accordo di fare un viaggio attorno al mondo, inseguendo i concerti dell'annunciata nuova tournée di Nelly Nellah, invece di investire in muri senza risonanza di bel canto... Il duplicato del duplicato se l'era fatto fare in un momento di sbandamento emotivo, aveva pensato di andare a abitarci temporaneamente con Carlino spacciando per proprio il *piè-da-terre*, non voleva neppure rendersi conto delle complicazioni, Anastasia era lì apposta per comprendere, e lui si sentiva un po' inviato dal cielo per lei: le grandi fortune non si perpetrano a lungo se non sono sottoposte al vaglio del ricatto... E non glielo avesse mai mostrato! il Carlino gli aveva strappato il duplicato del duplicato di mano, dicendo con chi credeva di avere a che fare, con una puttana? e s'era alzato scaraventando le scorze d'anguria per aria, voleva andarsene via, e lui dietro, a supplicarlo, a chiedergli perdono, aveva fatto un pandemonio e che lui era mica uno da portare dove portava gli altri, i suoi *pregherò*, e che, a ogni buon conto, le chiavi le teneva lui finché non fossero andati a abitare insieme in un luogo più pulito e più idoneo... Il conte Eutifronte, in ginocchio davanti alla portiera, aveva avuto le vertigini: quello scoppio di gelosia era la prova definitiva che aspettava per prendersi la briga di chiedere soldi in prestito. Era per amore! Carlino... mio dio... era... geloso! E gliele aveva rigettate in faccia due giorni dopo e tre giorni prima di fare la pace. E lui aveva sepolto il duplicato del duplicato in fondo alla memoria, cioè nel cruscotto della spaider, e solo adesso gli veniva di nuovo in mente... non c'era stata malafede da parte sua verso Anastasia, davvero se l'era dimenticato. Avrebbe riparato, l'avrebbe gettato o... Aveva persino pensato a suo tempo di far cambiare la serratura e di svuotarlo e di far credere al Carlino che era il loro nuovo appartamento e che i tre tappeti persiani erano oggetti di famiglia Insaccati... Avrebbe convinto Anastasia a lasciar perdere, lei aveva anche una villa nella Sila, che se ne faceva di quei centotrenta metri in centro storico? o magari a cedergli il locale in enfiteusi – che prevedeva lo scambio in natura; una volta fatti glieli avrebbe passati volentieri, i Salvatori, avrebbe tenuto un album segnaletico... Finché non aveva trovato che la soluzione più semplice era non farsi scrupoli assurdi e farsene comperare un altro – o l'equivalente per un bel trattamento semi-pensionistico per due da Pechino a Melbourne a Toronto biglietti compresi... Adesso pensava con ostinatezza all'eventualità che, davanti a una simile prospettiva il Carlino si sarebbe smollato un po' e per subito e... Era così difficile per il conte dover rinunciare a qualcosa, non era colpa sua non ci era abituato. Era fatto così. E dunque, adesso che aveva e i soldi e le chiavi, sarebbe bastato rispettare il gentlemen's agreement sugli orari e Antavlèva non si sarebbe mai accorta di niente qualora, in una fretta... Come convenuto, a lui spettavano le mattine e le sere, visto che lei, se aveva tempo, era o dalle 14 alle 18 o mai, oh, su questo lui non avrebbe mai trasgredito... E appena intascato l'assegno avrebbe buttato via il duplicato del duplicato; anche se non fossero partiti dietro alla Nellah, glielo doveva... Ma fino alla postdatazione la carne, oh, la carne restava debole... una scappatella... lui non ce la faceva più: sì, anche con qualcun altro... e che la castità è una questione unicamente dello spirito, come la fedeltà... O forse al Carlino poteva prendergli una voglia improvvisa, focosa e... Oh, anche se si fosse accorta di un bicchiere non lavato, di un lenzuolo sgualcito – ma quelli si tiravano via e sotto era come stare al largo e fluttuare sulle onde, calde e fresche – Antavlèva alle lunghe avrebbe capito anche questo, era sempre stato un po' birichino nelle sue promesse... ma da un nobile le promesse è bello sentirsele fare, non si chiede di più...

In altre parole, sia per quanto riguardava il Carlino che voleva farsi l'appartamento e *svoltare*, sia per quanto riguardava Anastasia che faceva la difficile post-datando un assegnino di settantacinque milioni, non c'era verso di fargliela a un patito dell'opera e del melodramma: né da ricattatore, né da ricattato, né da innamorato, né da amato. Faceva parte della natura squisita della Checca, raffinata dalla Storia inclemente, dare con entrambe le mani e con la terza togliere tutto più gli interessi. C'era qualcosa di ubiquista nel non essere nessuno ma nell'andare a tutte le prime per farlo dimenticare. Costretto a ogni peripezia del buon gusto per poter semplicemente esprimere la delicatezza della propria inclinazione sodomita, la Storia aveva inveterato nel conte Eutifrone degli Insaccati almeno un'oggettività incontrovertibile: a forza di essere nessuno facendo la claque nelle prime file si diventava necessari, a forza di essere necessari si diventava, per nascita o per sorte, qualcuno, e, infine, si poteva concludere che a forza di essere nessuno si diventava immortali. La convinzione più profonda del conte, che aveva dei grandi momenti di intimità con se stesso tipo qui lo dico qui lo nego, era fondata sul fatto che non c'è verso di passare sul cadavere di una checca, che è un duplicato per natura, e che il cadavere, se c'era, era sempre di un altro, di un uomo o di una checca, a piacere, ma suo, mai.

E così, ognuno con un suo piano passibile di ritocchi dell'ultimo minuto, iniziò la sfida segreta per stabilire chi fra tanti era il più nessuno di tutti.

Fra i molti litiganti e contendenti, solo la signorina Scontrino, ferma nel suo Referendario, disdegnando queste traversie umane o dandole per scontate, se la gode a dare gli ultimi tocchi all'unica vittoria possibile: la sua, sul Regno dei Cieli.

I Farfarello l'indomani stavano discutendo sul da farsi... E niente imbrogli giuridici, né civili né penali, gli era stato sottolineato per telefono dieci giorni prima che partissero da Udine, né più né meno che se fossero stati un'impresa di traslochi. E che la signora Kuncewicz non era certo vittima di un raggiro, come potevano mai pensare una cosa simile, semmai vittima volontaria, e che desiderava soltanto venire iniziata alla nuova religione e pertanto trovava appropriato dare un suo contributo finanziario in opere d'arte, fare dei regalini ai gemelli, futuri Mosé, Isaia, etcetera, e cosa c'era di meglio di tutte quelle sue carabattole pagane, valore approssimativo un miliardo e duecento? Troppo complicato da spiegarsi: o sì o no. Se Fritz e Moritz erano al corrente di tutto? ma via! i giovani d'oggi, signora Maria, cosa vuole mai? Più svegliii. Era la parola giusta. No, non poteva dire chi era, agiva per conto della signora Kuncewicz stessa, pienamente consenziente... no, non bisognava assolutamente fargliene parola, avrebbero rovinato tutto, la signora amava le improvvisate ma voleva prepararsele da sola... Sì, proprio così: un auto-giallo. E un briciolo di brivido non guasta quando si entra in una nuova setta, il gusto del previsto... Non dimenticare una matassa di spago grosso. La signora Farfarello aveva, nevvero, sottomano una religione di tipo *forte* assolutamente originale, inedita, d'andar via di testa come non mai? Totalizzante come ai bei tempi. E guai, guai a prevenire la signora Kuncewicz, aveva ripetuto al telefono la voce professionale e vagamente monastica, da bambina ammodo, era come mancare di riguardo all'intelligenza preventiva della signora... La signora Kuncewicz era molto attratta dalle nuove teorie cromatiche del Friuli Venezia Giulia. Attenervisi... se loro potevano... e ovviamente la posta in gioco era di tale entità (morale) che valeva la pena di seguire le istruzioni pedissequamente, debole per i gemelli compreso... No, la signora Kuncewicz non aveva malattie veneree in corso, no. Ma via, non era straordinario che loro ereditassero senza pagare le tasse tutto quel ben di Madonne e Bambini in cambio della mimesi *senile* di un po' di sesso senza valore? al diavolo, signora mia, le fole sull'integrità psico-sessuale dell'infanzia, e poi che eletti erano se non gli si permetteva di sfruttare fino in fondo la disintegrazione e parcellizzazione dell'uomo moderno, delle sue funzioni, la robotizzazione dei suoi riflessi condizionati dall'ideologia mass-mediologica?

Solo la Santa Escreata era l'unica essenza davvero compatta dei contemporanei e lei, la signora Farfarello, aveva avuto un'intuizione coi fiocchi lasciando nel Gallia tanti ex-voto, aveva colto nel Segno: bisognava ripartire da lì per ritrovare la perduta unità dell'uomo... E ovvio che da una religione così la signora Kuncewicz si aspettava un Battesimo adeguato... Sì, dare la preferenza dopo ogni pasto a frutta secca e a farina di castagne, ottima anche la noce di cocco, potere astringente... Una dieta sul posto... Peccato non fosse tempo di giuggiole, ma avrebbero potuto forse rimediare con bacche di rose canine d'alta montagna... E tutto doveva accadere *aristotelicamente* – la signora Farfarello si era sentita lusingata da questa delicatezza citazionale nei suoi confronti di maestra di ruolo dai vasti interessi poietici – col timer in pugno, compreso il tagliare la corda, secondo istruzioni a seguire. L'appuntamento per l'empio bottino o superflua anticaglia di religione in disuso: il 28 o il 30 del mese, a qualsiasi ora, di solito fra le 14 e le 18, il solo dettaglio che sarebbe stato comunicato dalla signora Kuncewicz a Fritz e Mortiz. Come, come di solito? di solito la signora Kuncewicz andava a riposarsi a quell'ora lì o mai più. Puntualità. Poi difficilmente, appunto, la signora Kuncewicz avrebbe trovato il tempo per farsi iniziare con comodo... il lavoro, il festino, un diavolo per capello... ah, i gemelli stessi dovevano far finta di niente e accettare o no l'appuntamento solo per quanto riguardava il giorno come se non fosse stata già lei a stabilirne le date. Se la signora Kuncewicz avesse proposto per esempio il 27 o il 29 o il 2, dire di no... Oh, era un capriccio che aveva a che fare con la cabala e la metereologia, l'astrologia in generale...

Sì., sì, anche da noi. Sarebbe stata inoltre una prova ulteriore della loro complicità nella malafede, il più alto esempio di perfezione umana nonché etica fra contraenti... Poteva la signora Farfarello tenere in qualche conto il fatto che la signora Kuncewicz da un paio di settimane era molto biliosa e defecava giallino con tendenze al verde salvia venato di violetto? Come, come tutto era iniziato? Gliel'ho appena detto: ispezionando il loro Gallia chiamata dalle donne delle pulizie... tutti quegli indizi di rito in giro che la signora... Baale? ah, non si chiamava più così... *ne* era infatti alla ricerca. E allora poteva lei suggerire un nome, visto che stava per assumerne un altro? Poi i saluti. I baci da parte della signora Anastasia, in contumacia però. Capace, era stata l'ultima raccomandazione, tipo rimorchio. E i Farfarello insieme ai figli erano andati a noleggiare il camper, cioè un tir, e lo travestirono.

Poi, altra telefonata, appena arrivati, raggiunti al bar: non bisognava stringere i tempi, che si sarebbero stretti da soli, aspettare con calma il segnale stabilito e poi via senza tanti pipì e popò. Ma niente paura, e acqua in bocca: le peripezie e l'apocalisse e la catarsi erano fatte in casa. Acqua da bere: poca, come tutti i liquidi in genere. E adesso che ci facevano per esempio lì al bar, che stavano bevendo eh? Birra. Ma siete matti? dilata, vi fa andare in brodo. Se avevano sete, se proprio non sapevano resistere, frullato di riso, cavolo e albicocca. Avrebbero dovuto solo richiederlo, la signora Kuncewicz era lungimirante... Ma un'ora prima della cerimonia prendere tutti un bel bicchierone di idrolitina, svuotarci dentro una mezza boccettina di Guttalax e buttarci sopra un cucchiaio di bicarbonato... No, niente scotch per il battesimo, preferire addirittura il cerotto da elettricista, di quelli alti. Avrebbero fatto faville e anche lei, la signora Kuncewicz, che da sola non ce l'avrebbe mai fatta a liberarsi dal suo passato di russa che le gravava su tutto quel futuro davanti a sé e agli altri, ma che era poi sempre fatta a modo suo: a fine iniziazione un timido grazie prima di partire a tutto gas, una piccola genuflessione, non le sarebbero dispiaciuti. Le buone creanze, si sa...

E la signora neo-Hitlerine si era sentita furba e esperta sia in nuove teologie sia in intrighi familiar-nazionali: la voce! non c'era stato nessun bisogno di chiedere chi era al telefono. Era niente di meno che la figlia, Teodora in persona. Più garanzia di così.

Ma Teodora, perfetta e silente calligrafa, non si sarebbe mai sognata di ridursi a loquace centralinista di se stessa. Poteva sollevare il ricevitore per rispondere, al ventesimo squillo, a una telefonata, ma farla mai e poi mai. Meglio pagare e affittare la voce a qualcun altro; era più facile rimetterla giù al suo posto se non la si toglieva dal proprio silenzio di sempre.

E all'anti-vigilia del Festino d'Estate, i gemelli arrivarono dentro trafelati annunciando che l'appuntamento con la vecchia era stato fissato per le tre del giorno dopo, il 30, uno dei giorni buoni, niente complicazioni, e che li aveva però guardati intensamente negli occhi per vedere se era gente fidata da stare al gioco con lei contro di lei sino in fondo.

Tenuto conto del carattere doppio e pervertito della bacucca in calore, del naturale procedere massonico dei suoi fervori religiosi e vulvari, tutta quell'apparente tortuosità della prassi e l'effettiva semplicità dell'agire era una dimostrazione in più che Anastasia da una parte e loro quattro dall'altra non avevano ancora sbagliato una mossa, sì da godere reciprocamente di ogni incredibilità. Certo il mal di pancia era diventato insopportabile e il signor Farfarello aveva già dovuto cambiare due volte la dimensione del tappo rettale. Hitlerine era comunque convinta che prima e poi Anastasia si sarebbe fatta intendere per avere una più che cospicua parte carismatica fra le future sacerdotesse – del Protoplasta? dell'Una? cielo, c'era ancora tutta la nomenclatura da fare, salvo restando il titolo della religione, “Increatismo”... E in quanto alla figlia, mai vista. Farfarello padre osservò che Anastasia era proprio la folletta mistica che ci voleva per dare slancio alla crociata che, finalmente, lo vedeva schierato dalla parte della moglie. Ma per quanto l'uno si sforzasse di provare all'altra che il fine era superiore, lui aveva in mente i collezionisti nostrani disposti a sborsare cifre inaudite – altro che gli americani e gli arabi. Lei si vedeva già, novella Madre Teresa di Calcutta, a guida di una serie di altarini viaggianti di museo in museo e a benedire le folle paganti agli ingressi. Era incredibile come da un paio di merde di cani, o anche loro e dei bambini, che importa, lasciate dove si trovavano per l'afa, la svogliatezza, e perché tanto non è casa tua e c'è donna, poteva nascere una cosa così: una nuova religione. E che le vie del Signore sono infinite.

Mentre coniugi e gemelli si fregavano le mani e discretamente cominciavano a svuotare la roulotte da ogni carabattola e a fare avanti e indietro in fila indiana dal container, si sentì un suono di fanfare provenire giù dalla salita e uno strombettio di clacson, e uno sventolio di pennacchi di granatieri e poi lembi tricolori si allargarono in una banda a piedi e a cavallo mentre i campeggiatori accorrevano dalla spiaggia e dai Gallia tutti: giusto in tempo per partecipare al Festino, era arrivata la delegazione dei QOQQI – sotto l'alto patronato di Se Stessi –. Anastasia e la signorina Scontrino ebbero il loro bel da fare per accogliere tutti nel migliore dei modi senza fare differenze: i Tattici dell'Alfa e Omega, i Referenti delle Cause Prime, i Referenti dei Valori Originari dell'Uomo, dei Valori Intramontabili, i Transeunti del Motore Immobile, gli Ottimi del Teleriscaldamento al Massimo, le Pomone della Deregulation, i Difensori delle Razze Fragili, i Martiri del Quiz, l'OLP! (Oh La Peppa! problematiche sugli anziani), i Cavalieri delle Macerie dei Pici, i Capibonzi dell'Ostia, i Capicordata Cime Perse, i Flaccidi di Tangenti, i Polieccentrici e Cattocomufasci di sinistra al centro, i Retrologi del Priapo, gli Ingobbiti del Marketing, le Tardone Sinergiche, i neo-Agnelli di Dio, tutti coloro che la stampa chiama "laici" quale sinonimo e il popolo, al solito più gergale, "portaborse, leccachiappe, mangiascale", tutti furono guidati ai loro Gallia, ai posti di ristoro, sulla spiaggia e al ristorante e alla chiesetta e da ultimo sotto il tendone, dove già stavano compitamente in attesa, abbrutite dai dizionari, le traduttrici simultanee, una per il Settentrione e una per il Meridione.

I QOQQI si mostrarono con le padrone di camping di una gratitudine opulenta, di moltissime parole, quasi sufficente: non andarono cioè al di là del repertorio. Infatti, ognuno in cuor suo si sentiva un po' spiazzato in quello stretto ambito italiano: forse si vergognavano, uno per uno, di essere ancora lì, per quanto egregiamente accolti e blanditi. Non era un mistero per nessuno che la delegazione, o i più scaltri e determinati di essa, si proponeva dalla permanenza alla Delfina Bizantina nuove decisive alleanze, di cui avevano sentito vagheggiare nei mormorii fra intimi durante le straordinarie sedute ordinarie, e chissà a chi di loro stavolta sarebbe toccato di ascendere a ranghi strasburghesi, con uno stipendio meraviglioso, rimborso spese sibaritico, la coscienza a posto per statuto e un ruolo salvifico neo-testamentario. Chi sarebbero stati i fortunati dei presenti a assurgere per vie misteriose e lattee a quelle due europeistiche *E* che facevano prendere all'acrostico una curva teogonica?

Alle tre del mattino, dopo aver divelto uno dei due spaventapasseri per far prendere aria a Scopina, dietro l'abside Vulvia era già arrivata a settanta centimetri sottoterra. Malgrado la luna sempre piena, non s'era ficcata alcun "Fly" da nessuna parte, non voleva correre il rischio di solleticare morti che le servivano morti, meglio ancora se ben spolpati e abbastanza recenti – andava bene anche un 15/18 o, colpo di fortuna imprevisto, un rapito 67/72, altrimenti pazienza, si sarebbe arrangiata con gli inglesi del Viaggio in Italia millesette/milleotto.

Nel pomeriggio di ieri ha fatto un salto a Camerlona e il gommista non glielo voleva dare l'omone della Michelin, lei gli ha fatto un numero che non ti dico e per sfizio s'è caricata non solo il pupazzone ma anche una ruota di scorta, due filtri dell'aria e via col carrozzone per Ferrara destinazione canile. Strada facendo ha comperato uno spruzzatore, un barattolo di vernice rossa e uno di bianca, ha fatto un rosa carne che è la fine del mondo e sul ciglio della strada, dietro a una montagnola di scarichi, l'omone è diventato una passabile donnona. E intanto via la testa, anche se non sapeva ancora da che parte ci sarebbe entrata – chissà se era possibile applicare una cerniera lunga mezzo metro alla gomma a sbalzi. Con la criniera di una bambola ha incollato un bel ciuffettino in mezzo alle cosce, era incerta se farci o no un bel buchino rosso fuoco anche di dietro, spampanato... Il suo numero di catch femminile sarà un prodigio... dieci barili di fango saranno sufficienti, più una velatura di quel certo non so che, a coronamento della sua missione, il Numero dei Numeri... manifesti già pronti, caramelle, bastoncini di Fly tipo misto formato ridotto già preparati e Amilcara, che gli deve rendere tutti quei favori... Ha già detto al Sindaco di prepararsi a fare più di una parte se domani Amilcara non è ancora qui. Ci mancavano anche le maronite cristiane in crociera adesso!...

"*Ti dispiace continuare a darmi del lei*?" bofonchiò adesso fra sé e sé, imitando alla perfezione la voce di Anastasia. La vanga andò a sbattere contro la prima bara. Tolse via il terriccio e, contemporaneamente allo spigolo, apparve un sacco di juta ingroppato su se stesso. Non c'era bisogno di profanare nessun altro inglese, i due scheletri erano conservati: bene nell'antica bara, maluccio nel sacco più recente. Al lume della torcia elettrica trapanò qui e là nelle giunture, gentilmente, vi passò il fil di ferro e, come due collane informi e silenziose – il crocchiolare si confondeva con versi di gufi e grilli –, se li trascinò sulla spiaggia, dove nascoste in una cabina l'aspettavano le tre carogne di cani. Dio, la faccia che aveva fatto quel custode quando l'aveva vista! e continuava a dire che i cani vengono mandati all'inceneritore e che lui non ne aveva di carcasse in giro. Altro numero di quelli, e lui s'era deciso a andare a scavarglieli fuori. L'aveva lasciato in un bugigattolo che sembrava l'antro di un maniaco andato in bianco, lui tutto un ikebana di pipe e garofani di carta rossa infilati qui e là e lui che diceva ancora, dài dentro, ma non c'era più niente, ti sbagli, prendi le limette per le unghie! Contento lui. È curioso come la bettonica, e chi è questa e chi è quella, e se anche la signora Cuccuvis fa parte dello stesso giro, e se ce ne sono tanti per il mondo come lei e se sono tutte così le operate... A mezzanotte ha tolto lo spaventapasseri sul lato sinistro, ha svegliato Scopina dal suo improbabile sonno ginocchioni e le ha detto di andare a fare un giro da quella parte. A quest'ora come minimo sarà arrivata a Casal Borsetti... L'avrebbe conciata per bene, *la signora* Antavlèva Piangipane, ma senza farle troppo male... Sarebbe stato un festino memorabile e una vera carneficina e con questo scadeva il suo part-time. Il nastro poliglotta era pronto, le previsioni del tempo erano quel che erano, un duplicato delle chiavi della *garçonnière* ce l'aveva grazie al Carlino, eppure c'era come un insetto luminoso che non si lasciava acchiappare nella messa a punto dell'opera, una fiamma che non si lasciava mettere a fuoco nel braciere pecioso dei pensieri segreti di Anastasia che Tanta Tea riusciva a filtrare... L'arabesco omicida di Anastasia contro il conte era inarrestabile, vacuamente infinito: da anni Anastasia sognava di ucciderlo con le proprie mani ricorrendo a mani altrui, poi sembrava perdonare ancora per un po', rimandare ancora un po' il gesto risolutorio, rimontando improvvisamente in una nuova ebbrezza di perfezionismo che cancellava di nuovo tutto e Anastasia ripartiva da zero, cioè dal suo orrore per il sangue vivo e dal suo dispiacere per tutto ciò che persisteva a essere più forte di lei... Era impossibile mandare a monte il vero piano di Anastasia a tal proposito perché non faceva mai a tempo a cristallizzarsi in una decisione irrevocabile... L'unica cosa certa era che bisognava prendere Anastasia di sorpresa in se stessa, scambiarle il bersaglio senza che se ne accorgesse, burlarsi della cura che metteva a plagiare Paquito al fine di una fine senza fine. Sembrava che quel cadavere le servisse *vivo* per continuare a farlo fuori tutte le volte che voleva senza cedere alla debolezza di farlo fuori una volta per tutte... L'unica era metterla di fronte al cadavere del cadavere senza che il vivo restasse meno vivo, un modo doveva esserci... Come alla steatopiga non venissero le emicranie a forza di simili telepatie, era un mistero per Vulvia... Teodora le aveva detto che, quanto ai suoi di esorcismi, voleva "un capolavoro di truculente facezie", e che non si sarebbe accontentata di nient'altro; Vulvia aveva detto O.K., tanto se poi il mestruo le veniva giù o no non era affar suo. Aveva intascato una gran bella caparra e dopo sarebbe corsa a farsi mettere gli organi dove le diceva il capriccio, non la Bibbia, e dal Niguarda di Milano o dal Fatebenefratelli di Forlimpopoli (con Casablanca aveva chiuso) sarebbe ritornata da dove era venuta e da dove era stata ingaggiata, il Santa Sofia Disco Dance, Cattolica... E alle cinque in punto le cinque figure preponghizzate erano pronte sulla spiaggia per spargere segni.

Alle cinque e cinque Vulvia scivolò sotto la finestra di Anastasia, intontita dall'insonnia, così affaticata dal dunque di quella passione per i Farfarellini che non stava più in sé dalla noia che arrivassero le due, due e mezza del pomeriggio per farla finita e godere.

«Molti di quei che dormono nel paese della polvere non si risveglieranno, ma io sì, Antavlèèèvaaa...»

La voce di Onofrio! remota, quasi interiore! Anastasia vide falci turche ondeggiare fuori da cartoline macchiate di unto, chiappe udinesi in fila per due stantuffarle sopra la faccia, e i Farfarello padre e madre fissarla con occhi quasi più enigmatici che inquisitivi. Non ebbe neppure la forza di rizzarsi a sedere prima di stramazzare due volte sul letto, semi-addormentata, già vestita per andare a messa e subito dopo a Ferrara a farsi bella per i suoi due amorini. Rinvenne subito. Avrebbe preso il day-off.

E alle prime luci dell'alba ci fu la scoperta.

«Cimelio, Cimelia, correte! è il segnale!» gridò Fritz, sempre così mattiniero, piombando dentro la roulotte ormai essenziale come un eremo – non erano poche duecentodiciannove meno una – e scuotendola dal torpore. I *sapiens* si stavano scaldando un caffelatte consono, a base di ceci, ognuno per conto suo, assorti in un pensiero comune: rivender*le* tutte, rivender*le* in parte o spingere a fondo quella farsa pre-meno/andropausa fino a farne una nuova realtà ecumenica? e se l'Increatismo non avesse attecchito e i loro bambini, dopo lo schock che li attendeva con quella baldracca impurissima, fossero rimasti tuttavia senza una solida posizione e avessero finito per fare i gigolò? Avrebbero potuto farlo standosene comodamente a casa con le fedeli – con i fedeli non era neanche il caso di parlarne – in visita alla madre, ovviamente a letto, ovviamente pallida, circondata con ogni premura da ancelle-merdaiole, Devoto Giuseppe sulla porta a smistare i pellegrini scesi dai pullman. Era un bel pensiero per dei genitori tirare su bene i figli e... e se tutti i neofiti si fossero sentiti in dovere di contribuire, deca a parte, con un ex-voto del corpus, del loro, dove metterli tutti? e appese o sdraiate? Problemi anche di conservazione e di vibrioni, e chissà quanti anni prima che gli fosse ceduto il duomo gotico o la chiesa di Santa Maria di Castello per officiare in grande. Ostilità delle confessioni già esistenti e affermate contro ogni nuova concorrente... fitti alti, equo canone neanche a parlarne, e i lasciti, quanti anni prima che un qualche fedele, dopo tanto infestare, cominciasse a intestare?... Marito e moglie incrociarono gli sguardi.

In un istante risolutorio lei versò lo zucchero nella scodella di lui e lui in quella di lei e l'intesa fu immediata: piantare lì banca e scuola e filarsela alle Seychelles. I richiami da fuori cominciarono a crescere, insieme allo scalpiccio e a grida isolate.

Moritz stava dormendo ancora. Fritz esagitato puntava il dito verso la spiaggia, diceva ai suoi di sbrigarsi con quel caffelatte e tutte le loro smancerie da stitici, ci avrebbero pensato domani a rimettersi in luna di miele o se la sarebbero fatta addosso prima del dovuto, chiamava a gran voce il fratellino, ma Moritz non voleva saperne di svegliarsi. Fritz ritornò dentro, allungò il braccio sul letto a castello e, prendendolo per l'erezione rambosa, lo tirò giù, gli allentò i mutandoni di pezza e lo svegliò con dei fraterni colpi di lingua sul filetto. I signori Farfarello pensavano che sì, erano uomini fatti ormai, pronti a andare per il vasto mondo e che con le scuole d'oggi è uno spreco di tempo e di soldi anche se un pezzo di carta, ma quando si è svegli e con quei due arnesi da far piangere che si ritrovano e chissà da chi hanno preso, dalle nonne carinzie, certo, sono maturi per spartire un saccheggio, un'eredità un po' sfiziosa, ogni vecchia ricca con un'aureola di grilli in testa. E che se per Anastasia era un auto-scherzo, per loro era una guerra di religione, cristiana, sì, perché alla fin fine era quella cattolica l'unica veramente per bene e che, stessero le cose così o altrimenti, non si faceva che togliere da empie mani quanto apparteneva all'umanità e alle mostre di antiquariato, e qualche icona a Aquileia, per esempio, ci sarebbe stata proprio bene. E che è vano e sacrilego pensare sempre a chi sta dietro a tutto: perché dietro c'è solo la volontà di Dio, che si manifesta anche attraverso le psicolabili, troie in sordina o in gran carcassa che si organizzano da sé le proprie altrimenti impossibili violenze carnali e come controparte chiedevano di far finta di niente per non essere turbate nell'equilibrio della loro doppia e permalosetta personalità. Tutto, alla fine, doveva sembrare spontaneo. Ma non per questo bisognava essere screanzati con Anastasia, anzi. Sarebbero stati molto educati, l'avrebbero trattata secondo le istruzioni della sua "donna di fiducia" e non bisognava preoccuparsi troppo: una madre arriva sempre dove non arriva una figlia, e anche viceversa. Contente loro due. Erano in una botte di ferro, i Farfarello. E Frau Hitlerine, per niente curiosa del segnale sulla spiaggia, si mise a preparare il cestino della merenda da legare al portapacchi della moto: panini con lo speck per un'urgenza, e poi la matassina di spago grosso, la spagnoletta di cerotto, forbici, e una boccetta di cloroformio e cotone nel caso che, e due "Harmony" per i suoi temerari che avevano scosso la testa sconsolati quando padre Devoto volle dirgli tutti quei colpetti di tosse. Più tardi avrebbero fatto un brindisi in famiglia prima del cimento, con le *madeleines*.

Lì attorno alla natura morta s'erano intanto radunati i primi nuotatori tedeschi e gli sbruffoni piacentini, e Paquito era subito sbiancato: sull'arena c'erano cinque scheletri in fila indiana e a buco, come dire, ritto, con una pietra o un mattone rotondeggiante o ovoidale trattenuto nell'osso, come dire, sacro. Cinque filigrane di ossi – ossa? – perfettamente allineate, il coso bislungo per aria e i teschi a sfiorare la sabbia. Un miracolo di architetture antropomorfiche in una simmetria che sfidava le leggi di gravità del balletto classico madrileno.

E dall'alto della collina swattò una voce improvvisa:

«*Leute!*»

Una figura bianca – sandaletti, garretti, quel che s'intravedeva dell'ovale, mani – avvolta in un lenzuolo bianco stava eretta sulla cassetta che il Sindaco usava ai bordi della piscina per arringare i bambini. La voce era ampliata da un microfono a pila appuntato in un'asola vicina alla bocca, ma era tutta scena per il play-back. Anche chi non era tedesco capì che stava per udire un discorso della montagna, fluido e di tipo lirico-messianico. E così fu. Il discorso si concluse con quella che sembrava una lista di nomi d'arte di italiane e una francese mai uditi prima. Alcuni tedeschi, malgrado non capissero perché uno dell'area guglielmina appena uscito dalla sauna si immischiasse in faccende che, per quanto raccapriccianti, non lo riguardavano, con fare impaziente lasciarono l'affascinante scena della spiaggia e risalirono la china. La figura bianca intanto era scomparsa e sempre più gente accorreva dai Gallia e dai camper richiamati dalla sconvolgente novità. E cominciò la ridda delle ipotesi.

Che ci fa lì quel mattone fra bacini la cui eburneità risale senz'altro a periodi diversi tanto che due scheletri hanno ancora un po' di pelo secco attorno all'osso pelvico e gli altri tre sono sottilissimi come stecche di aquilone?

Si udì nel frammezzo dei ricordi d'infanzia qualche motore che si accendeva lontano e dei colpi di martello sui pioli, strano, di solito nessuno piantava tende e velari fino alle dieci, non era permesso. E le domande si susseguirono: cosa saranno mai? Ma mattoni infilati nella... nel... Sì, *nella*! esclamò una ex-deportata radicale che si occupava della condizione femminile dei tassi in Abruzzi e Molise e che, per rispetto, tutti chiamavano "Monsieur"... Cinque, e tutti in fila... Chissà di che sesso sono. Ma femmine no? solo le donne sono sempre raffigurate così, alla spigolatrice di Sapri, il solito sessismo schiavista! Perché, i maschi no da un po' di tempo in qua? saltò su il rappresentante delle Minoranze Minorate: sono maschi, e quel coso infilato lì sta per la stella rosa... Ma mi faccia un piacere! a Ravenna! culattoni ebrei!... E se non fossero uomini ma animali?

«*People*!»

La figura bianca adesso si stava spostando con la sua cassetta dalla parte opposta della spiaggia. Andò a sistemarsi sotto l'ombrello di una conifera, come a ripararsi dai nuvoloni molto più in qua dell'orizzonte, e verosimilmente tenne lo stesso discorso, in un inglese oxfordiano bello, smerigliato, effeminato e maestoso, come un Churchill smagrito ma redivivo.

«... *the Sguercia, the Pelagra, the blonde from Perigord...*»

Poi risalì il pendio, lasciando dietro di sé uno sconcerto numericamente già più consistente. Ma era ancora così presto, appena le sette e gli inglesi erano pochi a tutte le ore in Emilia-Romagna e meno ancora gli italiani che sapevano andare oltre lo "yes I speak English" e che Dio gliela mandi buona alla svelta.

E lentamente il gruppetto attorno alla stupefacente scultura multipla si avviava verso la formulazione della fatidica domanda, che fu posta dalla meno qualunquista dei QOQQI, un'ex-segretaria d'azienda che aveva lasciato tutto per aderire al CELO! (Comunione E Liberazione Oplà!), passo obbligato per farsi notare dalle capitane d'industria, milanesi a partecipazione statale:

«Qual è il senso ultimo?» disse la signorina in costume da bagno-saietto celeste e croce a serramanico fra le mani sempre anche quando si calava in acqua con l'ochetta di gomma.

E la domanda fu lanciata a boomerang sopra le teste con uno sguardo scombinatore che dalla figura bianca in movimento passava alla composizione di ossa sacre e poi ritornava là dove adesso la figura bianca era scomparsa battendo senza farsi vedere il pugno sul mangianastri, come se avesse delle noie improvvise con la batteria.

Un minuto di raccoglimento frastagliò in schegge metafisiche quell'esplosione di silenzio transumanante nell'immaginario collettivo degli aventi diritto a un reddito medio superiore alla media nazionale... Una premonizione! Un segno di predestinazione! Di sciagura! Pessimista, di elevazione no? Certo un avvertimento.

Il Sindaco senza proprio correre corse a avvisare la sola persona che dopo distratte e vane ricerche trovò, la signorina Scontrino. Paquito a capo chino si rosicchiava le unghie per aver disubbidito per via delle carcasse, non sepolte, come da ordine, ma gettate tutte in mare, tutte meno la prima, l'unica sepolta veramente, ma chi l'avrebbe mai detto che neanche un mattone le avrebbe tenute giù? non entendeva proprio.

I primi goccioloni, e il mare prese a rantolare e a incupirsi in verdi marci, buttando su grigi opalescenti, neri oleati di bianco.

... Saranno stati gettati in mare da qualche cargo... negri clandestini, algerini, libici, marocchini, tanzanesi... li buttano sempre via quando li scoprono sprovvisti del regolare contratto di auto-compra-vendita... Sì, pigmei... Ma no, non vedete l'omero? Non possono essere pigmei... Pigmee, prego, basta aver fatto un po' di patologia medica nel '69 per capire che sono delle signore... E quei due scheletri lì, si vede che sono di corporatura normale... *Corporatura*, per degli scheletri!... Ma l'acqua restringe, l'acqua salata poi... Sembrano di avorio... Saranno degli elefantini... Taci tu, bimbo: gli elefantini hanno le zanne, due, davanti, mica una di dietro... Bimbo sarà lei, io sono la segretaria d'edizione dei Nani Armonici Non Idioti, nonché valletta, prego... Ma come stanno su bene però...

E QOQQI e affini e semplici curiosi si affannarono un'altra ora e più contenti per quella sorpresa inaspettata (le sorprese erano tutte programmate di sei mesi in sei anni...), un'occasione immediata di dibattito sulle cose *fondamentali*, i.e. *essenziali*, della vita: l'origine originaria della specie pentateuca e il fine ultimo dell'uomo – agganciandosi alla necessità necessitante, e non partitica, di non escludere mai niente se si voleva stare al passo coi pentatempi di tenersi tutti buoni e a portata di mano, di modo che se non era "questo o quello" fosse "questo *e* quello"...

La stessa figura fu vista incedere con la sua cassetta in mano fino alla serra dei cotogni e delle more selvatiche e lì tenne il suo discorso, in fiammingo stavolta e un po' raucedinoso, pieno di scariche, e il lenzuolo un po' più fradicio di pioggerella diede ieracità al braccio steso minacciosamente verso il Referendario e le cucine e dove dormiva, presumibilmente, la signora Anastasia Kuncewicz – corsa invece a farsi benedire dallo stesso prete che a suo tempo l'aveva presa a cattivo esempio fra le donne, e a quest'ora stesa sul lettino del massaggiatore che proponeva adesso canfora e osmanto cinese, ideali per incontri d'amore con inesperti.

Nei Gallia era tutto un far valigie e vedere se non si era dimenticato niente, parecchia gente correva da una roulotte a un cottage a chiedere consiglio, ma era inutile affrettarsi, ormai pioveva che Dio la mandava. E fu un lenzuolo spettrale battuto dal vento e dalle foglie e da aghi di pino strappati ai rami a far uscire sui bordi della piscina l'ammonimento in italiano, a pochi passi dalla buganvillea che nascondeva l'orecchio teso della signorina Scontrino:

«Gente! Qui verrete sbrané e sodomizé da cani busoni. La proprietaria Antavlèva ex-corpivendola è l'incarnazione del diavolo, e l'impiegata di concetto ex-ruffiana è Mimì Schisciada e i tre cani i suoi adepti. Esse vi spolperanno, come hanno spolpato decine di *freaks* scomparse da questo campeggio e dagli imbocchi autostradali. Voi diverrete il pasto di queste maiale e finirete in un frizer fatti e fatte a pezzettini. Fuggite, andate via finché siete in tempo. Voi siete solo carne per allenare le fauci dei loro strumenti del male, e altri qui sono i posseduti dal demonio che tramano contro di voi e le vostre tenere creature: sindaci, borboni, trapeziste, cuoche assatanate, militi noti e invisibili... Ed ecco a voi la lista incompleta delle cannibalizzate...»

La signorina Scontrino rimase impavida a ascoltare fino in fondo quello sproloquio che la tirava in ballo, senza neppure chiedersi chi fosse a farlo; uno o l'altro, c'era sempre chi si prestava ai pettegolezzi. La signorina Scontrino non fece niente subito, continuò nella sua toeletta vespertina avvertendo una voglia nuova insinuarsi nel suo caffèrino di cervella tostate: voglia di carbone, di argilla, di gesso... Dire delle cose simili in pubblico! non doveva essere uno sano di mente quello lì e comunque capì che doveva trattarsi di una faida gravissima fra opposte fazioni e che lei non c'entrava – opposte non a lei o a quel buontempone del Tenente Albigian ma a Antavlèva, una faccenduola fra campeggi rivali che restava ben al di qua dei suoi innocui passatempi gastronomici, più estetici che altro. Ma ormai tutti erano stati debitamente informati di quelle trivialità culinarie inessenziali per rapporto alla spinta demografica anche solo regionale. Bisognava predisporre le misure di sicurezza e un'interpretazione del tutto consona al buon nome della Delfina Bizantina, e Anastasia non si faceva vedere, e Amilcara, che si era presa la libera uscita da due giorni con una libanese, o druda, dio santo, una coscritta sull'Achille Lauro di scalo a Civitavecchia, un'artigliera, perché adesso la sua minore s'era messa in testa di aprire un reparto invernale per donne motivate dell'area mediterranea.

Nel giro di pochi quarti d'ora scoppiò una bufera sul mare che andò a scontrarsi con un temporale che infuriava dall'entroterra e tutti gli esegeti del mondo in spiaggia corsero ai ripari.

Uno scatenarsi di elementi anche per il pic-nic, di sdraio e seggiole e ombrelloni e rami spezzati e sporte di paglia e sandali rutilanti nel mistral nostrano che paurosamente scuoteva aste e tendone, sacchetti di plastica e quotidiani scalfarosi, un boato, e la cupola si squarciò piegandosi di sghimbescio sopra le due traduttrici che, annoiate, stavano simultaneamente spolverando tavoli e cuffie e furono sepolte sotto un ammasso di tela e cordami e grandine.

Il Sindaco, preoccupato per le sorti della sua cassetta e del suo buon nome, guardava rassegnato fuori dalle cucine.

«Tempo da cani» si limitò a dire, dopo aver cercato di dirlo in una qualsiasi lingua straniera. «Meglio restare dentro.»

«Toh, Sindaco, pelami queste patate che non fai mai niente» gli disse Vulvia, finendo di ripiegare il lenzuolo bianco dello spettro poliglotta e mettendogli davanti una reticella da dieci chili. Era un po' offesa perché neppure in un frangente simile la signorina Scontrino la mandava a chiamare per un consulto.

«Speriamo che cambi tempo o addio festa» cercò di correre ai ripari il Sindaco scattando in piedi. «Avrei dimenticato i guanti...»

«Macché guanti, dài, tamarro, pela lì... Cambierà, cambierà» e intanto pensava che la telefonata del Carlino doveva essere questione di minuti, in una maniera o nell'altra bisognava precedere Anastasia alla garçonnière, e il Carlino non c'era verso di convincerlo a sacrificarsi con uno che era più merlettaia di lui e preferiva rubare la spaider del conte e piantarlo a piedi chissà dove.

Ora, i segni, per chi desidera siano tali e non resiste alla tentazione di non vederne, vanno interpretati in un verso o nell'altro. Il fortunale durò tre ore, scoperchiò un numero imprecisato di Gallia – e grande fu lo sconcerto nel constatare che erano stati costruiti con uno sputo da basso impero e molti furono i feriti causati dai pannelli solari franati sulle teste dei corsi al riparo – e appena cessato l'uragano l'ermeneutica prevalente diede il via alla smobilitazione generale.

Si prese a caricare masserizie e bauli, a spiantare, e una silente auto-ambulanza, non si sa da chi avvisata, andava e veniva con una certa regolarità e ne scendevano due figuri con maschere a gas e neanche un centimetro di pelle esposta all'aria. Invitavano a salire i feriti e anche alcuni non feriti con secche spinte di fucili a canne mozze. Il panico s'impossessò degli indecisi e tutti si affollarono davanti al Referendario e reclamarono pigiandosi contro la balaustra della veranda caparre e oggetti di valore depositati e anche mai depositati in cassaforte.

La signorina Scontrino cercò di rendere la vita impossibile a tutti quando difficile non bastò più – in quell'istante una moto con su due giovinastri prese a fare una gimcana folle fra le roulotte in sosta e scomparve su per la salita mangiata dalle pozzanghere – e a quanti volevano andarsene senza sentire ragioni chiedeva ricevute smarrite o mai rilasciate, non imbroccava mai il numero giusto della combinazione, e caparre indietro neanche a parlarne, la cassa era vuota, niente da fare, e donna Kuncewicz momentaneamente assente – da ore e ore, per la verità, come partita un'altra volta per *Pietroburgo*... Le nostalgie dei calci in culo, della trecciona a crocchio... possibile che Anastasia non avesse mai sospettato il grado di complicità fra lei e quel discolo di suo padre, l'ex-caporale Albigian? Comunque come scomparsa dietro a un appuntamento di vita e di morte, o a una puntualità in pericolo, e poi telefona dice che tempaccio sono a Ferrara mi prendo il Dei-off (anche lei, la sconsiderata! peggio di sua sorella!) e poi tutto d'un fiato «Come va? devo riposarmi per essere in forma domani» e buttava giù la cornetta senza neanche darle il tempo di respirare e di metterla al corrente di niente, tipico; e allora, rassegnata la signorina Scontrino chiamò le cucine, chiese di Vulvia: le fu risposto che la signorina giocoliera aveva appena ricevuto una telefonata importante e era corsa via col carrozzone dicendo che stava via cinque minuti, forse cinque ore... L'avevano piantata tutte e tre lì nelle più alte, le menefreghiste, in mezzo a un casino, perché tanto, anche se una non ci pensa mai, c'è sempre una mamma dietro che pensa a tutto.

La signorina Scontrino fra le 15 e le 16,30 tenne dei sermoni da tribuno, dimenticò gli spasimi nelle ossa che le accorciavano le articolazioni a vista ma allungavano la lingua e le parole, riluttante trattava sugli sconti ma poi non mollava una lira, e chiamava con insistenza in città, per sapere dove puttana d'una Eva era finita l'Antavlèva, che dall'estetista non c'era più ancora dall'una e mezza, per farla rientrare subito, il gioco è bello se dura poco, e perché non rispondeva nessuno non capiva, se almeno Teodora fosse venuta a darle una mano invece di star lì a imparare a memoria le cartine geografiche... Spuntava intanto un bellissimo arcobaleno nei cieli limpidissimi a girotondo nel mare riappacificato.

Hitlerine – ma tutto sommato Maria non era, pur essendo reale, un nome ideale? – dopo che tutti e quattro avevano gettato coppe e purga dietro le spalle e facevano un rutto, aveva visto un'aureola levarsi dietro i caschi dei gemellini che partivano in quarta. Si era fatta il segno della croce mentre Devoto Giuseppe girava la grotta mobile verso l'imboccatura del viale centrale e anche lui capì che avevano un solo comune desiderio: diventare vecchi assieme, ripararsi sotto un ulivo, fare lavoretti di traforo e gite a dorso di asini appunto in un arcipelago d'élite e rientrare in un sano dindondan, che era come dire trovarla pronta tutti i santi giorni.

La signorina Scontrino, ormai a corto di bacchettate sillogistiche dalla veranda disse all'assiepamento di roulotte e automobili che era inutile insistere, non aveva più liquidi in cassa e doveva tenere a bada anche quei QOQQI che reclamavano indietro diademi e liquidi per vedere se la va la va. Disse che lor pronoiari avevano avuto il privilegio di poter prenotare per tanti e tanti giorni togliendo a altri meno fifoni e parvenus la possibilità di occupare quel terreno prezioso, e non si poteva subire l'affronto e poi rifondere anche il danno causato dalle loro arbitrarie partenze, e che non c'era nessuna epidemia speciale in giro, era la solita. Non sapevano, župani infedeli, quanto fosse difficile essere ammessi alla Delfina Bizantina, le centinaia di protopansebastohipertati illustri che da anni aspettavano di poter prenotare? Si rendevano conto della prelazione vissuta? e che giocare ai *beatipauci* aveva il suo prezzo?

Finché stufa di gettare perle di sfiziosità a quei porci e incapace per natura di sborsare, la signorina Scontrino, sola contro tutti – Porcadea, Ultima, Antavlèva, chissà dove, Teodora... ma questa meglio non contarla neanche – si lasciò scappare una frase che fu subito riportata di bocca in bocca fino agli ultimi contrafforti di roulotte fuori dal portale e in cima alla salita.

«Vergognatevi! Tagliare la corda così, per cinque cagne.»

Traduzione istantanea.

«Ma come fa a dire che erano cagne?» fu l'immediata replica.

«Erano cagne, lo so ben io,» disse, mordendosi una guancia all'interno grazie all'ultimissimo dente del giudizio. Doveva dare prova immediata di maggiore dialettica, sapeva che alcuni scheletri dalla descrizione non erano cagne e che dal pelo secco e grigiastro dell'uno e rossiccio dell'altro non poteva trattarsi che di Fasotùtomì e della Fleur, non certo delle burbe che Paquito, per galanteria, radeva sempre prima, svuotava dei seni e altro poi.

«Si spieghi meglio, lei che vuole una spiegazione da noi e fa tante storie per restituirci il nostro denaro, cani di che razza, per esempio?»

«Bastarda» disse perentoria la signorina Scontrino, e asperse uno sguardo attorno che non ammetteva repliche, e al contempo si disse, "Dài, Mimì, prendila come una prova generale in mondo-visione", e come per miracolo sentì i polmoncini ossigenarsi per bene, la gola che si mondava della pituina collerica, il cervello aguzzarsi e i piedi sollevarsi sulle punte. Era pronta a dare battaglia con benedizione finale. Bastava immaginare di avere davanti a sé il microfono e di guardare giù fissando invece l'orizzonte. Dardeggiò attorno tanta amabile autorità quanta poté e solo per effetto del suo sguardo alcune roulotte fecero marcia indietro. Il solito saccente venne a turbare la suggestione di quel muto discorso d'occhi triangolari:

«Per me non erano scheletri di cani bastardi. Erano draghi. Marini.»

Un urletto di raccapriccio si levò e le roulotte fecero testa-coda. La signorina Scontrino esibì il palmo della mano, gli mollò un manrovescio e via, per prendere il tempo di dare una risposta. Rientrò e compose daccapo il numero della palazzina: finalmente Teodora, alle sei, rispose. Disse che le era impossibile venire e che no, non sapeva dove fosse la mamma, e che lei personalmente era indisposta, preferiva non mettersi alla guida adesso, che l'indomani l'aspettava una giornataccia, e quando la signorina Scontrino le fece notare che le pareva di sentire un certo trambusto di gente che andava e veniva lì nei paraggi, Teodora disse in effetti era parso anche a lei, che forse s'era dimenticata la televisione accesa. La signorina Scontrino pensò "Povera disgraziata" e buttò giù. Teodora depose il ricevitore e continuò a guardare con ogni possibile mestizia i fiori aranciati del melograno – già come se dissimulassero la putrefazione del frutto – cercando di infilzare le mosche con lo spillone-perla e in ascolto di quei canti gregoriani su e giù per le scale, o trambusto, dipende. C'era gente che senza la colonna sonora non riusciva nemmeno a rubare...

«Ma mi faccia il piacere,» riprese la signorina Scontrino, facendo rimbalzare da terra il bel pastorale di quercia intarsiato di viticci d'argento. Già si vedeva lassù, con la splendida veste bianca, con la pompadour di broccato bianco per il necessario... Sì, avrebbe proprio dovuto commissionare una musica speciale per il giorno dell'intronazione, qualcosa di solenne ma argentino.

E riprese:

«Il mare restituisce tante di quelle cose e adesso per degli ossi di animali volete tradire il buon nome della Delfina Bizantina...»

«In fila, si rende conto? in fila, uno per uno. E come fa a esserne sicura che erano carcasse d'animali e non di persone? Sputi l'osso! E il predicatore, dove lo mettiamo? E tutte quelle minacce?»

La signorina Scontrino riflettè un lunghissimo istante, prese dalla borsettina turibolare un granello d'incenso che si mise in bocca e, come rinfrancata da quel sapore così vicino al *garum piperatum*, disse tutto d'un fiato allargando innanzitutto le braccia:

«Che cosa vi credete che sono la gente? Semper nimali, benedetti nimali, battezzati nimali. La vera umanità è un giro gratis solo per qualcuno, e brava la siorina che ha preso la coda, e prima e dopo la morte, ma non per tutti, dove credete che siamo? In questa vita da tutti i giorni anche il più gran pelusc del tiro a segno non si sposta mai da una nimalità eletta finché volete mo semper nimalità... a meno che... Ci sono naturalmente gli extra-eletti, o furbon di tre cotte, che si può dire che hanno un'umanità fino all'ultimo respiro cominciando dal primo. *Voi*, in base alla nostra selezione, *voi* siete i furbon di tre cotte che i ciappan la coda...»

Fece una pausa per godere l'effetto:

«Fratelli!» ma qui si morse la lingua: che gliene fregava dei fratelli? sorelle doveva dire, *sorelle* andava bene per tutti. «Qualcuno che viene spudat fora dal mare certamente non era un extra-eletto, dounca nimale e basta. E se c'è uno scheletro potete star sicuri, cari miei, che un milione di volte su una si trattava di carne di puro suino, un cane, un cunéc, e stop, un pover disgrasié che ha da essere stat *nourriture* terrestre a un extra-eletto, a chiunque di vueter... Tot sono nimali (e adesso stava per dire la formula magica che aveva fatto la fortuna di ogni *leader* carismatico), fora che i preseint, a s'intent.»

E se ciò non fosse bastato da solo a scatenare gli applausi e le grida di evviva che coprirono anche i due campeggi limitrofi, il che frenò immediatamente l'emorragia delle partenze, Vulvia trafelata, scarmigliata, bagnata apparve accanto alla signorina Scontrino – che si defilava modestamente verso il suo Referendario – e, visto che comunque lei e la sua mandante avevano perso la partita, annunciava:

«Gentili ascoltatori, il programma vi è stato offerto dalla Grappa Tuber Lusconi, al famoso spirito di patate. Allietate le vostre giornate di pioggia con i giochi di società offerti in opuscolo-omaggio a ogni acquirente della nostra Grappa in confezione da 5» e batté due volte le scarpe ancora piene dell'acqua del materasso. Dio che vita, sempre a correre a fare le veci e le voci.

Nessuno ebbe più un motivo valido per tagliare la corda: chi prese per buona la spiegazione di Vulvia, non per questo rinunciò alla certezza infusagli dalla signorina Scontrino di far parte di una casta, il che era quasi meglio del dubbio che si fosse trattato solo di una perfetta messinscena per animare un giorno di sole mancato.

La signorina Scontrino si sentì bene, non affatto sfibrata da tutto quello sperpero di sapienza teo-antropo-escatologica in generale. A parte i Farfarello, quegli zucconi ingrati, solo un paio di indigeni squattrinati senza una vera anima extra se l'erano data a gambe. Di Porcadea e di Antavlèva nessuna notizia. In quanto a Vulvia Nascinpene, la sua penultima, così intraprendente, la signorina Scontrino considerò che ormai non poteva nemmeno pensare lontanamente di suonare *quel* campanello per esibire lo sfratto all'Ing. senza cooptarsela come Fals-staff plurimo.

Teodora non era già più in casa, non rispondeva.

Teodora era invece in casa, avvolta in un dolcissimo sonno, profondo, leggero, come se nella palazzina adesso ci fosse più aria da respirare, meno pressioni da sopportare perfino da allungata sul letto. C'era un silenzio nuovo dappertutto e i Farfarello a quest'ora saranno stati sul punto di attraversare il Po. Improvvisamente le delfinò nella mente una splendida farfalla tempestata di brillantini su seta nera paiettata di oro... L'S.O.S. lanciatole da questa ciliegina sulla torta si candì in *sosia*.

Nel frattempo la signorina Scontrino aveva mandato a chiamare Paquito, gli disse che se fosse dipeso da lei l'avrebbe licenziato in tronco, che la signora Anastasia gli aveva tanto raccomandato di non buttare gli ossi a mare, ma di seppellire e cagne e avventizie cristianamente dietro la chiesetta, aveva visto che guaio aveva combinato? E di non farlo più. Paquito giurò in ginocchio di ubbidire ciecamente d'ora in avanti, a tutto, proprio a tutto, e che i sacchettini glieli avrebbe confezionati lui stesso, lo giurava sulla testa di sua madre Dolores, che le venisse un'altra apparizione in viaggio da Tomemolo a Ravenna se non era sincero. Agitato da un'ansia turbodiesel, se ne andò dopo aver chiesto il permesso, aveva un'emicranea spaventosa – e per la lavata di capo e per alcuni dettagli mancanti sulla prima de "La Fiamma", sapere se adesso riusciva a pensare come voleva la padrona, con lo stesso stato d'animo, e se era già stata davvero dal concessionario e che lui aveva deciso per una color Bilbao, rosso antiseparatista.

Dal Comune arrivò prontamente una squadra di operai e spazzini, e tutto, Gallia e tendone compresi, fu aggiustato, ripulito, potato, con grande soddisfazione della signorina Scontrino che come sempre in quei casi lì non doveva saldare alcunché, poiché tutto era a carico della spesa pubblica. C'era un solo modo per avere un elettricista gratis e subito quando ti serve: avere gli agganci giusti per privatizzarlo facendolo assumere in nome di tutti, cioè di nessuno e, innanzitutto, di nessun altro.

E Anastasia da ore e ore si dibatte disperatamente su una sedia al centro della camera blindata e ripulita. Mani e piedi legati, nuda, tre pezze di cerotto sulla bocca, capelli e sopracciglia infiocchettati di carta igienica premuta dentro i saluti finali, ma anche intermittenti, di Devoto Giuseppe e Maria Farfarello e dei loro due degni. Gliene avevano fatto addosso di ogni colore e consistenza, con un certo distacco professionale, quasi con premura, le era sembrato, e parlavano di "buona che adesso ti battezziamo noi". Capiva tutto, che i ghey insospettabili sono come le mosche, il furto con scasso, il sequestro di persona, ma questa nuova religione no. E perché nessuno veniva a liberarla, quelle incrostazioni sotto le narici rischiavano di soffocarla... Ma si sbagliava: era solo narcotico da frutta secca fermentata, e si stava addormentando.

Alle 19 e 30 i camioncini del Comune sfilarono fuori dalla Delfina Bizantina, perfetto, inaugurabile. Era di un lindo da duty free e senza più traccia di feriti e piagnistei in lista d'attesa, camaleontico e indifferente come un aeroporto il giorno dopo.

E a mezzanotte in punto, in un'atmosfera di prime luci, il Referendario si illuminò a giorno, la signorina Scontrino infilò la porta e a modo suo raggiante dalla veranda lanciò fuori dalle tasche decine di palline da ping-pong e saltellando felice gridò:

«Altro che Mao! Altro che Jung! È un'Ostia, è un'ostia!»

C'era arrivata da sola.

E mandò a chiamare di nuovo Paquito, gli ingiunse di

tenersi pronto per correre a messa prima, di fare la Santa Comunione – no, non era necessario che si confessasse, si vedeva che era un bravo angelo di custode – e di tornare indietro subito subito senza mandar l'Ostia giù, e che lei avrebbe chiuso un occhio e detto una buona parola alla signora Anastasia.

Molto frollata per via della salivazione franchista, la signorina Scontrino fece molta fatica a farla rinvenire e a comunicarsi tutta da sola, ma per certi versi era stata sempre una timidona. Eppoi doveva esserci una prima volta e in seguito tutto il tempo per perfezionare o chiedere assistenza. Del resto lei le supposte le aveva sempre tenute bene.

Ebbe subito la sensazione di gravitare un po', per lo meno di elevarsi – dal letto. E un altro segno che era il suo periodo di culo fu che quando la cuccuma con l'uman tostato cominciò a brontolare, lei uscì e dal comignolo vide... sì, vide il Fumo dei Fumi dei Fumi: una Fumata Bianca.

/Costantinopoli

"Vivaio Adamo ed Eva" dice la scritta sulla portiera del furgoncino che si sta facendo largo fra la folla e infila il portone della palazzina delle Kuncewicz madre e figlia. Sono le sei del pomeriggio radioso e caldissimo e nel giardino interno, strapazzato di recente si direbbe da qualche trattore, c'è un melograno in fiore che sta per essere trapiantato dall'enorme marmitta di rame calata dal primo piano dai due uomini inviati dalla ditta. Sulla ghiaia sconvolta la marmitta adesso inizia una fiammante partita di ping-pong con la palla bianca del sole. Come ogni anno, tutto è stato predisposto nei minimi particolari; anche la civetta con mascherina è pronta per la grande parata. La motocarrozzetta Benelli anno d'immatricolazione 1942, un pensierino del Tenente Albigian che già allora si scusava, è stata oliata e tirata a specchio. Nella piazza gremita di curiosi, turisti, disoccupati e sfaccendati, e di camionette con i treppiedi delle cineprese, le corde vocali si scaldano per osannare la Regina dell'Estate. Adesso il melograno viene interrato nel side-car foderato di plastica e i due operai fissano bene la terra attorno alle radici e al fusto. Le ritte campanule arancione oscillano invaghite da tanta ammirazione e dalla corte di insetti; non abituate all'aria aperta, scambiano tutte quelle vespe attorno con altrettante api, di cui hanno una mitica e fuorviante memoria genetica.

Teodora si sente bene, è pronta a dare inizio ai festeggiamenti. La fioritura del melograno coincide per lei con il cambio di colore: dal nero abituale al bianco momentaneo, che dura il breve passaggio dal fiore alla balausta. In questo mese in cui il fiore è in pericolo, sia di cadere per selezione naturale sia di diventare un frutto, lei si sente rinascere a una voglia di rosso, versione notturna del bianco. E le sue notti diventano roventi scorribande solitarie col carrozzone in capo al mondo e all'alba. Dal momento in cui i fiori non caduti si sono rappresi in un'escrescenza che darà una melagrana, lei riprende il suo lutto, mitigato per compiacenza dai motivi verde-oro di un drago dagli occhi viola ricamato sullo scialle nero.

I festeggiamenti si concluderanno a notte inoltrata solcati dai bengala sulla spiaggia della Delfina Bizantina bardata a festa, simile a un cavalluccio marino di sdraio triclini e lucernari di carta, con al centro lo spiedo gigante in cui rosola il toro già da venti ore – sarebbe un vitello che deve diventare d'oro al punto giusto di cottura, ma non bisogna dirlo troppo forte per non far inapostolire il vescovo... Questo è l'unico giorno dell'anno in cui si ha libero accesso alla Delfina Bizantina – già dichiarato monumento nazionale – e il Comune ha provveduto anche ai trenta vigilantes per tutelare l'asportabile da campers e Gallia Placidia.

La vestizione è compiuta: sotto il pergolato di vite americana, che si direbbe stravolto da automezzi altezza superiore al limite consentito, Teodora, in abito di tulle bianco con veli di seta ocra e violetto ripresi nelle falde del cappello di lacca bianca con nastrino alla marinara, aspetta il via. Chissà se Anastasia si è ripresa dalla shock di ieri, oggi a mezzogiorno era ancora intontita e non riusciva a capacitarsi né a dare una spiegazione. Quel prurito maledetto sotto il naso fino a mezz'ora fa, e lei ancora con la sensazione di farsela addosso... Che umiliazione! La prima cosa che ha gridato appena Teodora le ha strappato tutti quei cerotti dalla bocca è stata "Mio Dio!", un'invocazione, e Teodora ha fatto chiamare Vulvia dal campeggio, lei stessa non aveva abbastanza forza per trasportarla in bagno e lavarla. Era una crosta semovente dalla testa ai piedi, lo spago le aveva segato i polsi e il collo. Tutto quello che è rimasto nella camera blindata è un'icona sfigurata con enormi baffi... Le altre, sparite a puntino.

E il Sindaco adesso fa fare un giro alla manopola e schiaccia il pedale d'accensione; dal tubo di scappamento una nuvola di gas mette in fuga le sei vespe e i due calabroni. La civetta sta ritta e indifferente sul portapacchi, fissata con spago e scotch perché è stata imbalsamata tre anni fa. Viene spalancato il portone e sulle giubilazioni della folla si spalma lo "zzz" degli insetti a spalla dei cameramen. E oltre le transenne ecco farsi più distinta l'esultanza popolana.

«Maiala! Facci una scoreggiaaaa, scoppiataaa!»

«State indietrooo, largooo.»

Tutte queste grida Teodora le ha udite una volta, la prima, l'anno dopo s'è messa i tappetti di cera. Addetti lanciano manciate di riso e coriandoli e caramelle mou che inondano la grande massa a raggera dei rami in fiore dentro cui sorride inalterabile il grande viso bianco di Teodora in bianco e a venti all'ora. E stanotte, cha-cha e breakdance al Santa Sofia Disco Dance!

Una sera di qualche tempo fa Teodora si era trovata in treno da sola nello scompartimento. Stavolta era un espresso, ma più spesso prendeva dei locali, pochi chilometri e scendeva, paesotti dai nomi ridicoli, locande striminzite, gente completamente sconosciuta col fare di parenti... Teneva la faccia rivolta verso il finestrino e cercava un po' di sonno fra gli abbagli che tempestavano la fuga del paesaggio nella palizzata retta dai neri merdosi, dai grigi verdosi. Aveva tirato le tendine troppo corte della porta e per chi occhieggiasse dentro alla ricerca di un posto libero o altro, l'enorme ombra carnosa avrebbe potuto far pensare a un assembramento di emigranti con le scarpe levate. Lei, da sola, riempiva così bene qualsiasi spazio per sei da evocare una folla d'accordo sulla destinazione decisa da un soprassalto comune a una qualsiasi fermata. Infatti non aveva meta e ogni tanto le piaceva scendere in una località a caso, farsi largo in una pensione e trascorrere lì la veglia sino al mattino. Anche d'inverno e di primavera. Per farlo di solito si serviva del suo giocattolone a motore, ma quella volta doveva essere stato dal meccanico... Qualcosa doveva essere successo nella stazione che si era lasciata alle spalle o direttamente sul convoglio, gente sguinzagliata alle calcagna di qualche venditore abusivo di bibite, o delinquenti con la divisa da poliziotti in borghese, gente che assalta i viaggiatori con la scusa di proteggerli, impossibile fare distinzioni, lo spavento era lo stesso. Fatto sta che improvvisamente – avrà tenuto le palpebre calate da un tre minuti e, seppure stanca e veramente bisognosa di un bel sonno, sentiva il lieve russamento delle narici sincronizzate sulla bocca socchiusa – la porta venne scaraventata da parte sullo scompartimento così pieno e così vuoto oltre a lei, udì il clic della presa in alto, sbatté le palpebre ferite dalla luce cruda e davanti si vide la canna di una pistola spianata fra le narici e sopra la mano che l'impugnava un uomo e dietro alle spalle una seconda testa che sporgeva nel corridoio.

«Chiunque cerchiate non sono io,» aveva detto lei facendo un bocca-bocca con l'arma. I due indietreggiarono, lei sconsideratamente aveva aggiunto:

«A meno che non si tratti naturalmente di una rapina. Perché conoscendo bene quello che ti sta dietro escludo si tratti di violenza carnale, gli piacciono le tardone. Comunque, se volete favorire...»

E la voce si era adeguata al movimento a cuoricino della sonnolenza e del fastidio di essere ancora vergine e della mano che passava ai bottoni della camicetta e prendeva a sbottonarseli.

Quello che spuntava da dietro era il suo antico amore di discoteca con la goccia nera sopra il naso, un vero angioma adesso, barba di tre giorni e sguardo famelico di bambino invecchiato dietro assegni a vuoto di donne ricche ma volpine. E si era rigirata dall'altra parte, rinunciando perfino alla sfida di tirar fuori un seno.

Riprese a guardare fuori dal finestrino confondendo le due figure di stucco riflesse nella notte con una linea di granoturco arruffato di neri azzurrognoli dentro cui brillò la pistola abbagliata da un fulmineo neon sui binari, clic, e di nuovo quel luna-park di colori che non si vedono mai subito perché mancano di nome. I due avevano spento la luce, richiusa la porta e se ne erano andati senza spiegazioni, senza cercarne, senza inventarne. Lei viaggiava sempre senza il benché minimo gioiello.

È stata questa la sua ultima emozione, e in più aveva sistemato definitivamente il suo passato. Ma tutto ciò che oltre a lei passava dietro a un vetro o davanti a uno specchio o una vetrina le dava un brivido midollare, di scongelamento, e un vaso di cristallo – caduto di mano a Anastasia o da questa scaraventato ai piedi di Amilcara presentatasi con pizzetto – si era disintegrato in lei in una furia che implodeva in mille direzioni, lasciandola esausta ma non paga, e era stato strano come collera e tristezza e pietà di sé convolassero poi in un unico cha-cha-cha della mente canterina. E, vegliando, aveva scoperto i rossetti, i fondo-tinta, i mascara, le matite per il trucco, una demenza istintiva per gli abiti rossi con scollature vertiginose davanti e di dietro, i tacchi alti e i merletti intimi delle clarisse, rossi. Finché una volta non aveva preso per la tangenziale, fatto un po' di provinciale, schiacciato il pulsante dei biglietti automatici e, come in una fiaba, si era fermata alla prima stazione di servizio sull'autostrada, a Godo. Era entrata nel bar, aveva mangiato quattro paste, due spremute d'arancia buttate giù facendole gorgogliare, e si era guardata attorno. Quelle occhiaie di camionisti stralunati sulla sua camicetta non erano nuove ma vecchie di alcune centinaia di migliaia di chilometri invano. Era uscita zufolando, non aveva mai zufolato prima. Le era venuta un'idea, e per dieci minuti aveva dato un colpo di pinne al suo corpo greve e immacolato, antartico... Dopo, si era sentita ristorata, rifusa del sonno perduto per anni. Il conte degli Insaccati aveva, sì, ricevuto e visionato la video-cassetta e era, sì, arrivato alla Delfina Bizantina armato delle peggiori intenzioni, ma poi non era successo niente, niente che riguardasse *lei*. Per un paio d'anni aveva disperato di raccogliere le fila di quella trama scherzosa e far scoppiare qualcosa, da sola non ce l'avrebbe fatta a togliere *se stessa* a sua madre, che era tutto, era troppo, era anche *lei*. Poi, qualche mese fa, una sera di inizio primavera, di peregrinazione in peregrinazione, era capitata a Cattolica, al Santa Sofia Disco Dance: la mangiafuoco comica faceva uscire dalla bocca sessi in fiamme perfettamente ossidate con tanto di testicoli e riusciva a farla in pelo al tempo e a spruzzarci sopra il MOM... A parte staccare assegni a raffica per Amneris Sicionia e il suo compare Carlino, non si era più occupata di niente da allora – le cartoline le aveva in serbo da anni... E da quella notte dell'O.K. di Vulvia la sua solitudine pingue, irriflessa, incapace di scherzi a fin di bene fino in fondo, era andata in visibilio. La concentrazione di anni sui segreti di Antavlèva l'aveva sottratta a se stessa, non aveva un pensiero proprio ben definito, a parte quello di non sapere come l'avrebbe presa la madre, che per sua figlia aveva fatto tutto, anche l'amore... E che fatica riuscire a decifrare il calore simil-omicida della vampata cerebrale fuori da Anastasia, tutta presa dall'opera la cui prima era imminente! Ma, grazie alla verginità con la mossa che aveva dato una abilità nuova alla lettura del *suo* pensiero, dal bandolo si stava avvicinando alla matassa che avrebbe colto di sorpresa Anastasia.

... Specchio per specchio, carne per carne.

Sugli schermi di Telenovena arriva un favoloso animale post-storico, metà donna metà vegetale metà pesce – calza due pinne al posto delle scarpe – e l'immagine deborda fuori dal televisore di una buona metà. Fra la dura spuma dei fiori e delle foglie il viso di porcellana di Teodora è chiuso in un enigmatico sorriso da maschera orientale.

A metà strada, quando i cinereporter staccano un po' perché ci sono gli intermezzi pubblicitari – nessuna casa di prodotti dietologici ha mai voluto sponsorizzare la festa –, Teodora scarta con i denti una gomma americana. È un po' stanca di fare la bambina avvilita alla guida su percorsi stabiliti da Anastasia e dall'Ente del Turismo.

Ma quante cose nuove nell'aria di quest'afa!

Fra venti minuti Teodora arriverà al portale della Delfina Bizantina madida di felicità in suspense, pronta ma non più disposta a chiudersi per generare come queste campanule impollinate. Per custodire i propri desideri impossibili, incerti ma intensi di vaghezza – avere le sue cose, sfogare il corpo, restare incinta, diventare una donna normale –, occorreva adeguarsi alla messinscena di una campagna pubblicitaria su un prodotto fuorviante che rassicuri le altre sulla loro felicità, perché non s'immischino nella tua infelicità e tu possa tranquillamente spodestare qualcuna da un'identità che non le compete... E nessuno sarà mai da lei scontentato. Né accontentato a fondo. Men che meno, un potenziale animale che dipenda dalla sua pancia.

Alle sette il campeggio è in tripudio, tutti sono risaliti dalla spiaggia e dagli aromi di ginepro, rosmarino, lauro che s'intersecano nell'arrosto con la brezza salata, e a sera l'aria si inuma di appetiti festosi. Tutti i pedalò sono rientrati, i motoscafi ancorati al molo sono più numerosi del solito: sventolano bandiere panamensi, maltesi, portoghesi in generale. L'accesso dal mare è proibito e già da ore si respinge indietro quanti vorrebbero forzare il numero chiuso degli ammessi. Sul portale le autorità con fasce tricolori – oro, argento e porpora – impettiscono in completi carta da zucchero, e in alto, su tutto, al centro del sagrato, due culturisti in mezza tunica con greche dorate stanno a braccia conserte ai lati della bilancia, gambe divaricate e sguardo svuotato di erculei senza imprese. È il Carlino di Ferrara con il suo amichetto di palestra, il Mortimer, che devono il posto al pensierino del conte Eutifrone, giù in trance e in adorazione, vicino all'entrata delle docce, spalla a spalla con un vecchio improfumato che agita il braccio e cerca di farsi notare da qualcuno su in alto.

Il vecchio non ha perso di vista un istante Anastasia Kuncu... Cukis... in Cofani: l'ha inseguita fuggevolmente nel riquadro di una finestra, qualche brandello di ricordo che andava e veniva senza fissarsi bene da nessuna parte... a parte un carico di paglia o di legna, quando non sa bene... e la signora là nel riquadro era scomparsa. Con la targa bene in mente stavolta e tirata giù col lapis, è risalito a lei, passando per la "Resurrecturis", chiedendo per finta un funerale con trattamento di prima al distinto impresario – e guarda il caso! adesso è qui gomito a gomito – e poi facendogli discretamente altre domande; quella stramba che voleva le carogne gli aveva detto tutto e il suo contrario, che tipi che ci sono in giro, e aveva una gegia che sembrava una cameradaria bucata, oggi le lasciano andare in giro proprio tutte, e quanta fatica per niente, venire qui da solo e chi ti trova? Carlino lassù in posa; mai che perda occasione di fare due lire extra...

Sul carrozzone – funebre! non ci si poteva sbagliare: era proprio lo stesso! RA-I 54321 – c'era questa qua che sembrava uno sparviero appollaiato al volante, un bigliettone da cinquantamila in un artiglio, sigaretta nell'altro, in uno sciatto costume da bagno nerastro, di lana, un paio di taglie in più, e i capelli incollati in testa come tante frecce arancione, verde, rosse e ciclamino... e voleva sapere se, per caso, non era possibile avere un paio di carogne di cani, meglio se ben spolpate, non recenti come sepoltura... Che richiesta! ma per cinquantamila... e poi smamma, però, quando la stravestita gli ha messo una mano addosso... lui per cinquantamila gli ha offerto un marsalino e lei che insisteva, che bell'uomo, che fusto, dài che facciamo una bella padellata... Ma scherziamo, a lui piacciono le donne vere! Quando gliel'ha raccontata ai suoi compari di Malalbergo questa storia, che è appena un po' diversa ancora, l'ha infiorettata quel tanto per tenere allegra la compagnia e poi tutti in coro hanno detto che certa gente bisognerebbe impalarla tutta alla Festa dell'Amicizia.

«Carlino, ehi, Carlino! sono qui!»

Impossibile farsi largo fra la folla e arrampicarsi sul terrapieno, non tanto per la sua gamba, quanto per quegli stivaletti che hanno mandato in tilt le sue vesciche... Il conte squadra il custode del canile, già prevedendo o delle presentazioni o una catastrofe naturale.

«Scusi, sta per caso chiamando il giovanotto a destra della bilanciona?»

«Eh, sì, che prestanza eh? Vitamine, farina integrale, seme di soia... è mio figlio! E grazie ancora per i consigli, che prima o poi...»

Per certe cose il conte Eutifrone è proprio come la signorina Scontrino: le felicitazioni lasciamole al popolino corrotto, che non ha altro. Un gentiluomo fa sempre finta di niente finché non è costretto a far finta di qualcos'altro. E facendosi largo a gomitate si discosta dal futuro e perverso suocero e arriva su un'altra postazione, da dove contemplare a piacere l'oggetto della sua concupiscenza che ieri, all'improvviso, dopo i primi goccioloni e il fuggi fuggi dalla spiaggia libera, una volta in macchina, e lui al volante, gli ha detto facciamo un salto a Rimini, magari lì non piove a mangiamo in terrazza, e a che punto era con l'appartamento? quando cominciavano a darsi da fare? questione di pochi giorni, ha risposto il conte a Carlino fissandolo intensamente fra le gambe e lì al ristorante, dentro, perché c'era temporale dappertutto, il Carlino era inquieto, scontroso, e il conte per metterlo a suo agio gli ha mostrato due foto di donna Dulcis, la futura suocera, una da giovane e una presa di recente, non c'era differenza, carrozzella a parte, non essendo mai stata giovane non era mai invecchiata, e il Carlino non stava più nella pelle, aveva cominciato a dimenarsi sulla sedia, a dirgli che non vedeva l'ora di vederlo travestito così e si... sì! si era eccitato... quel pacco dentro i pantaloncini bianchi con lo spacchetto, si gonfiava si gonfiava e il conte ha fatto per allungare la mano sotto la tovaglia e... Carlino si è alzato di scatto, doveva telefonare subito alla fidanzata, era urgente, e il conte è avvampato di gelosia e di libidine, lo fa andar via di testa quel ragazzo, ripensava al suo duplicato del duplicato, non osava riproporgli il pié-dater, e quando il Carlino è ritornato al tavolo era più in tiro di prima e gli ha detto «Ti piacerebbe toccarmelo?» e il conte ha fatto per infilare la mano sotto la tovaglia oh! doveva essere un Nabucodonosor così, *così*! ma Carlino gli ha dato una pacca sulle dita, ha arraffato il portachiavi e ha detto «Vado e torno», un appuntamento con la tipa? andava a procurargli degli abiti femminili che gli stavano particolarmente a cuore? Carlino era volato via mentre il conte non sapeva, non capiva, rapito, assatanato, indignato, emozionato, ha fatto per alzarsi ma la spaider era già là che svoltava dal litorale e il Carlino nella concitazione aveva preso anche le foto della signora madre... Sarà rimasto lì fra Rimini e acquazzone un quattro ore, su e giù per la passeggiata, a mangiarsi le unghie, a darsi della scema, a rosicarsi le pellicine, in attesa che riapparisse il Carlino. Sì, non era mai stato tanto felice, Carlino era l'uomo ideale con cui mettere su casa e la testa a posto.

Anastasia stamane, in camera sua, persiane abbassate, aiutata da Vulvia accorsa dai preparativi culinari della Delfina con tutto sui fornelli – grazie al cielo Amilcara rientrata, già scotta, e che le arabe, brave nell'artiglieria pesante ma a letto fin per carità, più fenicie di lei –, s'è lasciata lavare e vestire e pettinare e truccare immobile come un manichino. Dapprima non voleva dare spiegazioni sulla sua serata, poi lentamente ha vuotato la cimatura del sacco e le ha stretto forte un polso. Ha cominciato a farfugliare che lei non aveva affatto rubato l'argenteria agli Insaccati, né tre, né due né un solo chilo, niente, quel giorno che era stata invitata da donna Dulcis (neanche da semiincosciente Anastasia riusciva a dire una verità senza attaccarci almeno una bugia) e che il conte la ricattava per questo da quattro anni in qua, e che le sue richieste continuavano a aumentare e, si sa, quando si è innocenti l'unico modo per dimostrarlo è far finta di essere colpevoli... Un assegno, disse poi. Di settantacinque milioni... Che poteva fare? «Ucciderlo come dico io, un pâté con un po' di atrazina e una goccia di colonia, penale...», ha suggerito lapalissianamente Vulvia mettendole l'ultima forcina... Era quello che aveva sempre pensato anche lei, glielo confidava come a una... sorella? sorello? sorell? ma non poteva, non poteva accontentarsi, e sì, l'assegno era post-datato, non aveva il coraggio di bloccarlo in banca, tanto se tutto andava per il verso giusto domani sera, alla Rocca Brancaleone, Paquito... Di più non poteva dire. «Ucciderlo come?», «Con una garrotta, per sempre, ma lentamente, quasi mai del tutto...». Poi Anastasia si era di nuovo rinchiusa in se stessa e non aveva più spiccicato parola, le aveva lasciato il polso affranta, forse nemmeno consapevole di non aver parlato a se stessa ma a un'altra. E Vulvia era corsa da Teodora immediatamente per un consulto intanto che aiutava a vestirsi anche lei. Gli estremi dell'assegno. Un bigiottiere a razzo, anonimo e fidato, per un duplicato del segno di riconoscimento. Dovevano incastrare il Bararosa in un battuage d'ali fosforescenti. E una poltrona, o forse no, due, possibilmente di primissime file... Settantacinque milioni il contessino del pisello! Neanche fosse lui a doversi far operare in zone da primati Guinness!

E le fosforescenze fra cose, intenzioni e azioni e scarti del caso all'ultimo istante, furono tutt'uno e in gran completo.

Anastasia, arrivata da cinque minuti, nella sua stanza sopra le cucine della Delfina, tirata su di morale da un quattro minuti di sniffatine, ma vacillante, intontita, senza presagi, è pronta per la Gran Pesa... E fuori sulla porta della sua *garçonnière* i gemelli che le si strusciavano contro, la natura in visibilio, e lei che dapprima aveva cominciato a sussurrare "signor Conte, Conte Eutifrone...", le risatine da dentro, le voci, non era solo il fedifrago, e lei aveva preso a chiamare a voce normale e poi a battere i pugni sulla porta, poi a prenderla a calci e a spallate, niente, nessuna risposta. E s'era messa a inveire cercando al contempo di non spaventare i due tesori imberbi che, temeva, se la sarebbero data a gambe levate da un istante all'altro, che aprisse, che sloggiasse, non erano quelli i patti, che era stufa dei suoi sgambetti, che questa non gliela perdonava... Anastasia si fissa nello specchio: sta solo sognando di essere sveglia? Ma cosa è successo veramente? come è potuto succedere, a lei? Eppure giurerebbe che quei delinquenti dei Farfarello e genia erano convinti di renderle un favore, una specie, un omaggio estremo... E i due farabuttini che appena arrivati alla Palazzina volevano giocare agli indiani, loro, e lei a fare la donna bianca legata al totem... Ma prima di risolversi a fare quello che non aveva mai fatto – portare *due* uomini alla Palazzina – da dentro la *garçonnière* era uscito un tonfo e poi uno scoppio e da sotto la porta l'acqua che gorgogliava e il conte che rideva a crepapelle, lui e il suo trovatello di turno. «Il materasso!» cinguettava sguazzando coi piedi come in una tinozza d'uva, «Oh, il materasso! e i tappeti!», ripeteva soffocando le risate, «I tappeti persiani subacquei!» e poi finalmente si era rivolto a lei dalla serratura: «Gira al largo, colica!»...

Anastasia non s'immaginava di quali contorsionismi fonici era capace la Vulvia.

Automobili e moto e biciclette e tandem continuano a inondare la landa e gli ultimi due chilometri di ciglio di strada. Ci si accontenterà del clamore e degli odori finché i più scalmanati non avranno sfondato le linee del portale.

«Arriva!»

«Arriva la balena d'estate!»
«Sulla sella che scotta!»
Nell'indifferenza generale all'interno della Delfina si accendono i quattro riflettori piazzati sul campanile, lo sfarzo elettrico si smorza nella luce naturale che ha ancora la meglio su piscina e chiesetta e Gallia Placidia e brulicare di centinaia di sagome che si sgolano reclamando i tortellini al ragù.
Stavolta Paquito non ha pazientato come l'altra volta: appena rientrato dalla prima messa con l'ostia attaccata al palato, consegnatala alla signorina Scontrino in delirio, quasi affettuosa, visto lo spaventapasseri divelto a sinistra della spiaggia, ha capito al volo, non voleva altre lavate de cabeza, ha fatto tutta la costa finché non ha avvistato Scopina a Porto Corsini, l'ha presa di brutto per il bavero e l'ha trascinata dentro il motoscafo, legandole le mani con la rafia che era lì perché non scambiasse l'elica con un frullatore; arrivato al molo della Delfina, l'ha scaricata di nuovo entro i due limiti ripristinati da entrambi gli spaventapasseri. E adesso Scopina è lì che segue a naso per aria una sua nube tossica di suoni sporchi e di lattine che si abbatte sui falò che vanno congestionandosi qui e là lungo il perimetro della spiaggia. Crepita e sfrigola e di nuovo scoppia nell'etere la brulicante pattumiera umana manducante in bikini, bermuda, cappelli, parasole, fazzoletti unti di olio solare, sandali, zoccoli, sporte e sportine e parrucche di nylon alla cleopatra sulla cui salsedine rimbalza ora spiovente la palla infuocata del sole fra l'azzurramento sarcomatoso degli eucalyptus in cima alla collina. Ecco giungerle uno scatenamento d'urea dal pozzo nero degli applausi e degli insulti adulatori da lassù, di chi è rimasto fuori da questo acquaio di calcare e ruggine e melmette sugli umani sporchi all'interno in maniera irreversibile. Ha le tasche piene di cosi di plastica trasparente e appiccicaticcia, se li è provati tutti, ma non ci passano più di tre dita, no, una sensazione tattile di già preso in mano, per sbaglio, non sono questi i guanti che cerca lei nel fondo del suo oblio dove sfiata un «Vuoi tu...?», «Sì».

Teodora ha imboccato la discesa, comincia a frenare, mette in folle. Smonta porgendo il braccio a uno scherano in costume mentre i flash si susseguono frenetici: una fanciullina coperta di gigli e tuberose e convolvoli azzurri e margherite e la testa incorniciata di tortelloni alla zucca cuciti su una piadina ritorta si fa avanti reggendo un cuscino, sul cuscino un paio di forbici d'argento, luccichii di damasco e oro brunito. Teodora taglia la ghirlanda di nastri e zamponi di Modena e subito la fanfara attacca un inno di ottoni e tamburi, maestoso, parmense. Dagherrotipamente la Delfina anastasica si avvia su per il sentiero che, costeggiando la piscina, porta al sagrato. Mima carezze ai bambini esultanti intorno – Vulvia prima ha distribuito a tutti un suo pacchetto di caramelle speciali – che vogliono toccare un velo a Biancaneve.

«È vero che li nascondi tutti e sette lì dentro nella pancia?»

Teodora fa di sì col mento. Bisognerà fare in modo di rinunciare alle pinne l'anno prossimo, un tormento.

«Papà» chiede un bambino scartando una caramella «i drogati sono fatti come noi?»

«Di più, caro, di più»

Anastasia è apparsa sopra a tutto, lassù, dietro alla bilancia e ai due energumeni dall'espressione impressionante e inutile ai lati, lei elevata sopra un capitello di cartone rinforzato per sovrastare magnifica nella nuova scenografia impostata da Vulvia che si è servita del conte Eutifrone come tirapiedi. Risplende Anastasia di uno smalto cupo e già un po' sfiaccolato dal sudore. Quel senso di corte vertigini non l'ha ancora abbandonata. È desta o sta cercando la pera dell'abat-jour? La luce dei riflettori comincia a manifestarsi svaporando attorno al suo peplo purpureo le cui lingue di fuoco in lamé lambiscono le poderose cosce luccicanti dei due caudatari.

... E Fritz e Moritz, mentre lei implorava che la slegassero che le doleva il collo e che quel Far-West non le piaceva, avevano fatto man bassa della lapislazzola e avevano preso a girarle attorno nella danza della morte, invasati, sinistri, e Moritz, dopo tutto quello scombussolamento dei corpi, le si era accucciato sulle ginocchia e aveva lasciato andare la prima scarica con un perfetto aplomb dal mento alla scanalatura del seno. E era cominciato l'inferno: si davano il cambio, sembravano averne una scorta inesauribile negli intestini, mentre lei implorava pietà, che era di gusti semplici, che bastavano un paio di colpi alla missionaria, e erano arrivati con cerotto e forbici per tapparle la bocca, il cuore che le scoppiava dalla paura e respirava male, sempre peggio, per via dell'incrostazione sulle narici, e poi cominciavano a fare quei baffi e barba alla madonna... E poi Fritz aveva detto all'altro, ritardano, dài, inchiappettiamoci intanto che arrivano, e lì, sotto i suoi occhi allucinati, sul tappeto, presero a avvoltolarsi, a pizzicarsi e a mordersi sulla nuca avvinghiati corpo dentro corpo, leccandosi, baciandosi vischiosamente come formichieri, sputandosi e sputandole addosso e poi si chiedevano "scusa un momento" e ritornavano alla carica e spingevano sempre meno forte e ogni volta che cambiavano ruolo e posizione le domandavano *en passant* di qui e di là se nessuno l'aveva mai infilzata così, e così, e così. Finché non aveva sentito un motore da giù, stavano forse venendo a liberarla, a scioglierla da quello *zabaione*, il rumore del portone che veniva rinchiuso, stronzi, che bisogno c'era di perdere tempo, e la sua bambina, mai che fosse lì quando ce n'era bisogno... E da sotto la cappa del camino erano apparse le facce severe dei Farfarello madre e padre. Avevano cominciato a staccare, a passare di braccia in braccia, interrompendosi anche loro per darle un compìto benservito di merdoline liquide che, secondo Hitlerine, rispondevano a quella loro teoria colorata che a Anastasia sfuggiva del tutto. E allorché uno per uno si erano ripuliti con la carta igienica e gliela avevano infiocchettata per bene dentro capelli, guance, petto, cosce, piedi, e si erano tirati su le mutande attenti a non farsi vedere, pudicamente, tutti si erano girati sulla porta con la penultima icona sotto il braccio e in coro avevano detto, «Grazie di tutto, ti ricorderemo nelle nostre preghiere incretiste». E avevano sbattuto la porta della camera blindata e dall'esterno nessun rumore sarebbe trapelato nemmeno se si fosse messa a fare la capriole con la sedia per terra e a sbattere di qui e di là. Cosa che aveva fatto... E nella testa le sibila adesso un ordine che le scotta le iridi, fisse sul suo impero fonte di tanta crisi: "*Brucia!*". Ma i suoi doveri di sacerdotessa-madre la richiamano istintivamente alla percussione del suo compito mondano e ora leva in perfetta simmetria le braccia alla terra, al mare, al cielo. "*Brucia, Delfina mia!*" tuona di nuovo la voce demoniaca. Com'è cocente questa smania di distruzione non appena ti va storto qualcosa! sorvoli l'impero della tua vanagloria e già spargi mentalmente taniche di benzina in giro. È qui che doveva arrivare? Sì. Per distruggere tutto ciò che non ti fa più amare *per te stessa* ma *per tutto ciò*. Non era stata attenta, non aveva tenuto sotto controllo l'intelligenza vezzeggiata dal successo: non è più questo che intendeva raggiungere, non questo che voleva, non com'è, non così... Tutto quello che avrebbe voluto da ragazza sarebbe stato restarsene con la matrigna che l'aveva trovata nel trogolo e poi l'aveva tirata su a forza di calci nel sedere, non essere tradotta a forza da don Serafino in una casa lontana che non conosceva e dove gli uomini almeno insidiavano le donne perché avevano una collezione non di icone ma una di curve... Cristo Re, se soltanto avesse adesso un terzo braccio invisibile per tirarne fuori una presina!

Teodora avanza con un leggerissimo fiatone su per il pendio; dall'ultimo Festino non ha mai più fatto tanta strada a piedi. Ecco che posa la scarpetta pinnata sul primo gradino del sagrato. "*Scoppia, amore mio, bastardona mia, scoppia!*" ulula la voce prigioniera, "*Scoppia con me*" rantola Anastasia.

«Lunga vita alla Delfina Bizantina e ai suoi illustri ospiti e a Ravenna tutta!» grida finalmente Anastasia. È la penultima scena del copione fornitole. Tutto qui...

L'impiegato di banca Farfarello ne prendeva a bracciate, e moglie e i due mostri facevano catena dal pianerottolo fin giù al giardino, certo a quella loro roulotte che chissà come aveva fatto a passarci. E dalla cinquantesima in poi tutti insieme avevano intonato quello strano, normale canto di chiesa, come un inno di riconciliazione a Dio e agli uomini e fra loro stessi... E tutto che era sembrato andare storto sin dalle prime battute: la spaider di Eutifrone parcheggiata là fuori, rosso depravata e cementata nella pavimentazione come una fioriera. E lei che stufa di implorarlo aveva detto ai gemelli, «Seguitemi. Andiamo a casa mia», sperando che Teodora non ci fosse troppo. E dopo appena dieci minuti di quel gioco, lei aveva sperato solo che ci fosse stata almeno un poco, quel tanto per avvisare la polizia. Invece no.

Capace Teodora di esserci stata e di non essersi accorta di niente, povera bambina senza tutte le ghiandole a posto...

Il *clou* del Festino è stato fissato alle dieci. È stata Vulvia a organizzare quel budino agonistico col fango e tutto, scavalcando di nuovo il conte, esterrefatto da tanto piglio imprenditoriale. I cartelli distribuiti ai quattro angoli della Delfina dicono: "Biancaneve contro la Strega Cattiva – Catch Femminile ai punti – Impresa Teatr. Sicionia Amneris". Vulvia è un portento di trovate e di amorevolezza – l'abilità senza commenti per esempio con cui stamattina ha lavato e aiutato Anastasia a rimettersi in sesto, la sveltezza con cui le dita hanno fonato, pettinato e rialzato la torre oltraggiata... Come se niente fosse e lei stesse semplicemente facendo apprendistato da parrucchiera, ha raccontato a Anastasia che stamattina s'era svegliata alle quattro per preparare il ripieno dei tortellini fatti in casa e al momento, mica puoi darci ai romagnoli i tortellini con una sfoglia di ventiquattro ore prima. Pane grattugiato, uova, formaggio – ah, l'effetto tonificante che avevano i nomi saputi e risaputi degli ingredienti nelle sue orecchie ancora non bene ripulite! – fegatini di pollo tritati, una spruzzata di prezzemolo, noce moscata un'ombra, cannella un sospetto.

Vulvia la Simonmaga ha omesso di dirle che forse ha esagerato con quella sua spezia istrionica per legare gli ingredienti snocciolati a rosario: una spremitura di "Fly", dei due tipi, a bagnomaria da due giorni. L'effetto sarà ritardante, certo a catch ultimato, niente tempi morti quando organizza lei, come quella volta, a Ferrara, che alle quattro in punto sarebbe passato giù dalla strada del carcere un corteo di agricoltori per studiare con i ricercatori CEE "Il vento canapino nelle baldorie degli Schifanoia" e eventuali colture di canapa indiana nei pressi degli Eros Center così fiacchi, e c'era la televisione e non un minuto da perdere per convincere le restie all'ammutinamento e a montare sui tetti, e lei alle undici e mezza aveva buttato nel calderone della zuppa tutte le tavolette di "Fly" che aveva, cinque scatole più la bustina di semi di peperoncino omaggio, e con perfetto tempismo si scatenò quella famosa rivolta seguita da quell'altrettanto famosa epidemia di vaginiti con prognosi riservata. Le donne, dacci un'occasione televisiva per protestare contro l'isolamento umano, e si mettono in posa a decine aggrappolate sui cornicioni, a mangiarsela, a sbranarsi le tette, una addosso all'altra, delizioso venticello da canapé, pensavano concordi gli agricoltori-tenutari, una messe insperata di fighe furibonde, protese come tegole, un tananai di vilipese pensili, prensili – e un gran successo per la rivolta e l'ideale europeista di togliere le dogane per i beni di largo consumo...

Dal largo due vele fanno spola per seguire l'avvenimento con i cannocchiali: s'incrociano, combaciano, dipartono.

«*Santa Santabarbara, salta per aria!*» sferza la voce sulle corde irrigidite dal terrore di sé... Anastasia non ha mai avuto un colpo della strega così lancinante nella sua contraddittoria astrazione.

... Teodora scosta i veli da dietro, con precauzione si siede sul piatto della bilancia aiutata dai due dolomitici bamboloni, e piatto e Teodora toccano terra e l'altro fa un ultimo saltello in alto, e Anastasia, che non ne può più, può abbassare le braccia e chiudere le ascelle i cui vapori hanno scontornato la fissità della scena, rendendola più languida, sospirosa, di nausea in sospeso. Anastasia ora batte il sistro: una, due, tre volte e ecco che campeggiatori e bambini prendono a sfilare davanti alla bilancia e vi depositano salsicce, pacchettini di würstel, pacchi di pasta, conserve alimentari, pancette, mortadelle, prosciutti, e Teodora impercettibilmente prende a sollevarsi da terra... Non c'era più una sola zona d'ombra nei pensieri e nelle attività giovanili della madre in cui Teodora non riuscisse a insinuarsi... All'inizio non era per curiosità di conoscere di lei il suo vero passato, era per un concatenamento naturale: si concentrava sui pensieri della madre perché contenevano anche i suoi, che le erano stati portati via. Frugava nella mente turrita di lei per riprendersi i suoi bigodini. Ma non ce n'erano: sua madre aveva i propri e in più aveva i suoi mischiati a altri, propri anch'essi. O forse quelli di Teodora avevano fatto da concime e lei non ne ritrovava più uno di sua competenza coniatrice, erano tutti pensieri brevettati da Anastasia, ritti su steli duri di una lega vampiresca ottenuta facendo la punta anche ai suoi di sogni... E poi era riuscita a cogliere anche quel filo di ragno fra Anastasia e Paquito e il conte, e ora darà lei precisione alle nebbiose intenzioni di Anastasia sull'uso della garrotta intravista appena arrivato lo spagnolo... Molto più facile era stato mettere il conte sulle perdute tracce di Antavlèva. Ma si era subito arrestata, non ce l'avrebbe mai fatta a procedere da sola, troppo esplicito movimento, troppa azione, troppe cose da spostare. Per alcuni anni Teodora aveva lasciato perdere quel "pan per focaccia", ma senza smettere di insinuarsi nei segreti di Anastasia, nelle false crisi di una depressione impossibile...

Si poteva piegare il finale della tragedia nell'intervallo di una farsa... Prevedendo l'eventualità del caso e la cas lità dell'evento si poteva... Un colpo d'ala nella terra-di-nessuno dei suoi pedinamenti mentali e di fatto – come quando, *per caso*, era capitata a *Pietroburgo* e, *per caso*, era scesa nello stesso "Las Vegas Motel" di Anastasia...

C'era un filo parallelo fra l'obliquo desiderio di vendetta di Anastasia contro il conte e lo scherzo a fin di bene di Teodora nei confronti di Anastasia... Perché Anastasia ceda Teodora a Teodora bisognerebbe umiliarla in modo speciale, farle piegare la torre, e che vomiti fuori tutta quella volontà apprensiva di prevedere e arginare e stabilire quale futuro per la sua bastardona... Ma non era necessario che lo scherzo andasse oltre, Teodora le lasciava intatta la spettanza della *sua* vita, se gliene rimaneva *una* una volta ritoltale la *propria*... E c'è un fior di fantasma con gli stessi ricciolini tiziano henné a portata di mano che potrebbe fare le spese di questo duplice esorcismo: un interposto nessuno, la simulazione di un protagonista, la maschera più nessuno di tutti: l'immagine di *esso* nello specchio... Pazienza se dietro lo specchio l'immagine era fatta di carne e ossa... Teodora ne sa qualcosa. Era *morta* nella trama di quei girasoli dall'altra parte dell'arazzo... Anche lei era stata un fantasma di seconda categoria, una vita a portata di specchio, la vittima più naturale. E ignara come una piccola fioraia.

Teodora, a questa intuizione sanguinaria ma equa, si era sentita *viva*: un pensiero *suo*, finalmente, suo di lei. Come Anastasia si servirà di Paquito, lei, più che di Vulvia, si servirà del caso: lo raggirerà, lo comporrà, lo prevederà, lo innerverà dei suoi pensieri... Ma cos'è questo gusto nuovo sul palato? Si direbbe... Un gusto di eternità?

Se una riusciva a dare corpo al capro espiatorio del capro espiatorio, chissà mai dove poteva arrivare...

Scopina ha preso a salire dalla spiaggia a occhi sbarrati, abbandonando, strano, i suoi utensili infantili e il sacco di plastica nero. Segue un fiuto improvviso di mamma e di moglie e di casalinga nell'aria, guidata da una pazzia nuova, remota, forse solo antecedente... un internamento diverso... una pazzia non riconosciuta ai fini pensionistici?... "*Le marchette volontarie, le marchette volontarie...*" è il ricordo vociante dentro la normalità che la spinge su dove sta quella sagoma non sconosciuta in tunichetta romana, le marchette volontarie sacrificate anche quelle per dargli un'istruzione, non farlo sentire inferiore, è figlio unico, le marchette volontarie mai versate delle donne che partoriscono e fregano scopano cucinano e lavano e stirano e il televisore acceso a fargli compagnia e... Chi glieli ha nascosti? "*Dove me li avete nascosti, eh?*"... sarà meglio prenderne una dozzina e essere lei a nasconderli da ogni parte... Odore di figlio, odore di marito... Scopina si fa largo.

Il conte Eutifrone e l'impresario di pompe funebri si sono sfiorati un attimo fra la folla, i loro sguardi di sussiego, di stizza, da perfetti estranei, un reciproco sbattito di ciglia e nessuno dei due ha contemplato la possibilità di una somiglianza, esclusa da un istinto di concorrenza, sorvolando nell'altro un rivale con delle mire sui due bocconcini ai lati della bilancia... il conte ha un brivido di terrore al pensiero che chiunque potrebbe rubargli l'occasione di... Perché il Carlino gli ha, sì, giurato amore eterno riportandogli la spaiderina ma gli piacciono le cose a tre al limite, con una tipa di mezzo; insomma, due uomini e una donna, e ieri quello scherzo di prendergli la macchina era per una cosa molto grave, molto ma molto grave... era rimasto incastrato... sì, la morosa... E il conte, all'idea di lui e Carlino e un'altra donna, ha detto giammai, e allora Carlino ha detto travestiti te da donna e porto un mio amico che fa culturismo anche lui e gli piace in tre, e poi è andato sul discorso "incidenti di percorso" e che anche al suo amico, un figaiolo unico al mondo che quando fanno la doccia assieme dopo l'allenamento gli arriva al ginocchio, gli era successo lo stesso patatrac con una tipa e... no, non stasera, no... e che bisognava aspettare ancora un po', appunto, perché lui appena finito il Festino deve partire immediatamente, oh che guaio, a Firenze, incinta di due mesi, fuori il dente fuori il dolore, capito adesso? l'accompagna là, conosce una che li fa, la stessa della tipa del suo amico, un milione e via... altrimenti è incastrato per sempre... E se lui si travestiva da donna avrebbe chiuso anche tutto un occhio, che almeno certe cose con lui non sarebbero successe, e che anche il suo amico moriva dalla voglia di stare con un'emancipata e senza menate di pillola, ma dopo quel trauma... Scaricata la ragassuola metterà per sempre la testa a posto, promesso, e che è anche per amor suo di lui che la fa abortire... Un milione, più le spese d'albergo, e dove andava lui a trovare un milione?... se lui poteva... E il conte furioso, nero dalla rabbia, commosso, in calore, col groppo in gola, ha fatto una corsa al Bancomat e ha ritirato tutto quanto aveva: la mancia mensile di donna Dulcis. Due giorni a Firenze e poi insieme, per sempre... Carlino avrebbe preso una rappresentanza di forniture alberghiere per la zona, aveva la certezza di non pesare sul bilancio familiare, e restituire il debito... E nel tempo libero, oh, avrebbero fatto all'amore da mattina a sera, si sarebbero svagati andando all'opera, comperando in giro i pezzi di mobilio giusti, e che lui aveva un debole per il retrò, anche in fatto di vestiti femminili... La vita del conte nelle ultime emozionanti ventiquattro ore ha preso il volo, densa di sorprese, e quell'altra stangata a Anastasia da riscuotere lunedì per i minuti piaceri: una casa o un giro per il mondo con l'uomo della sua vita per sempre, alla faccia della madre tirchia, cieca, sorda ma con la firma in pugno... Carlino è imprevedibile, lo fa impazzire, una romanza d'amor dietro l'altra, e anche quest'altra prova d'amore che supera ogni libretto: un intero aborto... E in più quel suo amico a letto, quello stallone dagli occhi di ghiaccio, un menage a truà in due... si procurerà la cavalcata delle Valchirie domani e poi andrà all'opera, da solo – che peccato, visto che ha due poltrone gratis... E se intanto il suo amico, tanto per la compagnia?... ma no, Carlino di lui non è geloso, sono cresciuti insieme, un amico d'infanzia, sarebbe come se venisse lui in persona alla Rocca Brancaleone... E se è geloso, tanto meglio! Ah, quante cose buone dal mondo! e che non bisogna mai disperare, il vero amore arriva sempre prima o poi, il vero amore non ha età... certo bisogna restare piacenti e bere quattro litri di acqua al giorno per la pelle e avere molti interessi artistici, il sesso non è la cosa più importante in un rapporto fra due *persone*... tre, se si traveste da donna... ma sì, *wyh not*?, un capriccino ogni tanto, di comune accordo, è un'impostazione moderna, giusta, di una relazione, siamo nel duemila... basta non dare nell'occhio, un conto è sospettare un conto averne le prove, la discrezione in società... e lui ne ha tanti di nipoti di quell'età, una piccola bugia e... Qualche *tualèt* parigina di donna Dulcis, oh, gli sembrerà di essere ancora fanciullino, un girocollo di volpe, una vestaglietta di raso nero o mussola, una borsettina con le perline nere, un *charleston*, un cappellino, per non star sempre lì con una parrucca alta 30 centimetri che sembra una torre... Gli uomini si accontentano con poco... e, dio santo, come avrà fatto Carlino a capire che il suo sogno più segreto è diventare donna al cento per cento nell'intimità?... poi in un domani lo consiglierà Carlino stesso, glieli mostrerà lui nelle vetrine, questo sì questo no, quello ti starebbe bene, e gli accessori e le sottovesti, oh!... e Carlino entrerà e darà le taglie giuste, dirà "Sono per una mia amica, un regalo"... Riecco quell'invadente. Ma che ha da guardare tanto in su? avrebbe proprio voglia di chiederglielo che ha da fare tanto gli occhioni dolci al suo amante... ai suoi tutti e due di maschi... Tre capelli sulla pelata rosso Rita e un pedigrì di culi di bicchiere e chissà che si credono... una proletaria incattivita, lo si vede, uh che spudorata! lo fa apposta di non abbassare gli occhi... Ma questa è usurpazione di territorio bella e buona...

E il punto di vista scivola dal nobile all'ignobile: ... uh, che aristochecca quella lì, guarda che altera che è, e come mi fulmina con le occhiate, neanche fossero suoi, e a chi crede di fare sciò con quello sventolio di sciarpetta? se crede che sgombro il campo si sbaglia di grosso... Tre peli in testa col riporto rosso Hayworth... Tintaaa! troiassaaa! e che occhiali da persa, neanche Carmen Miranda! Qui sono e qui resto, staremo a vedere. I giovani che meritano lui li può rivestire da qui alla bara se si tratta di battere in regali...

Teodora sale di un po' pepatamente triste. La notte la solitudine obesa degli anni la lascia sgomenta sul davanzale della giornata, un altro gradino solitario e uguale a se stesso, senza giù né su, lei oppressa fino alla ridarella dalla stanchezza dell'insonne, incuriosita dalla caparbietà dei sentimenti di donna andati a male registrati una volta per sempre nell'animo rivendicativo del sogno. Un cortometraggio inviatole proditoriamente nella testa dal passato di una madre. Eppure lei è cresciuta, non solo aumentata di peso... E se durante il giorno non dà importanza alla pizza sognata e ridimensiona la struggente scena d'amore di *lei* e lui in taxi, sa però che una notte di queste l'incubo tornerà splendente di lampi reali, sfolgorerà più vivido e scavato l'accostarsi delle labbra a quelle del maschio, più spietata e sfumata l'infelicità insopportabile che sgocciola dalle salive congiunte senza chiederle che ne pensa *lei*, e lei ne smorirà, sbuffando... Facendo da contrappeso agli ultimi doni deposti, cerchioni di salamelle di puro suino, sente di essere attesa al varco di una mostruosa pienezza onirica che le si rivelerà con la cruenza della forza bruta delle voglie assopite e quando meno se l'aspetterà: di notte, indifesa, in uno dei suoi rari sonni profondi, in balia di cellule catalettiche che sfiatano con l'arbitrio di una soave violenza il corpo accumulato attorno a un'alzatina di spalle senza sospirare... I condotti lacrimali, per esempio, quella nozione scolastica, neanche da lì è mai uscito niente, non ha mai pianto, lei... Anastasia invece ha estromesso tutto di sé, tutti gli umori dell'essere e della donna... Teodora ha il suo carrozzone e la pianta di melograno, uno spillone che vale una fortuna, un conto corrente di cui non si è mai occupata limitandosi a estinguerlo per trovarlo sempre rifornito a sazietà, e di tanto in tanto ancora un sacchetto di palloncini colorati da gonfiare guidando... Non è molto, ma c'è gente che vive nell'ambito di illusioni molto più grosse e non ha, in sostanza, nemmeno la consolazione di una *suite* al Grand Hotel di Rimini dove lei fa scalo per andare a cambiarsi e a farsi una doccia... È stato lì che le è venuto questo pensiero consolatorio e che si è sentita per la prima volta capace di stolidità, di superba ignoranza, come di un organo in più, artificiale ma bellissimo che poi finisce per essere chiamato natura: una vista in avanti, in su... E è stato lì che per la seconda volta in vita sua ha fatto venire il parrucchiere in camera per vedere come stava con i capelli tutti su bene, a torre... E mimetizzata nella sgargianza di Anastasia ha cominciato a introiettarne anche la feroce ottusità che la rendeva la più viva delle donne conosciute... Teodora impercettibilmente ha cominciato a trasformarsi, a occupare un senso di postazione appena abbandonata da altri... A salire, come unico surrogato del vivere.

La fiumana continua a riversare sul piatto caciotte, una forma di grana padano, una di reggiano, una di parmigiano, scatolette di cipria da un chilo, profumi a bottiglie, fasci di fuochi d'artificio, ma ce ne vuole, Anastasia non ne può più, e ecco il conte Eutifrone con il suo solito regalo da tre anni a questa parte, lo spilorcio, un 33 giri, "Melodie Eterne – Nelly Nellah for you", e guardalo! poter scendere dal capitello e mollargli almeno uno sberlone... come se niente fosse, e mi sorride anche e mi fa anche l'inchino... e schiaccia l'occhiolino a questi due rimbesuiti e sfila via... ma ne ha per poco... venticinque ore di vita...

L'impresario funebre è la seconda volta che viene qui, visto gli sberloni della prima volta e il cattivo sangue con la Cofani, per via del codicillo nel contratto di compravendita e c'è una causa in corso che si trascina, ha pagato centesimo su centesimo e ha estinto il debito per poi accorgersi che sulla "Resurrecturis" esisteva un'ipoteca... accesa dalle suore, certo un cavillo per incastrarlo, deve tenersela buona fino a che il tribunale non gli darà pienamente ragione... e siccome al supermercato c'era questa confezione così bella, adesso lascia cadere un pacco di assorbenti multicolori con sul cellophan le "Donne al bagno" e sotto il nome della ditta, un po' palancaio, Monet. A una signorina fanno sempre comodo e poi basta il gesto... consigliatogli dai suoi avvocati... a volte vale più un'attenzione che una sezione di tribunale...

Teodora sorvola il pacchetto sorridendogli garbatamente: l'imminente Ex non può sapere, nessuno sa, nemmeno sua madre; mai avuto cose sue... Se solo lui si immaginasse che domattina in cambio riceverà un regalo di cinque milioni di lire con astuccio più due inviti poltronissime "per fare la pace"... Ma il carico non basta ancora, e ecco arrivare uno a caso dei cloni libici con un missile a spalla fatto di datteri e ananas e banane intrecciate assieme, e Teodora sale di un bel po'...

Adesso!

Una figura alta, e, per chi l'ha già vista, un po' più alta di ieri, avvolta in un lenzuolo di garza trasparente che copre la testa e lascia scoperti solo gli occhi – senza ciglia! – appare dal basso colpita da un riflettore rosso. Un silenzio di tomba cala sulla folla: la figura avanza portando un dono avvolto in stracci che si direbbero sporchi di sangue vecchio, dall'involto informe spuntano due cosi laterali – arti? –, la figura magrissima incede come sospinta dal rezzo, sembra volteggiare a qualche centimetro da terra e il lenzuolo avvolge abbondantemente anche i piedi e le eventuali scarpe. Anastasia non riesce a distogliere il viola atterrito del suo sguardo. Lo strano regalo viene deposto come un fuscello e Teodora sbalza d'un colpo in alto e dall'altro piatto frana per terra una colata di viveri eccedenti. In un attimo l'oggetto misterioso, come facendosi largo fra le derrate, ha buttato giù quanto serve per ristabilire l'equilibrio. Teodora accoglie senza scomporsi quel bagliore diretto a lei – sì, gli estremi dell'assegno al conte ce li ha – e di nuovo lo sguardo si sposta in alto, dietro all'ago, su cui Anastasia s'è appoggiata con una mano come a volersi sostenere. Uno dei due giovanotti seminudi deve aver avvertito il mancamento della sacerdotessa e fa un passo di lato, per evitare la "Violetta di Parma".

«Sta' al tuo posto tu» gli ordina Anastasia tassativa riprendendo la sua posa statuaria.

La bianca figura scheletrica ha voltato le spalle e riprende a scendere, calcolata composta, scompare. Il peso viene mormorato in un orecchio a Anastasia e dal microfono dentro la scollatura una voce rotta da un'emozione cerebrale annuncia:

«Centosettantadue chili e novecento grammi. Evviva la Delfina Bizantina!»

E mentre l'immensa e compatta baraonda corre giù dai sentieri e dalla scarpata e si riversa giù verso il toro d'oro a puntino e i tortellini alla bolognese, Anastasia piega le ginocchia sulla bilancia, scarta freneticamente la cosa dagli stracci, dallo spago, legge un cartellino di spedizione e...

«Ti ho beccato stavolta, eh?» e Scopina ha afferrato il Gianni per una manica fatta su alla giovane.

«Tina!... oddio! Tina.»

«Dove me li hai nascosti eh i miei guanti? dove, brutto porco? tirali fuori.»

«Carlino! la mamma! è qui!»

Ma Carlino non sente, sta rincorrendo l'ex-fioraio e è rincorso a sua volta dal conte che continua a perderlo di vista fra la folla, il becchino s'è girato, lusingato da quella vista che ammiccava a lui, Carlino gli ha messo un biglietto in mano guardandosi attorno tre volte e poi è scomparso, ha rallentato e al conte che lo raggiungeva da dietro ha detto che doveva fare alla svelta a cambiarsi, la tipa lo stava già aspettando, e grazie del denaro e a presto, no, lui non poteva venire, guai se la tipa sospetta qualcosa, vuole darci un taglio netto da solo, e va bene, ma solo fino a Ferrara dove va a caricarla... e è scomparso dentro una cabina a cambiarsi, e intanto che Eutifrone stava sul portale a aspettarlo è apparso l'altro schiavo, il Mortimer... proprio lì, l'ha salutato, osare, non osare? dio che tentazione! quando l'amico del Carlino gli fa:

«Signor conte, io so che lei è come uno zio per Carlino, e che ha due poltrone per la prima di domani sera... visto che il Carlino ha quella cosa là da sistemare... se posso permettermi...»

Un sogno! ecco cos'era la vita! Cos'è mai la vita? un continuo rifiorire, un'opera con i suoi intervalli ma poi, un atto in più, un bis dell'ultimo minuto... un altro lieto fine... Si vede che piace sempre, il fascino dell'eleganza, del sangue blu, la classe, la coltura... Un po' cafone il Mortimer con quelle sue buone maniere... E lo sguardo del conte si fissa... Si schermisce, non sa, non sa proprio, se si fa con discrezione, non vorrebbe poi con Carlino... Ma no, non gli diciamo niente, sì, ma ha ragione, signor Conte, a pensarlo, Carlino è così permaloso e geloso dei suoi amici, con le donne poi non parliamone, io sì che devo presentargli le mie ma lui a me... Appuntamento per l'indomani, prima di cena? Andava bene lì alla "Bella Napoli" vicino al Neoniano? Il conte è arrossito fin nei capelli, come colto in fallo. Andava bene, un posto vale l'altro... Cos'è mai la vita se non una pizzeria vicina a un battistero vicino al *piè-da-tè*? E fino a Ferrara Eutifrone fu di sentitissima condoglianza pre e pro-aborto con Carlino, non tentò neppure una volta di appoggiargli una mano sopra la coscia.

«Ma dove sei stata tutto questo tempo?» stava chiedendo il guardiano alla Tina, a bassa voce, perché si vergognava un po'.

«Come dove sono stata? a cercarli no? e adesso che ci facciamo qui? su, a casa, che ho ancora tutto per aria. E guai a te se non li tiri fuori.»

E Scopina si dileguò per sempre insieme a un marito col magone, un vedovo mancato, un padre che si era abituato così bene col figlio, un orfano esemplare... Aveva le lacrime agli occhi: si girò un'altra volta a guardare il fondo schiena di Anastasia Ku... si disse che lui quella gran völva l'avrebbe avuta, sì, e sconsolato salì in macchina con la sua signora la quale, mentre lui pensava con raccapriccio che i manicomi adesso non ci sono più, cominciava a svuotare le tasche fuori dal finestrino e diceva che adesso stava proprio bene. Ne teneva solo un paio di tutti quei guantini usati, come ricordo delle vacanze al mare.

... Anastasia rialza il fondo schiena e legge: "*Turkisch Airlines*"... una gemma di bicicletta... un pistone... un chiodone saldato a una marmitta contorta... Una delle sacre crocifissioni di Onofrio! Onofrio è tornato! Onofrio è risorto! il Sindaco l'ha aiutato a fuggire, a mettersi in salvo, e Onofrio non ha mai smesso di spiarla di nascosto da qualche parte... Istanbul! ma non è mica a due passi come Pietroburgo, Istanbul! e il Sindaco, sempre quell'aria di sufficienza e del vedrai te... Il fantasma è tornato... In carne e ossa! E adesso che vorrà da lei? che altro ricatto la aspetta arrivato dall'oltretomba? Onofrio vuole rifarsi, orrore! una vita anche lui? con lei? In camera, presto, una striscia per l'amor di Dio... Carogne, tutte carogne! che vogliono da lei? che hanno in mente? Dov'è il maledetto?

... Il Sindaco stasera si occuperà dei bengala, in via eccezionale ha acconsentito a fare qualcosa: ah, quei lampi in cielo, quel senso di una velocità assoluta, quegli incidenti di luce... ma prima ha addirittura un secondo compito: fare lo speaker! sì, proprio così! Ma guai a lui, gli ha detto Vulvia, se non tira fuori bene le zeta. E poi si prenderà questa benedetta vacanza da quel suo cugino assessore che a suo tempo aveva trovato rifugio sul Mar di Marmara e che ha fatto i soldi e gli ha chiesto le sue idee su come impiantare un campeggio per sole donne e bambine europee, e che bisognerebbe girare con una macchina a fare propaganda, volantini, Forlì, Reggio, e tutti i paesini delle amministrative comuniste di gioventù... e che lì il personale turco, solo uomini, ben piantati, costa una palanca...

... Una berta, uno stupido scherzo quello delle cartoline, della scultura... Che sciocca a non averlo pensato prima... Uno con la stessa statura di Onofrio pagato per farle quel maledetto tiro... Ma gli occhi! gli occhi erano identici... Amilkan, il Sindaco, la signorina Scontrino addirittura dietro tutto, il Tenente Albigian... tutti e quattro contro di lei, i rinnegati, e lei s'è lasciata prendere dal panico, che è quel che tutti aspettano per toglierle la sedia da sotto, per farla internare, sì, toglierla di mezzo... clinica privata, naturalmente, di lusso... lei non è mai stata d'accordo con tutte quelle bustarelle che la signorina Scontrino ha cominciato a distribuire a vescovi delle città e del mondo, solo perché ha fatto centro una volta con don Basilio, diventato Sua Eccellenza Cardinal Ferluci... Bustarelle di milioni.... Alla malora! gliela farà vedere lei chi comanda qui... Su, cambiarsi alla svelta adesso, un qualcosa di leggero, rifare il trucco, l'acconciatura, far finta di niente, presenziare fino in fondo, resistere...

Stasera la Delfina Bizantina è una serra di luna piena. Attorno alla pozza di fango tiepido s'è già raccolta parecchia gente e luma. A semicerchio sono state elevate delle tribune e in fondo, al centro dell'anfiteatro, un corridoio porta dal ring a un sipario di tela a strisce bianche e nere. Uomini donne e bambini (irrequieti, eccitatissimi, scartano caramelle, le mettono in bocca, le sputano e protestano, no, non queste qui, le altre... ma le altre quali, tesoro?) fanno la spola fra il teatro dell'imminente show – un'assoluta novità per Ravenna – e i resti del Festino sulla spiaggia. Il toro è stato adorato fino all'osso.

Anastasia in abito lungo, che l'avvolge in uno splendore di paillettes a squame argento, appare giù dalla discesa...

L'afa è più soffocante che mai, sarà che tutti si sono rimpinzati ben bene e molti hanno vomitato un po' per poter farci stare un assaggio di tutto, ma nell'aria s'è diffuso l'aroma di un avvenimento oscuro che lega i sensi, abbindola curiosità visiva e olfatto in una controversa intesa. L'odore è davvero particolare, sensuale, limaccioso, a parte i fiati indigesti, si direbbe di... richiama al naso antiche peripezie per stare in equilibrio su assi traballanti in fondo a orti di sera, con la lanterna... un richiamo di tradizioni cascinali, accucciati nelle fratte che ritornano in mente, malli decantati sopra concimaie, un che di nocino non cittadino, di tutoli e scarfoglio pregni di piscia di vacche, una festa per i nasi metropolitani... Anche quest'anno il Comitato ha strafatto, ne ha inventato una delle sue... Avranno sparso un deodorante all'ultima moda e poi ci diranno la marca col megafono... Ma quel confricamento segreto, adesso, su per le cosce e giù dalle ascelle della gente... quel prurito un po'... sì, piacevolmente emorroidale... la pelle che si tende nelle orecchie, i polpastrelli che vagolano assestando grattatine euforiche qui e là... Si accendono tutti i restanti riflettori e anche quelli del campanile convergono sul ring, che ribolle di un fango caldo in cui galleggiano pastosità improvvise... Ecco Anastasia, regale, pimpante, che si dà dei colpettini sotto il naso con un fazzolettino di seta. Che ieratica e civettuola nel suo abito da gran suaré col bell'ostensorio d'argento ricamato sul ventre! E' un regalo della signorina Scontrino, la quale non appare mai in pubblico durante i festeggiamenti perché per lei, da alcuni anni, tutta quell'acquolina in bocca per niente alla vista delle bambine abbandonate era controproducente per le sue cure. Se ne sta chiusa nel Referendario e guarda in su, verso l'affresco dalle braccia tese orizzontalmente, le due mani che si sfiorano. Dopo la prova generale di ieri, prega. Prega di farcela. *Terminus a quo... Terminus ad quem...* Punto di partenza, punto d'arrivo. Ha già il completo e tutto.

Anastasia prende posto nell'unica poltrona al centro della tribuna, bocche solerti si affrettano a chiederle spiegazioni su queste due lottatrici, ma non ne sa molto neanche lei, si scusa, non poteva esserci dappertutto, riceve bacetti sulle guance, baciamano, stringe a sé colli di bambini... strano, sente nelle falangi come un fluido nuovo, la voglia di stringerli un po' di più quei colli teneri e profumati, e la lingua... che le schiocca sul palato come una frusta... E spiega che lei le due lottatrici non le ha neppure viste in faccia, con tutto quel che aveva da fare, un impresario teatrale ha fornito il tutto e lei sa solo vagamente cosa sia una lotta greco-romana fra donne... si tirano per i capelli, e questo le è bastato per farle ingaggiare dalla signorina Sicionia... Paquito sporge la testa dal corridoio e richiama l'attenzione della padrona, sembra preoccupato, impaziente di altri dettagli... mancano meno di ventiquattro ore... No, non adesso, gesticola lei con mento e mano... Paquito solleva gli occhi al cielo: e se avesse cambiato idea? se non volesse più garrottare la maricuita? Se decide di rimandare alla prossima stagione operistica? Tutti gli anni una scusa, e a lui la spaider quando gliela compra se va avanti così?

La luna è insediata nel suo passabile splendore a destra del mare. Uno squillo di tromba, si abbassa la luce dei riflettori, tre squilli di campanello, ha inizio il catch, gli spettatori applaudono dalle tribune, dagli alberi, dai cocuzzoli della collina e dei Gallia Placidia, i più fortunati si accovacciano intorno al quadrilatero delimitato da triple corde elasticizzate. Teodora come sempre è già scomparsa, e neanche Amilcara ha avuto il pensierino di venire a fare un po' di compagnia a Anastasia, lì da sola. L'orda umana scavalca sdraio, falò, siepi, tavoli, attirata da quell'essenza così particolare, il cui nome aguzza invano le lingue, che odore è? terra smossa, uova messe a covare, odore di chioccia, non è spiacevole, un po' pungente, e non del tutto sconosciuto... Che deodorante geniale! ma nessuno osa chiederne la marca al vicino, paura di fare gaffes, di non essere al passo con le ultime novità. Sfumano adesso i riflettori e un cono di luce pastosa si staglia sulla tenda in fondo al corridoio. Dagli striscioni bianchi e neri sguscia fuori una mano di uomo, salaminosa, cremosa, vecchia e una voce dal di dentro grida:

«*Nooo!*»

Anastasia balza in piedi: quella voce è la sua! Si scosta il sipariett e appare un prete, con tanto di sciarpa di lana tarmata sulla tonaca lisa, in testa ha il berretto nero a tre punte.

«*Don Serafino, nooo!*» rigrida la voce da dentro, mentre il prete si impunta con un piede e solleva l'altro dando uno strappo col braccio all'interno della tenda... Là... Antavlèva! è Antavlèva ragazzina che grida terrorizzata, adesso uscirà allo scoperto con le sue trecce a crocchio, tutti assisteranno alla sua ignominia di gioventù...

«Don parroco Serafino o che, lei ha scambiato spettacolo» dice seccata dal di dentro la voce rassicurante di Vulvia. «Ci lasci lavorare, via, per favore! lei e le sue orfanelle...»

Tutti i riflettori spenti, buio e mormorio di protesta contro i preti che sono come il prezzemolo, la gente si spazientisce, grida di "Fuori le donne!" e "Nu-de, nu-de, nu-de". Anastasia si è irretita in piedi in una posa di sale. Luce, spalancamento di sipario, tutti i riflettori di nuovo puntati al centro, ecco qualcuno dal corridoio saltella verso il proscenio, turandosi il naso con una mano guantata: è il Sindaco in marsina rosa e frack nero a coda di rondine, stivali da cavallerizzo, il Sindaco che in un baleno e tre quarti si è tolto la tonaca e sotto era già così. È la prima volta che si cambia d'abito, è una sensazione nuova senza il suo pied-de-poule, Vulvia gli ha garantito che farà scintille.

«Benvenuti, gentili siori e siure, siamo pronti per l'incontro memorabile: Biancaneve contro la Strega Cattiva che si contenderanno lo Specchio di Figlia di Nessuna dell'anno! Ma prima permettetemi di dire due parole sulla gioventù di oggi, così frastagliata e...»

«Dacci un taglio! Non abbiamo tempo da perdere noi»

urla la voce di *Anastasia* da dentro il sipario e una giunonica signora Cofani in gramaglie rosso fuoco appare sulla tenda, con una manata scosta il Sindaco e allarga le gambe, minacciosa. Grida di giubilo si levano dalla Delfina Bizantina.

La sua figura! con la sua voce, la sua acconciatura a torre, calze di nylon, giarrettiera, mutande rosse e guepière nera, reggipetto rosso, solo le orecchie più appuntite, e il naso! il naso orribilmente spiattellato contro una guancia, le narici maialesche di una volta! Anastasia stessa, qui in poltrona e là, nell'invenzione puttanesca della signorina Scontrino che così la voleva nel bordello quando si presentava ai clienti più raffinati. Un intero abbinamento di "Can-can pour Elle"!

Voce dall'interno, sul cui buio s'è stagliata una massa rotonda cupa, lontana:

«Ti farò rimpiangere di aver fatto la russa! Ti farò sputare tutti i peni mangiatimi a tradimento!»

Teodora!

Anastasia ha preso impercettibilmente a scivolare sulla poltrona, ma lo svenimento non viene: tiene gli occhi sbarrati in una voragine di viola sull'ombra lardellosa che si sta portando in avanti sulla tenda spalancata.

Retrocedendo col posteriore avanza *Teodora* vestita di nero col triangolo dello scialle cinese sulla schiena, gigantesca, goffa, gelatinosa, i bei capelli pettinati con l'onda, tre palloncini colorati in una mano ritti nell'aria come se invece che a spago fossero legati a fil di ferro... Amilcara, nei panni dell'amata al meglio del suo passato, è già dentro le corde e appena *Teodora* è a tiro l'afferra per lo scialle, la sbatte da una parte e con l'altra mano raccatta una manciata di fango. *Teodora* fa una piroetta su se stessa, cade dentro nel fango, si solleva, Amilcara le strappa anche la gonna e...

«Nu-de, nu-de...»

...le due enormi tette di lattice attaccate all'omone della Michelin appaiono in tutta la loro baldanza, senza capezzoli e... fra le cosce del fantoccio vivente... quei peli cadenti, un ciuffettino grosso come un mignolo... Nella conca viene riversato l'ultimo barile dell'impasto misterioso e è subito lotta acerrima e muta... le due donne ringhiano, si accapigliano, si strappano tutto quel che gli rimane addosso...

Il mare ha sempre taciuto nella sua indifferente vastità non misurata né contemplata dai boia qui.

Teodora è al volante del carrozzone a centoventi all'ora, già alle porte di Rimini... Al Grand Hotel prende le chiavi con frettolosa gentilezza dalle mani del portiere, sale nella sua suite, si passa sotto le ascelle un asciugamani inumidito d'acqua calda, si infila l'abito di lustrini rossi, fa volare il boa di cigno attorno al collo, prende a truccarsi con il solito febbrile malincuore. E eccola già alle porte di Cattolica...

Anastasia tramortita, avviluppata in questo osceno spettacolo di sé e sua figlia, non riesce a parteggiare per se stessa, inveisce con scatti di tendini contro il trionfale sdoppiamento della propria mente scossa fumante il decalogo della mamma che ha fatto tutto a fin di bene... E apre la tabacchiera lì davanti a tutti e tira su, e comincia a ridacchiare sommessamente, a fior di labbra, quando due braccia l'afferrano sotto le ascelle e la sollevano e poi la trascinano per terra, la fanno rotolare dentro il ring e lei si dibatte e... mio dio... sta per ripetersi la stessa scena coi Farfarello? e adesso perché di nuovo quel collasso interiore che né la fa svenire né la desta? Amilcara mette in mostra statuariamente i possenti bicipiti, il reggipetto è già a pezzi e brandelli di coppette le pencolano attorno ai seni di gommapiuma, perché i suoi se li è fatti togliere da un pezzo... Ma è rimasta sola nel ring, Vulvia è già scomparsa oltre la tenda, e come mai là, su alcune assi della tribuna, gli uomini si stanno togliendo i calzoni e le donne si alzano le sottane, si strappano le mutande, si saltano addosso e finiscono sotto il ring? E perché latrano tanto forte i suoi tesori? E un nitrire dal paddock e uno sbattere di zoccoli contro le porte della stalla...

Molti bambini si sono slanciati dietro alla donatrice di caramelle reclamandone ancora, Vulvia s'è levata di dosso il gommone umano e sta distribuendo, sotto gli occhi del Sindaco già nella sua solita divisa con un fascio di bengala in mano, non più caramelle alla coca ma piccoli bastoncini di tipo misto, i bambini sono impazienti, si spingono, vogliono scavalcare la fila, già con le braghette e le vestine in mano, Vulvia gli infila i bastoncini di "Fly" qui e là, come si divertono, e che bel pruritino e corrono, di nuovo si sparpagliano fra ring e Delfina gridando isterici di gioia...

Teodora parcheggia, smonta dal carrozzone, bacia il parcheggiatore, e fino all'entrata della discoteca a cupola è un delizioso calvario di bacini su guance sconosciute, accaldate in un'allegria posticcia che non la contagia, pizzicotti la titillano nel tricheco, lei si tira da tutte le parti lasciando fare, ridendo con gridolini di bambina, recita Anastasia, il suo fare da maestra con gli uomini, la sua scioltezza pubica e mondana, l'arroganza della sua bestialità femmina, Teodora recita una lezione che da Teodora non le è mai servita, una figura gonfiata da un passato alieno in un vortice di presente solo mimato, esorcismi di anni ricamandoci su uno scherzo non maligno, un presente senza spessore... Procede fino all'entrata con i segni ostentati di una pienezza senza dimensione, giovanotti e maschiette dai begli spilli da balia conficcati nelle orecchie e nelle guance le si fanno attorno, le chiedono particolari intensi delle avventure della sua carne, la musica dall'interno dei giardini trabocca sul viale e sulle colline di cemento armato. Bacia la guardarobiera, la cassiera, il gorilla che strappa i biglietti, poi due camerieri accorsi all'entrata, i baristi che si sporgono sul bancone e ancora un'altra lesbichina...

...Uno scalpitare di zoccoli giù dal paddock e i latrati

che si fanno più sparsi e più vicini... Nel buio lassù! al centro del sagrato un cono di luce azzurrina... una carrozzella con dentro una figura rachitica riverberata dal chiar di luna... schizzi di fango solleva Anastasia ancora a testa bassa a chiedersi dov'è e chi è e perché mostra un seno avvizzito lordato di smagliature del cazzo.

«Là!» grida Anastasia sollevando la testa e deglutendo terrore e fango. «Là!»

...Coloro che per la prima volta vedono Teodora restano con sigarette e bicchieri sospesi a mezz'aria e indietreggiano d'istinto, come se solo così riuscissero a contenere nella vista quell'animale brillante di rosso che adesso si fa largo in pista e slanciando il boa in alto grida:

«Cha-cha, hombre, cha-cha!»

E Teodora si fionda sulla pista che le fa ala agitando mani braccia fianchi, lei dimena i glutei soltanto dapprincipio, poi fa piroettare il boa attorno alle cosce, passettini avanti e indietro, una testa di ragazzo le si aggetta sotto le mammelle, come a volerle sostenere e da cui dirompe una sorta di malia butirrosa sui ballerini accaldati che bramano latte appena munto e poppato nel grande acquario delle luci a intermittenze, e ancora mani che la stringono, la toccano, sarcastiche, maliziose, tenere, e ora lei allarga un po' i gomiti e parte la prima mossa di tutto busto e fianchi e grida:

«Cha-cha, ostia!»

...gli sguardi alla Delfina Bizantina si sono levati o girati verso l'alto dove la carrozzella ha preso a caracollare giù dai gradini lambita da una scia di azzurrognola sanie che sembra fumare su da terra, un vapore poroso di merletti bianchi e rosa, e già nel cielo saetta dal molo il primo bengala e gli sguardi si distraggono sotto il botto che zampilla in schegge di faville compatte un attimo prima che i corpi grufolino gli uni addosso agli altri e alcuni uomini si contendano i bambini tirandoli chi per le gambe chi per la testa, in un gran silenzio improvviso che ha coinvolto tutti i vigilantes, con le cartuccere calate sulle ginocchia, il silenzio che ha preso le ombre ammassate partendo dalle caviglie e già arrivato agli inguini in subbuglio... Anastasia sola al centro del ring segue quella figura remota sempre più vicina... appare il cono dei capelli... la testa turrita di... NOOO! E la carrozzella si arresta in mezzo alla pista dei ponies... che trottano ora insieme ai cani furiosi che attaccano e atterrano figure solitarie mirando a tentoni orifizi liberi e offerti sciolti da ogni resistenza alla notte... Spari... fuochi d'artificio... detonazioni di tipo diverso... grida infantili... confricamenti... nei lampi istantanei braccia che tirano indietro criniere e code, che avvinghiano da sotto le pance saettanti degli equini, contesi da uomini, donne, bambini e cani e fra loro due...

I fuochi fatui!

Attorno alla carrozzella sussultano fuori dal terreno intorno al maneggio e al sagrato, guizzano in alto le anime dei morti al minuto o secolari, di sghimbescio visitano per un'ultima volta la terra da sopra, scappano via i fantasmi inglesi, si dissolvono in una rincorsa verticale a decine attorno alla figura che non ha ancora sollevato il capo dalla torre color platino ma ora le braccia satinate di nero si staccano dai braccioli, prendono a allargarsi di fronte a Anastasia, a pochi decenni di anni luce, e da una mano tesa spunta l'indice tribunalizio...

Donna Dulcis!

...Per Teodora qui ognuno è Ciaocaro, nessuno ha un nome proprio, un'ineffabile proprietà festaiola della non esistenza li affratella in un'alienazione mal dissimulata, per questo lei si sente così a proprio agio, tutti vogliono divertirsi, dimenticare, provare il falsetto dei desideri feriali rimandati al fine settimana, e così come lei ognuno è altrove con la testa a ricercare un corpo, prossimo al fantasma ideale che riscatti dalla fabbrica e dagli uffici e dai davanzali di finestra all'alba, e è con un sudario di brame livide di essere catturati dall'iride concupiscente di *lui* che scatenano nel ritmo l'umiliazione di non vivere mai abbastanza... La mente golosa di Teodora saltella e fa giravolte fra cocci di specchio e scodelle di brodo, profezie, promesse di marinai, pattini e fisarmonica solitaria in fondo a una distesa di ghiaccio sorvegliata da un orizzonte duro, caparbio, viola. Un destino inadeguato in forma di festino senza vie d'uscita...

«Antavlèvaaa! l'argenteria, ladar! Ti ho scovato finalmente!»

È proprio lei, abitino di mussolina anni '30, una pelle cancrenosa piena di bitorzoli, e la chiamavano eterea già allora, per via del nasino a virgola, e perché scannava duemilatrecento maiali all'anno... la contessa Dulcis degli Insaccati è arrivata fino a lei e Anastasia, spossata da tanti svenimenti mancati, s'è riversata all'indietro nel fango, posseduta da un un vero languore del sangue che rallenta sconcertato dall'ineluttabile crisi definitiva che da ogni parte è stata concertata perché Anastasia ne sia finalmente schiacciata e perda, insieme a una volontà troppo mammesca e casereccia, anche la vecchia pelle ancora troppo umana affinché tutto il ciclo – che non riguarda lei sola – possa continuare a svolgersi fino alla più impensata magnificenza cosmogonica...

Perché questo ha concluso la signorina Scontrino, alla quale niente è sfuggito di questo incastro comoda dietro la bouganvillea, un'occhio all'orgia e l'altro alla misconosciuta sorellastra in carrozzella che se non ci mette il becco non sta bene.

«Viva le Mussoline!» grida adesso la vecchia vermiciattola paralitica. Non è affatto cambiata: sempre con la moda in testa, moda e come fare più alla svelta a fare le mortadelle e smerciarle. Ma anche se adesso viene qui e chiede un Gallia, la signorina Scontrino farà finta di niente, per muto accordo placentare nessuna di loro tre ha mai voluto far accenno alla parentela, tutto ciò accade solo nelle esistenze d'appendice alle sventurate che non hanno fatto una smagliante carriera. Mai ricordare alle sorelle diventate signore o addirittura Donne Tal Dei Tali che all'origine erano solo carne domestica con le crestine delle padrone e quelle di gallo dei padroni...

E al grido delle modiste fasciste, lanciato da Vulvia tale e quale la contessa nelle foto e ormai al limite delle sue pur notevoli forze fregoliane, la fiumana strafottente, i ponies, i QOQQI, i mastini, tutti si bloccarono: il sacro rispetto patrio degli astanti risucchiò nei ventri gli organi, che si genuflessero e cascarono, il prurito primordiale smise di allargare, di snodare, di prolungare, e tutti gli occhi inebetiti si aprirono sulla paralitica miracolata che, in piedi e gesticolando energicamente, dava istruzioni al Sindaco sugli ultimi bengala rimasti, di farli scoppiare un po' anche là da Allah, per rallegrare i libici del Placidia 38, e adesso, sopraelevata dai trampoli, la figurina passava veloce fra la folla viva e morta, gaudente e dolente, e si prendeva fra i denti l'orlo della gonna e...

Fece in tempo a farne per un intero ospizio prima che i sopravvissuti cominciassero a indicare lei con gli indici minacciosi, come se tutta sua fosse la colpa degli adulti squartati dai bambini che non ne avevano mai abbastanza e erano entrati dappertutto con braccia, gambe, teste per fare l'altalena sopra uomini e donne, mamme e papà, tenuti a due a due, fino a sfibrarli e ucciderli di piacere, di dispiacere... Ondeggia a falce Vulvia sui trampoli, giù verso il molo, dentro il mare, si tuffa. Ahimé, stavolta deve proprio mettersi in salvo da sola: a Forlimpopoli hanno già due donatori di organi freschi freschi.

...Amilcara, prona sulla padrona svenuta, si sta ancora rifacendo di anni e anni di frustrazioni salivarie, di voglie soddisfatte col contagocce... Avrebbe detto che Anastasia, falsa frigida per conto suo, era anche un po' freddina, ultimamente.

...Qui al Santa Sofy lei è Tanta Tea: sboccata, aggressiva, tiene in piedi un'ora di euforia brasilera ballando i ritmi a piedi nudi e agitando le manine paffute sventagliate sul ventre.

A mezzanotte scade il primo tempo del suo intimo scongiuro... Eccola già correre esausta all'uscita in preda a una cordialità che non ammette repliche, a una fretta che non risponde ai saluti, a una finta gioia nel sudore, borsetta al guardaroba intanto che si rimette i sandali col tacco a spillo, giù per la discesa di nuovo a piedi nudi, rincorsa da cori di "Tanta Tea, resta ancora, ci sono i tipi!", trafelata monta sul carrozzone, i capelli cascanti sul collo, le merlature incollaticce, l'abito che tira dappertutto, il boa stropicciato e umido una coda di paglia bagnata... No, non ce la farà mai a essere come *lei* e nemmeno a essere com'è, una che non è niente, aria repressa... Mette in moto, fa marcia indietro e, per lasciare contenti i Ciaocari scontenti, clacsona senza staccare il pollice alla cozzaglia di ammiratori e sbeffeggiatori cortesi, accende le lampadine colorate che illuminano a Disco la teca-baraccone...

Talvolta arriva sino a Pesaro, a Ancona, devia per Bologna, o s'avvicina a Roma, come le prende l'estro.

...Amilcara ha sollevato il corpo inerte di Anastasia disseminando il sentiero fino al Referendario di liquami... La signorina Scontrino ha chiuso la finestrella del suo eremo, ha visto Porcadea arrancare con Antavlèva che le scappava da ogni parte e si è sentita raggrumare attorno a se stessa a spirali. Segue con la mente un'apoteosi e al contempo si vede già come appostata su un ulteriore gradino in su, quante bambine a pranzo e a cena laggiù per Terra!, l'afflato mistico-universalistico era nato da lì, la prima volta che le era venuto male un casqué e la bambina si era ferita dietro alla nuca e lei aveva portato d'istinto le dita sporche di sangue alla bocca... Ma ora cos'è questo gusto nuovo, questa voglia minerale che sente sul palato?

«Presto, signorina Adelaide, bisogna chiamare un dottore» grida Amilcara appena sulla veranda verso la porta chiusa del Referendario.

E appena la porta si aprì e le due donne entrarono e Anastasia fu ribaltata sul bancone, la signorina Scontrino restò ammaliata dalle orme di fango lasciate in giro e non si chinò subito sulla figlia maggiore morente, ma su uno degli stivali della sua ultima per davvero e con un indice ne staccò una ditata e se la portò alla bocca... Sentì un gran sollievo lì in mezzo, fra il ventinovesimo e il trentasettesimo metamero, un succo gastrico nuovo, che la bonificava e dava illuminazioni in crescendo al suo Fine Boccone Ultimo.

...Teodora mette la freccia a sinistra e entra alla stazione di servizio di Birandola... È il secondo tempo di un'oscura, matriarcale gavetta... Le caviglie si sono sgonfiate a buon punto, la stanchezza galvanizza quell'onda magnetica che trasmette simulacri di parole: *amore, morte... tortellini al ragù... immacolata concezione in concert...* Parecchi i camion in sosta, camion che hanno ripreso la strada alle dieci di ieri notte e fanno rifornimento di gasolio, di caffè, di giornalini porno... Riesce a imitare bene Anastasia solo quando sbatte la portiera... Inizio del rito: ancheggiare sino alla porta del bar, girare la testa sbattendo le ciglia finte sotto le lampade della pensilina, indugiare con la mano destra sullo spallino capriccioso della sottoveste, accarezzare da fuori i seni per risistemarli o distendere la stoffa, afferrare con le punte di due dita la cicca americana e buttarla nel porta-immondizie, entrare nel bar accompagnando lentamente la porta e fare una mezza giravolta su se stessa allisciandosi un fianco con l'altra mano... E ordinare qualcosa di femminile in modo femminile, un cappuccino e piadina al prosciutto, doppia per favore, mordicchiare in modo frenetico senza togliere gli occhi dagli altri occhi e senza allusioni... lasciare i loro occhi incollati sulle labbra a cuore... rimettersi rossetto e cipria solida appoggiandosi con la schiena al banco sotto il fiato sospeso dei soliti due o tre lì in tuta senza camicia né canottiera sotto le bretelle, fare un rigurgito con le guance guardando fissamente e con quanta idiozia può il cameriere di mezza età che la perlustra sull'attenti grattandosi una coscia all'interno del grembiule. Il pennello della cipria scorre lento e concentrico e la matita marrone adesso viene passata sul primo labbro, l'inferiore, intanto che uno dei presenti è senz'altro uscito a dare la voce... Far risaltare bene le cunette delle labbra piccole e carnose e il dosso dell'attaccatura fremente del naso e della bocca, una spazzolata furiosa ai capelli che il sudore ha inanellato e ora si sollevano tirati verso l'alto da un movimento estenuante e ricadono in una cascata corvina e elettrica, il boa che va e viene impigliandosi qui e là come un grottesco millepiedi dotato di vita propria... uno sbattere da fuori di portiere, cabine che si accendono, un fischio, fischio risponde a fischio, dialetti che sfrecciano tronchi nell'aria che sa di nafta e sonno, fari che lampeggiano, altri fari che rispondono, pagare e uscire voltandosi solo a porta socchiusa e sorridere ardentemente ma non ridere, e andare a sbattere contro una barba di due giorni che stava entrando, indugiare un po' contro il torace nudo irto come la schiena di un gatto scottato...

...Il Sindaco con l'ultimo bengala in mano e l'accendino nell'altra si è guardato attorno e ha chiesto a quei tre libici sulla porta, composti e marmorei, cos'era tutta quella gente laggiù alle tribune, quei cani sguinzagliati, quegli uni addosso a quegli altri, e perché loro non partecipavano ai festeggiamenti, sempre a bere tè alla menta, perché non avevano assaggiato neanche un raviolo quando persino cani e cavalli ne avevano avuto mezzo secchio... e il bengala partì.

Il boato ha creato un fuoco non proprio d'artificio sopra il Gallia P38 e chi guardava da quella parte ha creduto di vedere delle fiamme a quadrettoni pied-de-poule guizzare verticali nel cielo insieme a brandelli di caffetani della domenica... Anastasia ha un fremito sincronico a tutto il Referendario scosso dalle fondamenta, calcinacci si staccano dalla sistina, dall'affresco con Eva e la Spirita Santa (volto della signorina Scontrino da giovane, *flou*, ovviamente), volano in frantumi le chiavi della vetrata, il computer si mette a sibilare a sirena, solo la signorina Scontrino è immobile sul suo unico pensiero di fango: "Sarà digeribile?" e non pensa affatto che tutta la sua successione è in pericolo, che Anastasia sta morendo, contrariamente a ogni previsione sui buoni sconto dovuti anche agli ex-impresari di pompe funebri...

E sulla porta, agghindata come era venuta, è apparsa Vulvia, lo zainetto a spalle, pochissimo pestata a sangue, testa alta e sorriso ineffabile di grandi trapianti grande felicità... Anche se domani sera più o meno a quest'ora aveva ancora una cosina da sbrigare per far perdere tempo al conte Eutifrone, da quando aveva saputo che a Forlimpopoli ormai era solo questione di epidermide di riporto, non stava più nella sua di pelle e aveva fretta di sloggiare, tutti quei corpi marcescenti intorno, bisognava scavalcare il cadavere di qualcuno anche per pulirsi il culo con una foglia di gelso.

«Ma che succede qui? Ero venuta a salutare...»

E la signorina circondata dalle sue cadette in incognito, prostrata sul corpo scivolato a terra di Anastasia sibilò la sua supplica:

«Anastasia, muori solo quel tanto che basta, mi raccomando. Che fa una Madre senza una Figlia, lo Spirito Santo e amen?»

Porcadea e Ultima si guardarono scuotendo sconsolate la testa: povere vecchie senza prole, finiscono tutte così, religiose, adottive e via di cervella.

«Ma questa qui non è in coma profondo, è inutile chiamare un medico! Per me arriva a domani» cinquettò Vulvia tanto per dire.

E la signorina Scontrino si levò di scatto, e fulminandole tutte e due pronunciò in quel frangente fra la vita e la morte una delle frasi più significative del suo imminente e esclamativo apostolato:

«Non fare né oggi né domani quello che bisogna aver fatto ieri o mai più, perché domani è già oggi.»

E, al solito predicando bene e razzolando meglio ancora, prese lei in mano il telefono, svegliò primari e autorità, e ordinò che venisse allestito immediatamente alla Palazzina un *boudoir* con polmone artificiale, senza badare a spese degli altri. Vulvia disse solo facendo spallucce:

«Be' ciao a tutte, ho da fare. Ripasso dopo. A Dio!»

..."Salomè" a bassissimo volume fluttua dal finestrino del carrozzone, inonda le pompe di benzina, le ruote, le grate con i rampicanti, i tronchi, i gabinetti, i piedi e le ginocchia in movimento verso un'unica meta... La musica nasce da là... da sotto la tettoia di ondulina con l'aiuola di ibisco e i sacchetti dello sporco... dal buio scontornato nella fioca luce di un cruscotto... Uno scalpiccio omogeneo, di ciabatte alternato a sbattere di zòccoli, ma le pestate sono tutte di uomini... Teodora ha fatto ritagliare in alto a sinistra del cristallo una ventola e da lì penetra e avanza il silenzio guardingo degli animali diretti alla polla di carne... Ride: lei potrebbe essere un'ippopotama dentro una palude musicale... Fa scattare l'interruttore e la teca sfolgora in un susseguirsi minuto di gialli rossi verdi e blu, un'aureola da luna-park sopra la grande femmina adagiata su cuscini di gommapiuma, pancia all'in giù, le mani a balconcino sotto il mento, le gambe alzate e incrociate che dondolano sbarazzine... Con una scarpa sfregata contro l'altra mette a nudo un piede, poi l'altro con il piede nudo... scintillano sotto il nylon le unghie laccate di rosso vivo... con studiata pigrizia solleva il primo spallino, lo fa cadere sulla spalla, scivola a metà braccio, fa una fionda col gomito... e così anche l'altro. Si gira: eccoli gli uomini offuscati nella notte, senza volto né lineamenti; un flutto d'uomo che si sposta selvatico intorno, un'unica fiera senza pace... Solleva una gamba, srotola il primo collant e la prima giarrettiera, smagliato, bellissimo, l'alluce scappato fuori... trabocca la prima coscia nelle pupille violentate della cappa umana che si accalca avida e muta contro i vetri, il carrozzone che trema sotto brusche spinte, ma gentili, premurose di far sapere che si gradisce, che si adora, che si applaude con entrambi... certo, qualche grossolana protesta di mingherlini che non ce la fanno a scavarsi un cuneo nell'ombra, una questione di precedenza fra arraffatutto veneti... il primo ansito... il coretto precoce dei già eliminati dal campo... Fa una doppia piroetta e d'un colpo si toglie l'abito dal quale mille scaglie sono saltate, d'un altro colpo la sottoveste... le mutande traforate di velatissimo pizzo monastico le arrivano all'ombelico e paiono una forma di grana dipinta di rosso in cui tutti si apprestino a affondare il coltellino... prende a srotolarle sull'elastico... dalla cassetta registrata Strauss langue un secondo e "Salomè" si fonde con "Brigitte Bardot", banda brasiliana: i gesti di Teodora si fanno più frenetici nel ritmo, più lubriche le dita che s'aggirano attorno al cavallo dei mutandoni delicatissimi con tante roselline ricamate in risalto, con la destra sfianca il merletto da una parte, lo solleva e le mutande cadono finalmente alle ginocchia imprigionandola quel tanto che basta per perdere l'equilibrio e cadere riversa sui cuscini e svettare nel cono pilifero del suo piccolo, curatissimo sesso traslucente di neri cromatici e attirare la fantasmagoria delle lucine in alto che vi si immergono cangiandolo in spighe papaveri fiordalisi in gramigne vellutate da mietere a corte, controllate falciate di occhi... e lo stesso dito va a infilarsi dentro la bocca, è succhiato, prende saliva, scende sfavillante di bollicine come un fenicottero distratto e cerca l'infiorescenza su cui posarsi e raspare un istante, ma repentinamente Teodora si ribalta su se stessa e spalanca tutto il portentoso culo dai pomelloni rosei e screziati dalla stoffa spiegazzata dei cuscini, un'anguria spaccata diagonalmente che trasperla una sudorazione minuta, multicolore, salta via il reggipetto scaraventato contro la portiera posteriore, in faccia al fortunato la cui mano si è profilata in alto a prendere il baluardo rosso scivolato all'interno lungo il vetro... Teodora divarica bene le cosce e con entrambe le mani slarga l'immane possibilità della femmina tutta trafori perpetui per chi debba farne scorta per i lunghi viaggi oltre-confine, un dono senza fondo di immagini crespate da suggere nelle soste o subito dopo aver cambiato una gomma scoppiata... Ruscellamenti contro i parafanghi... è questo che Teodora non capisce, che la facciano proprio addosso al carrozzone... La visione squillante al chiar di luna, la chimera da tunnel sussulta di eco in eco dentro le vene rigonfie che sgusciano fuori nella notte e solitarie proseguono dietro al piffero della musica e di quella realtà gratis che con lo stesso dito viscido segue adesso i contorni e le piegoline nascoste del buco limitrofo fra le gambe squadernate, la testa all'ingiù che spunta da sotto il ciuffettino setoloso del crinale... quella sottomissione esemplare al maschio sconosciuto, così ben recitata dalla femmina davanti e didietro... La cassetta scatta fuori, le lucine svaporano sugli ultimi rantoli all'esterno che sborrano fuori la materia più bella e inutile elaborata dalla solidità della solitudine e dalla varietà della vita... Teodora, dentro il buio e il silenzio del carrozzone, offre alla ventola in alto il grido immaginato così nei dormiveglia della sua attiva verginità: di cerbiatto che offre il petto al servo, né buono né cattivo, un servo andato a fare una commissione... Mai visto un cerbiatto, ma certo deve gridare gridando così quando lo si stacchi dal cuore...

È già davanti al volante, rimette la freccia, si immette sulla corsia. Le viene la pelle d'oca quando percepisce l'immane ricchezza d'innocenza sotto la pelle e nei suoi pensieri frementi. No, non ha mai condiviso le sue emozioni con nessun altro. O forse non sono queste le emozioni, e lei non ne ha mai avute. Esse sono nate un po' prima e sono morte un po' dopo di averne il tempo. O le sono state rubate per il troppo *amore*... Dopo un paio di chilometri costeggia in un'insenatura d'emergenza, strappa un pacchetto di klinex coi denti, finisce di vestirsi detergendosi il sudore, poi fa il giro della carrozzeria e pulisce alla grossa schizzi e gocciolii sui cristalli e i fanali.

E quel flusso, quel presentimento come di risacca, giù dall'esofago su sulla superficie della pancia, in fondo giù, quasi dentro a un altro dentro, è definitivamente risalito elasticizzandosi dappertutto e scomparendo di nuovo nella sua ghiandola non stanabile.

Fine dell'implesso.

/Ravenna

Udite!

Zitte! Udiamo...

Oh, bella!

E nova!

Passa immune, innanzi al sacro
simulacro
ogni candida pulcella,
ogni bella
dama onesta;
ma se donna a noi men cruda
s'avvicina, oh! reo portento!
ecco un rifolo di vento
le dilacera la vesta
e la svela tutta ignuda.

Il secondo atto de "La Fiamma" di Respighi è già iniziato, con uno spettatore di meno giù in terza fila. In un cesso d'allori un ometto in smoking nero e senza più papillon fosforescente giace garrottato in una pozzanghera di urina. Le tubature devono essere intasate alla Rocca Brancaleone, sembrava di essere a una competicion de canotaje. Paquito, appena arrivato, ha aspettato nei cessi veri e propri che cominciasse lo spettacolo – tanto lui è sulle gradinate, non avrebbe disturbato nessuno – e poi ha rotto le lampadine con un'asta di legno, erano due soltanto. Quando ha preso posto sugli spalti all'inizio dell'opera, l'ha riconosciuto subito là in platea, quei capelli rossi cotonati per le grandi occasioni e la poltrona a fianco vuota, nessuno dei due maricones della bilancia, e il conte auto-illuminato che continuava a girarsi e a far finta di niente, ma si capiva benissimo che era imbarazzato a farsi veder così senza un nipote a cui dire "zitto!", e sgranava gli occhi sulle gradinate, il conte ha visto anche Paquito e l'ha sorvolato con la solita indifferenza che usa alla Delfina Bizantina, come se non avesse neanche la più vaga idea di chi fosse; sembrava proprio cercare qualcuno, era inquieto, non si rassegnava, era la prima volta che non stava sprofondato nel libretto con spartito di cui seguiva solo le parole, strano, e non salutava nessuno dei soliti patiti come lui che agitavano le mani da una fila all'altra dalla platea. Un attimo prima che finisse il primo atto, Paquito era già là fra le siepi d'alloro che portano auliche ai gabinetti, di sentinella, con il suo sacchetto dei panini più pesante del solito, il conte non ha mai resistito una volta nemmeno se in compagnia, figuriamoci da solo. Il gabinetto era stretto e lungo e il conte sfarfalleggiando nella semioscurità aveva indugiato un po' sul sentiero, poi era entrato e aveva lasciato la porta accostata. Un gioco de niños. Poi l'ha preso per un braccio e l'ha trascinato in fondo alla siepe incastrandolo bene nel cespuglio, chissà quanti disinvolti zufolando più del lecito gli hanno pisciato addosso fino a adesso. E gli ha portato via il lampioncin da collo, che se per caso quella sballestada della segnora non gliela paga tutta ma gli lascia qualche rata... Paquito ignora che chi batte non piscia.

Paquito ha ripreso il suo posto in cima alla gradinata, non è uscito subito per non lasciare indizi. Tiene accanto a sé il proprio sacchettino pesante, era un peccato lasciargli la garrotta al collo, può sempre venire utile un'altra volta, certo che a star lì a svitargliela un po' di rischio c'era – ma il cigolio, oh! che musica, che consolazione per le orecchie! Un lavoretto semplice e pulito, a parte i fondi bagnati dei calzoni, e soprattutto di libera iniziativa. Poiché la segnora non si è più ripresa da ieri notte e oggi è stata nutrita artificialmente nella sua camera in città, la palazzina trasformata per ordine della signorina Scontrino in un ospedale altamente tecnologicizzato, le apparecchiature più sofisticate portate via dai nosocomi pubblici, dove tanto non servono a niente, per trattare quella noia cerebrale, e a lui mancava ogni tipo di istruzione aggiornata, oh, è una vita che se la mena per l'aia, stavolta è la volta buona, va' a spiarlo, va' all'opera, seguilo col motoscafo e poi nada de todo, rimanda, dice che bisogna aspettare; lei, che ieri non aveva tempo e continuava a dirgli dopo, dopo, e certo non pensava di fare quella fine lì, stamattina impossibile vederla per chiunque, e morente un minuto su due, e allora lui ha pensato bene di portare a termine anche senza la sua benedizione finale la boiata concepita un po' anche per conto proprio, ormai, a forza di questo tira e molla che dura da anni, forse appunto prima ancora di incontrarlo fuori dalla caserma a Valenza. Perché un figlio di boia prima o poi deve far vedere chi è lui, non c'è niente da fare, buono ubbidiente ma poi bisogna anche decidersi per un verso o comperargli la spaiderina anche senza far fuori nessuno, promesse promesse, il rifornitore e di che colore la vuoi e la ferrarina e la romeina e il colore non c'è, e poi dice che è giovane, che gliela comprerà un altro anno e che però avrebbe dato un posto anche a sua madre Dolores, per consolarlo un po' – be', lui adesso il suo dovere l'ha fatto: un rosso torero matado farebbe ancora più colpo sui suoi amici di Tomemolo. Se mai la segnora si riprenderà sarà tanto più contenta di lui, del gentil pensiero della sua iniziativa, se no lui avrà fatto secondo coscienza di figlio di boia: uno di meno che promette mortadellifici e appartamenti e poi continua a andare a spiare gli uomini che fanno i bisogni. E forse fra un po' capirà quel che provava suo padre dopo ogni esecuzione, per adesso niente. È perché un'arena non è l'ambiente adatto. Non vede l'ora di squagliarsela e correre a mettersi di fronte al mare a sentire.

Per il momento, forse anche per mancanza di complicazioni burocratiche, uccidere un uomo non procura un piacere maggiore di una paella ben condita in un ristorante di lusso da dove era sgaiattolato via una volta senza pagare il conto. Peccato tutto quel buio, non aver potuto guardarlo bene in faccia, fargli vedere chi era lui e che era lui, accontentarsi di strozzarlo da dietro senza dirgli una parolina in un'orecchio e lui potesse reagire e reagendo, rendersi conto che il figlio di un boia colpisce tardi ma colpisce sempre, inutile far finta di essere sorpresi che poi il caccio che volevi non era questo...

Laggiù all'entrata! quel brillio che barcolla a mezz'aria... e quei mormorii di rimprovero che si levano nel mezzo di:

Una potenza misteriosa ardeva
negli occhi di diamante: era la voce
gelida come lama. Io son la prova
del suo fascino strano. Perché volsi
il passo verso la casa oscura?
Chi mi chiamava? Eppur era necessario
obbedire a quel tacito comando
come se ferrea mano mi traesse,
come se un pugnale mi urgesse alle reni.

...Dios señor! La mariposita fosforescente! Il conte vivo!

«Conpermesso! Scusate! Conpermesso, grazie, scusate, non vede che non ci passo, grazie, ah là!»

...Oh, cos'è mai la vita? un duplicato che tiri fuori dopo una Quattro Stagioni con un amico dell'amico del cuore che cerca di farlo becco e ti schiaccia un piede con la sua scarpa da ginnastica e mesce per te bicchiere di Lambrusco su boccale di birra e ti guarda come se fossi tu il tanto agognato conte azzurro e ti fa sentire un eterno giovincello, non vuole fare una partita a videogame signor Conte? è facile! e preme sulla tua mano sul pulsante la sua e intanto che te premi, cretina, di qui e di là, ti si mette dietro per meglio guidarti in mezzo a tutti quei focherelli che vengono inghiottiti da una ganascia ferrata e ti appoggia l'inguine contro un fianco, poi contro una chiappa e... facciamo fuori un cognac chi vince paga? e via per il cognac, e indovina chi vince? lui! e... ma, caro Mortimer, mi si fa tardi per la Rocca, e anche lei deve ancora andare a cambiarsi posso darti del tu? La vita è un giovanottone solerte e disinteressato che non ha voluto che fossi tu a pagare e ti guida gentilmente dove vuoi con la tua spaider, devo condurla alla Delfina Bizantina a cambiarsi, signor Conte? benissimo... No, aspetta! e pensare che lo smoking ce l'ha nel baule dietro, non si potrebbe?... Ma io La porto dove vuole, signor Conte Eutifrone, mi piace tanto la sua compagnia... E intanto si spostava l'uccello... Senti, io un posto ce l'avrei ma guai se il Carlino lo venisse a sapere, ah, come mi gira la testa, magari faccio in tempo a riposarmi un quarto d'ora... Da me non lo saprà mai, andiamo pure dove dice Lei, dove?... Proprio attaccato alla "Bella Napoli"! E Mortimer fece testa-coda e appena scesi dice che ne direbbe di un paio di birrette di scorta, ma no, lasci stare, il piacere è suo! Ah, la vita, la vita...

...E dopo appena dieci minuti neanche che erano dentro lo scannatoio – in che stato! materassi bucati e acqua dappertutto, la vecchia s'era data a una gioia più pazza del solito! – la serratura dall'esterno prendeva a rigirare tre volte, Mortimer scattava in piedi col pisellone fuori e Carlino appariva sulla soglia con la signorina cuoca e impresaria Amneris Sicionia, con lo zainetto pieno di bottiglie di anice e uno strano imbuto... a tartaruga. Che sorpresa! che bella sorpresa! spiegazioni, discussioni, schiaffi, morsi, pugni, e la signorina Amneris, che è sempre meglio tenersela buona, che tirava fuori l'imbuto e...

E eccolo tardi per la prima volta in vita sua a una prima. Ma oh! ne valeva la pena, tutti e quattro con gli abiti strappati, seminudi sul plasticone sgonfio dell'ex-materasso a acqua, pieni di lividi e di graffi, esausti, e giù anice, ubriachi, lui che gridava ma signorina, la prego, cosa mi fa mai con l'imbuto?, e che l'anice su per il paradosso fa bene agli intestini, e che nella vita bisogna provare tutto etcetera, uh che fantasia uh che birboni, e giù a bere anche loro tre e poi ah! *why nat*? oltre all'imbuto Zenone la signorina – una vera donna, un vero uomo – aveva tre vibratori nello zainetto e tutti e tre si erano messi in fila indiana e lei andava su e giù lavorandone due per volta... dio che ciucca di clistere... e lui che a un certo punto s'era messo a ridere e a protestare La Fiamma! La Fiamma! faccio tardi per La Fiamma! e chi se ne frega della fiamma, dicevano loro, ci pensiamo noi a darti fuoco oh cielo! e l'anice aveva cominciato a fargli il flambé fra i peletti del b.d.c., lo stavano strinando come un pollo con l'accendigas, a un conte estasiato che, dio, gli avrebbe dato una medaglia per la riconoscenza, e poi un battito di mani e facendo cenno all'orologio la signorina Amneris, con i polsi quasi slogati a forza di ranfanare di qui e di là, che diceva agli altri due un po' di contegno, è un Conte! E l'avevano rivestito, ahimè, e, sistemato bene il *papion*, caricato e buttato giù dalla macchina in corsa davanti alla Rocca, lui che li salutava commosso, infuocato di sentimento, oh la vita, cos'è mai la vita? giovinotti di coltura fisica che vanno e vengono, vibratori trasformati in navicelle spaziali, conti all'*aniset*...

...E che l'unica cosa che conta veramente è una prima, e che quel che resta nella vita è solo il Bel Canto, anche se in ritardo di un'ora e più. E settantacinque milioni riscuotibili domani per correre dietro ai soprani e dimenticare in solitudine i dispiaceri del cuore.

«...oh, è già occupata? conpermesso, grazie, ho sbagliato fila, conpermesso...»

...è proprio lui, il conte degli Insaccati che riprende posto! ma non è possibile, il farfallin con i brillantin está al securo nella sua tasca... e il conte che vagola scomodando tutti, la maschera dietro che tenta invano di bloccarlo e lui che bisbiglia "ma insomma che maniere!" sopra un coro di "basta!"... Paquito avvampa in una lava di lirismo:

ecco che significa uccidere! ecco quel che si sente! che hai sbagliato uomo e bisogna ricominciare daccapo, e che quando credi di aver fatto fuori un finocio invece hai fatto fuori un uomo e...

...e apprendere l'indomani dai giornali che l'uomo che credevi di aver ucciso era invece un'altra checca, con la differenza che l'uomo è morto e la checca più viva che mai. Non c'era neanche bisogno di andare di fronte al mare per capire una cosa così. Per fortuna che la segnora non ne avrebbe saputo niente, e forse mai, la segnora aveva un imbroglio cerebrale, la capa stava estirando la pata. E lui che non può vivere senza istruzioni e ne ha combinato un'altra della sue. Né può ritornare al pueblo senza spaiderina, di un colore qualsiasi.

Ecco perché suo padre andava sempre al mare dopo ogni esecuzione! Gli piaceva pescare.

Grazie quindi a uno dei codicilli teogonici della longa mano della signorina Scontrino, la "Resurrecturis" cambiò proprietario di nuovo e ritornò alla Protezione della Giovane & Informatica i.n.r.i. subito dopo l'edizione straordinaria del pomeriggio del giorno seguente, ridivenendo prima dell'edizione della sera la consorella più fulgida della casa madre ove, malgrado la concordata e apparente defezione della signorina Scontrino, si manteneva *vivo* in un'ala del convento quel vivaio insostituibile di fidatissime che era lo "Studio Čajkovskij".

Al contempo, il giorno seguente alla prima – e all'ultima per l'ex fioraio ex-impresario di pompe funebri ex-tutto del tutto, lui, ancora così gaudente la mattina prima per quel farfallino di seta marezzato di brillanti veri sul nodo e per le due poltronissime-omaggio che sembravano cadere dal cielo visto il biglietto che quel bellissimo muscoloso gli aveva infilato in tasca dopo il Festino ("Conosci la siepe d'alloro su alla Rocca Brancaleone? un attimo prima dell'intervallo? domani sera? Fraternamente: *Eutifrone*"... quel ragazzo non solo era uno schianto, ma dai fregi sul biglietto da visita doveva essere anche di nobil casa, e che nome virile!) e così felice per quella ciliegina delle ciliegine sulla torta! la telefonata della Cofani (...) che lo informava, commossa del gentil pensiero dei tampax per la sua Teodora, di aver già sistemato tutto con gli avvocati e che l'ipoteca era stata definitivamente cancellata, estinta –, il giorno seguente alla prima, dunque, mentre l'impresario, lasciatosi solo, avrebbe dovuto organizzarsi da sé le proprie esequie e intanto stava a disposizione in una cella frigorifera alla facoltà di Medicina, una busta brevimani (*why nut*?) fu infilata nella cassetta della Palazzina Kuncewicz e il campanello schiacciato. L'infermiera del turno pomeridiano scese le scale del primo piano, i due gradini che portavano a piano terra, i tre fuori in giardino, si diresse al portone, aprì la grata e: nessuno. Prelevò la busta, un po' unta, che spuntava dallo spioncino interno, rifaceva tutte le scale e scalette, ne respirava con ebbrezza l'etere, entrava nella camera della moribonda e diceva come se niente potesse frenarle la lingua, nemmeno il coma:

«C'è una lettera senza fracobollo per lei, donna Anastasia dei miei...»

Lei s'illudeva, di farla franca fino in fondo!

«Metti lì sul comodino,» disse come sovrappensiero Anastasia aprendo gli occhi per la prima volta dopo più di trentasei ore, come se avesse appena schiacciato un pisolino prima di partire come sempre verso la Delfina. «Che è tutti 'sti fiaschetti attaccati?»

«Fle... fle... flebo, signora...»

«E da quando in qua mi si dà da bere nel sonno?»

«Signora, ma che dice? ma se stava per tirare gli ultimi!»

«Tiè!» fece Anastasia, cornificando due dita della destra.

«C'è anche uno stemma fatto a biro sulla bustona...»

Teodora apparve sulla soglia, facendo tutt'uno con lo stipite. Restò un istante imbambolata, lasciò uscire l'infermiera e guardò la madre che, già tanto pallida, leggeva e sbiancava sempre più. Ci rieravamo. Nemmeno un coma l'aveva piegata. Sbiancava per meglio far prendere la rincorsa al rosso del sangue.

«Come stai, mamma?» disse Teodora con una certa timidezza, spaventata, temendosi scoperta.

«Mamma? e non chiamarmi mamma, bastarda. Che succede qui?»

E Anastasia scalciò via il leggero lenzuolo, con un solo pensiero in testa: correre ai ripari, arginare, frenare, non perdere tempo, rifarsi le trecce prima che donna Dulcis si accorgesse che le aveva copiato di nuovo la pettinatura. Aveva una gran voglia di tutto, e, strano, specialmente di sanguinaccio, anche senza uva sultanina, anche senza pinoli, solo sangue, e neanche tanto cotto. E poi voleva sapere chi era 'sta benedetta suor Devotamente dalle mani brevi e che cavolo voleva e se davvero quella busta era indirizzata a lei che non sapeva ancora né leggere né scrivere, e perché provava tanto fastidio lì al naso, sembrava che ci fosse dentro un formicaio, e perché quando una serva se ne va di sua volontà senza essere scaraventata fuori dalla porta con un calcio i padroni dicono sempre che è fuggita con l'argenteria, anche se doveva riconoscere che un dottore glielo avevano chiamato e presto sarebbe stata internata al *Movenbien* per tutte le cure necessarie agli sgambetti... Sapeva che non poteva starsene a letto così, che donna Dulcis l'avrebbe fatta cercare se entro cinque minuti non le fosse passata sotto gli occhi chinando leggermente la schiena, e anche il signorino Dulcissimo suo figlio, sempre nelle stalle con al collo la stola di volpi argentate... E chi era quella grassona lì sulla porta? una nuova fantesca venuta a soffiarle quel posto che tanto odiava e di cui non poteva fare a meno? *Mamma? Bastarda?* Ma come parlavano? E perché il sofistico del carro di fieno non si decideva a saltarle addosso che, dopo tutto quel gelo e quella fame, era quel che ci voleva per sentirsi viva, femmina, senza scrupoli, e che il peggio era passato?

Teodora la guardava quel tanto che basta per farle capire che, bastarda o no, nella sua vita *c'era*...

«Ti senti meglio davvero?» tornò a chiederle, senza mai pensare di avvicinarsi al letto quel tanto che bastava per prenderle una mano. Le mani di Anastasia fremevano strette sulla lettera, il busto che si buttava avanti e indietro e nel mezzo senza ordine, senza direzione, senza affondare, senza venire a galla. «Ti serve qualcosa?»

«Sì, un bicchierino di alchermes a canna» disse Anastasia: aveva cambiato voce, più giovane e pesante, con inflessione marcata, volgare, di una campagna che non esisteva più se non in remote gole di vecchi inurbati. Teodora, che non aveva mai sentito quella voce dal vivo, era però la seconda volta che la udiva: proprio la voce che Vulvia le aveva ricucito addosso stando dentro le tende del ring e imitandola da ragazza. Non si capiva se Anastasia aveva già letto la lettera, continuasse a leggerla, o dovesse ancora cominciarla...

Donna Dulcis usava la sua pregiatissima pergamena che sembrava carta da pacchi per inviare il licenziamento?

«Antavlèva o...» lesse Anastasia a alta voce. «No, troppo lunga» e cadde riversa sul letto emettendo un rantolo che sembrò di nuovo estremo.

Teodora le si avvicinò, le tastò il polso, non stava affatto raffreddandosi più del solito, le tolse delicatamente la letterona dalle dita contratte ma ben curate, non avrebbe mai pensato di tenere sotto controllo la sua indifferenza così bene. Lo scherzo era riuscito solo a metà e ora rischiava di trasformarsi in una superflua vendetta. Teodora lesse:

Antavlèva o cara Ah!

non credea mirarti che arrivavi alla furia omicida contro il tuo sire pur di asconder il tuo passato piangipanesco Ahi! trovatella orrenda altro che russa! Intanto se forza mi regge vergoti dai Piombi mandamentali ove fui tratto in ceppi poscia l'ultima chiamata in palcoscenico Ahi!

Qual orror! Fu grazia del Ciel se un tuo sicario ha fatto fuori un ex-fiorista al posto mio per sorte che sono arrivato, Oh! speme

di giusta testimonianza, Oh! alibi seppur inverecondo tardi alla prima. Adesso qui si mormora ch'io involava al fu Quartirolo Iolando non solo le gioie che adornami il petto da anni ma che avrei fatto fuori il vil becchino a scopo di rapina ereditaria dopo turpe incesto in pissotiera brancaleonica. "E lo scritto biglietto trovato sulle spoglie dello strangolato?" continua a chiedere il commissario, ma qual scritto biglietto a me di scritti biglietti non cal Ah! Ma mia è la carta araldica, mio il nome, mia la mano dice la peripezia calligrafica Ahi lasso! Ancora un po' ebbro d'anice son io, ma questa è un'altra storia, ma come, alzo io i lai, tutti sanno che da decadi il *papilon* io mostro e piccola inchiesta e salta fuori che nessuno, nessuno l'ha mai notato su di me, che io non l'ho mai avuto, mentre tutti, tutti hanno visto quello chissà se simile che il Quartirolo Iolando magari portava per la prima volta copiato dal mio Ah! malasorte.
E mia madre ricusasi di mandarmi gli avvocati famosi e m'ha bloccato pure il Bancomat. Questa vil carta da pacco verratti consegnata a mano da un secondino sol mi' appoggio oltr'al sacro legno che vuole i falsi gemelli di mia camicia in cambio Oh! anima modesta. Ma io ho i testimoni che ieri sera alla stessa ora quando l'an strangolé io m'era altrove a prendere il tè sì, nel tuo ignobile localino perché tanto salta fuori lo stesso, deve! Ma la polizia non solo non riesce a catturar n'è Sicionia Amneris n'è il Carlino di Ferrara n'è il suo compare Mortimer, ma neppur li cerca Ahi! E poi hanno question fatta sull'assegno post-datato, telefonano alla banca, è falso, ha detto il direttore, è stato rubato, ed è stato bloccato già or son due dì ed comunque c'è il segreto confessionalbancario ed chi l'ha è un ladro. Oh! tremenda ingiuria, a un Conte! abietta zingara, figlia di strega se madre avesti l'atroce tua verità di facili costumi io costretto a dir sarò se non t'affretti a trarmi lunge dall'acerbo esiglio Ah!
E poi s'è messa di mezzo anche la sicologa e interrogommi e che pietosi accenti però, e chiedemi se ho delle convulsioni ai tendini delle mani, se mi piace stringere, se ho una doppia personalità e ha insinuato che io io io... E le ho detto che niuno amiche come me tante tutte altolocate ha. Oh! Deh! sollievo di una gocciola di pianto sulla guancia scolorita io non ho (ah il pianger non vale). La sicologa di Stato dice ah comoda suicidarsi com'è giusto che tipi come me facciano ma ammazzando un altro, cioè lui, il Quartirolo Iolando, e che io avrei, povera balenga, due personalità, una di un certo Mister e l'altra di un certo Dottor, tutti e due

inglesi, che sarebbe praticamente come un'identità al lambrusco e una alla signorina Mary Brizar che è qucsta qui produttrice dell'anice. Ma ch'a ha a che far meco questo figuro, o Smortisia come lo chiamavano, anzi, gli dico, la volete capire che questo o quello per me pari sono? Con la scusa dei fumi d'alcol, m'hanno fatto dire di tutto, e l'invito foriero d'incontri galeotti fra cromosomi maso-saporiti Ah? e via che i gabellieri ricominciano un'altra volta daccapo.

Con l'ultimo mi' gettone ho telefonato alla signorina Scontrino sorda come una campana, Piombi? sì, carceri, galera, prigione, non capiva, l'ho pregata di farmi inviare i mie' effetti personali e carta da lettere dal mio Gallia, invece niente, voleva sapere se conosco il paroliere Mogol o il Sylvano con la *y* che aveva un'idea ghiottissima, insomma, guarda dove sono costretto a rigare i miei lai! E tu sai, tu che di gel sei cinta, quanto la madre mia Donna Dulcis goda a lasciarmi languir qui dentro per vendetta! tremenda vendetta! che tanto a casa non ci sono mai, non la porto mai a spasso in carrozzella, nei salumifici sono allergico alle spezie ma non alla cannella, coi veterinari non ci parlo ma ci sfavello, dei sindacati che non li devo ricevere a uno a uno nel mio picciol appartamento che a dargli un dito si prendono subito il busetto, e tutto un mulino così, e la fosca vegliarda col mio penultim' gettone dicemi che da giusta pena lei non mi salverà Ah! la vampa del materno sangue più non stride Deh!

Ah, trema vil schiava, spezza tu' core, soccorrimi, fa' che un bel dì ci vedremo domani stesso! Firmato il tuo Prence e Sire Conte

P.S.: scambiare la mia illustre persona con un ex-fiorista è un'impertinenza che l'offesa sebben non ricevuta non placa! vengo dal leggere le ultime notizie! Per non dividere l'eredità io avrei nientedimeno ucciso il mio gemel fratello abbandonato in fasce da mia madre a Quartirolo, la quale, Ah! la pazza!, dichiara che per diventar contessa-madre uno era più che sufficiente per una che ancora vivacchiava scarfogliando e cercando fortuna di vendemmia in vendemmia! Ma questo non è il Trovatore! Oh, gentil Donna Anastasia Kuncewicz, pietà per un Conte che cade! Suo Devotamente...

Il conte amava scrivere, si vedeva subito, e anche che aveva avuto solo istitutori privati, *aii*! E che il titolo doveva essenselo comperato, o chi per lui, ai grandi saldi dei Savoia.

Teodora rimise tutti i fogli fra le mani immobili di Anastasia, la quale si girò, sollevò le palpebre su tutta quella carta e gemette flebilmente:

«...l'avevo detto io, è rimasto senza gettoni...» e richiuse le palpebre. L'ultimo respiro? Teodora le prese di nuovo il polso: no, non era morta completamente, e aveva un nuovo bracciale di zaffiri. Teodora sentì il ciabattio dell'infermiera inviata dalle consorelle che arrivava con medicine e giornali per sé, più solita bustina bianca e cannuccia per restare sveglia. Gradiva? Gliela porse con quelle sue belle dita pacioccone, simili a salamelle profumate di etere e clistere alla violetta... Teodora fece di no col mento e uscì dalla stanza senza istruzioni da dare alla nubile professionale, senza dirle niente, senza sfiorare la fronte di Anastasia con un bacio, lasciando l'infermiera pacifica a leggere il giornalino della diocesi, "Repubblica 2000".

Scese le scale tentennando la testa: se moriva *lei*, moriva anche lei, se viveva Anastasia Teodora sarebbe stata costretta a seguirne le orme e il fine... Eppure poteva succedere che uno si togliesse lo sfizio di essere un decorso senza origine diretto a un fine senza foce, un capriccio singolare dell'acqua che fa emergere i singoli esseri fuori dalla sua corrente e li fa respirare e camminare e diventare *uomo* e poi evapora di colpo, e che ingratitudine che un uomo, un pezzo d'acqua, si senta tanto speciale da accusare l'Acqua per il capriccio di dargli la sola vita di cui è stata capace: una vita mortale. L'acqua non si era mai sognata di trasportare nelle sue molecole quelle parole strappatele arbitrariamente dai mortali: "l'origine" e "il fine"... Lei invece sarebbe stata capace di accettare il meraviglioso fatto di esserci stata e di non essere più. E Teodora si vide come un cerchio concentrico che andava spandendosi, si dileguava sull'acqua e nell'acqua, ritornava l'acqua che non lo riguardava, l'acqua generosa che per capriccio creava arabeschi umani senza poi. E ne fu contenta, si sentì sollevata in questa sensazione di gentile sprofondamento. Si sentì viva. Si mise alla guida del carrozzone e partì.

Quando, per educazione, a mezzanotte passò alla Delfina Bizantina dalla signorina Scontrino, fu l'ultima a sapere che a tarda sera Anastasia aveva preso una mano dell'infermiera del turno serale, l'aveva accarezzata dicendo che stava morendo, aveva invocato il nome di sua figlia invano, poi aveva dato un bacio lieve alle dita della consorella, le aveva staccato di netto il medio coi denti, masticato e inghiottito, era partita in quarta sulla motocarrozzetta e da allora era scomparsa.

A mezzanotte e cinque un trillo di telefono. Amilcara sollevò la cornetta. Teodora abbassò il capo e prese a guardarsi le unghie e sentì un bisogno irrefrenabile di cambiare smalto.

«Dice di essere un certo "Las Vegas Motel" di Piangipane...»

"*Sai che novità*!" pensò la signorina Scontrino e disse:

«Mai sentito.»

Immoto perpetuo

Bertino I, il conico prostomio mollemente reclinato sulla spalla sbuffante di immacolate setole chitinizzate, guarda meditabondo e senza memoria la lunga tavola cenacolare che suor Callas, maestra di cerimonie, ha appena finito di far imbandire: fango di Calcutta, limo di Lima, lava di Giava, sassolini del Gran Sasso, argilla di Betlemme con scaglia-wafer del Muro del Pianto, melma di Maremma (rarissima, un bocconcino divino, secondo le voci che per cautelarsi suor Starfrodita ha fatto salire dalle cucine), pantanino di Comacchio, fossili del Belice, coproliti di Cernobyl gran primizia, fondo dei Navigli e un dessert di nostalgia, più per Suor Callas che per Sua Santità: brago di Modena.

Che pedante d'una capo-cuoca quella montatissima figliuola di Suor Starfrodita, tutte vane promesse i salti mortali che si ripromette per variargli il menù: terra e affini non sono le sole leccornie della Terra, e nemmeno stavolta si è ricordata, lei, con tutto il suo ingegno funambolico-gastronomico, di includere nella cena – di Quaresima, oltretutto – una scheggia di cedro anche marcio del Libano – ah, quei giardini prospicienti il Palazzo dei Diamanti! quel vento stregato! poterne catturare una brezza per farne un sorbetto! –, una scrostatura di bacinella di via Sconcia e – qualcuno dovrà pur averle bisbigliato all'orecchio del tirassegno in Abissinia da giovane! – un paio di foglioline secche dell'Ogadèn... E sarebbe tutta qui la cena speciale per l'Ultima Cena? per un giorno così definitivo? Tutto qui quel che i frutti del ventre suo, gesù!, il divino clitello destinato a riconcepire Madre Terra, hanno saputo mettere insieme per fargli una sorpresa? Persino un Papa, che per statuto ha diritto a una pudica parsimonia perché può fare affidamento sulle immodeste stramberie della servitù preposta alla Sua persona, sarebbe meglio se di questi tempi ordinasse solo *à la carte*...

Tuttavia, soltanto l'imminente cerimonia del Sacro Sfottò – che ha luogo ogni volta che, purtroppo, Sua Santità è andata nuovamente di corpo – tiene a freno la segreta e accidiosa ingordigia con cui Bertino I pregusta questo ben di dio appena decente per un palato esigente e sistinamente ristrutturato come il Suo. Sua Santità può fare tutte le boccucce a cuoricino che vuole per manifestare il Suo malcontento, a Suor Callas gli fa proprio un bel baffo, sempre stato un lavativo ipocritone, inutile che finga tanta schifiltosità: il Suo stantuffo succhiante è così irrequieto nell'acquolina in bocca da trasmettere un brivido di golosità a tutti i graziosissimi uncini, spiedi, seghette, pettini e ramponi di Sua Santità. Si direbbe che Bertino I, più che a una cena, si stia preparando a una cordata in alta montagna. Non fosse per il Sacramento di Seconda avrebbe già fatto fuori tutto, tovaglia e sarcofago compresi, quel gran figlio di nessuna Berta che filava.

La ragione di tanta tensione cuticolare che Lo uncina tutto, non è solo la voracità repressa: è che se tutto va per il verso giusto – e lì s'arresta – questa cena dovrebbe essere l'Ultima e poi Lui darebbe un calcio alla padella sotto il trono. Quella dannata padella che poco fa – se avesse ancora senso calcolare il tempo – ha diffuso daccapo nella sala conclavina il rumore dei tonfetti dei Suoi scarichi strafottendosene del Suo ennesimo sforzo per non mollarci dentro niente. Eppure Lui ha resistito stavolta un giorno in più dell'ultima volta. E dài oggi e dài domani... E al diavolo la promessa del se... e del se... e del se... fatta*gli* in un attimo di disperazione materna.

Sarà perché da poco Bertino I è uscito dalla quiescenza invernale, sarà la pioggia sulle vetrate che Gli causa quel senso di asfissia e ansia di fare alla svelta, ma oggi ha una collera strana, che sfiora la malinconia. Oggi: come ogni oggi che inizia il ciclo. La malinconia è funzionale al trionfo che ti spetta, l'è una garanzia, ti spinge a dare l'ultimo saluto al mondo che ti circonda e che stai per lasciare con un rimpianto a priori; lo vedi già con gli occhi di poi, questo vecchio mondo: più lo guardi con malinconia, più ti premunisci contro la rabbia di ritrovartelo fra i piedi tale e quale. Comperare solo l'andata, e il ritorno sbrigarlo subito, prima di dare l'addio. Dio volesse...

Suor Sancia – nome affibbiatole da Suor Callas per calarle le arie, si sa come sono queste giovani converse, gli dài un soggolo e una spaiderina riverniciata per metter una pietra su un raccapriccio del tempo che fu e si credono delle sante di Formula Uno – non è ancora qui con la benedetta supposta, così chiamata dal Suo segretario e confessore Cardinal Ferluci, appena giunto da Bagnacavallo e ora paziente nella sagrestia d'attesa. Tutto è pronto: l'inginocchiatoio ginecologico, l'ostensorio a Tre Conchine tirato a lucido – una per il Corpo di Nostro Signore ma specialmente Suo, una per la Pura Vaselina, la terza per il Forcipano... Sì, cogita Bertino I, si può fare meglio e di più, portare all'agognata perfezione non ulteriormente perfettibile l'apparato digerente tuttora espellente: e la scala tanto sognata si avvolgerà su se stessa, diventerà un cerchio, una sfera, la Pallina... Lo ripete sempre, Lui, alle sue tanghére: basta un po' di buona volontà. E la Sfera sarà Lui, il tutto e il resto, l'unica donna riuscita a mordersi la coda, e capo e coda chiuderanno l'universo in una morsa, l'universo fisico, s'intende, il Tutto Fumo Tutto Arrosto, mica robe da nihiliste campate in aria. Lui, il Principio Superiore, creerà il vero moto perpetuo, basta trasformarlo in immoto saltando da solo da una parte all'altra del Tavolo da Tennis... Non come questo vecchio dio che ha bisogno degli umani per farsi rilanciare la pallina e darti per sovrapprezzo una schiacciata mortale... Sarà una stupidisia farlo fuori in un boccone... dentro la terra com'è... Ma intanto arriviamo lì, pensa Bertino I dando un'occhiata al pendolo il cui quadrante è fermo da sempre sull'ora zero – mezzogiorno/mezzanotte – e portando alla fessura superiore un calice di Paludelle gassatissima, che non inficia la validità del sacramento che gli verrà impartito non appena Suor Sancia si decide a darsi una scossa. Dovrebbe mandarla a messa prima con un alano svizzero sul cofano per darle un po' di brio, l'infingarda... Sì, Bertino I – non appena diventato Lui – salirà più su, più su ancora, niente l'arresterà neppure il tanto osannato Nulla, che non esiste, area di parcheggio per le menti in pensione. Perché fermarsi così in basso? La fallace chimera del Paradiso è un contentino, un cicciolino macinato fuori dal Nulla per tenere i nimali ancora più giù, dando finitezza ai pochi millimetri disponibili del budello per titillare la loro meschina sete d'infinito... Lui no: l'infinito lo vuole finito, un infinito col corpo e tutto: il Corpus Domini... Quel dio qua fino a ora ha ricacciato indietro tutte le concorrenti con le sue schiacciate proditorie e fatali, tutte le avversarie ha fatto fuori, una dopo l'altra, con la scusa che non fatte a sua immagine e somiglianza, non era mica una buona scusa per non crepare come gli altri... Ma a Lui e alle Sue favorite, dio Ingegnere non gliela farà: loro tre la morte l'hanno messa nel sacco, e adesso stanno salendo, salendo, anche se figlia e nipotona non se ne rendono ancora ben conto, Lui alla testa di questa nuova Trinità. Lui ingurgiterà mo' ben 'sto dio buonino, lo incamererà nel proprio stomaco e lo terrà dentro terra terra, per sempre. Ah, questo bolo del firmamento non si aspetta che qualcuno sta arrivando per digerirlo, farlo fuori a sua volta!

Oh! uno scalpiccio, un fruscio flamencato di vesti dalla sala d'attesa, arriva Suor Sancia finalmente, falsamente trafelata, con le guance gonfiate a dismisura per la bisogna... Speriamo che anche stavolta non l'abbia sgualcita troppo con quella sua logorroica salivazione borbonica;

boia chi molla boia chi molla e poi Suor Sancia riesce a parlare anche con la bocca chiusa e piena... Bertino I si trascina lentamente verso l'altare da camera, si accuccia sull'inginocchiatoio prima di incontrare lo sguardo del Cardinal Ferluci – ah! il sardonico sguardo! dàgli una porpora e subito diventano degli ingrati e mettono fuori anche le spese di benzina e Bagnacavallo sta a Roma... ah, che pontificato difficile... Ma verrà quel giorno, il giorno dell'Apocalittica Stitichezza! Per intanto Bertino I è riuscito a non andare di corpo per undici giorni, un record, l'ha consolato la Sua vice, la Sua alter-ega che per farle un dispetto ha finito per farsi chiamare Tavlèva la Magnifica (oh! non rinuncia nessuna a essere donna finché non riesce a essere Uomo). Ah, fra loro due non è mai corso buon sangue... Ma questo non vuol dire, non c'è fedeltà assoluta senza odio-amore, proprio come fra Tavlèva e quella sempliciotta di Suor Delfinattera, mandata a farsi le ossa – è proprio il caso di dire – fra i Dardanelli e Pordenone e guai a lei se non recupera tutte e duecentodiciotto le icone; sempre così fra madri e figlie... Ah, per Santa Marketa, l'è di nuovo sbiasciugata come una spumiglia!

«Tutte le quindicine così, Suor Sancia, che incorreggibile» brontola Suor Callas accorrendo con il boccalino dell'amido.

«Lo lamento tanto... M'è scoppiata una ruota.»

«Sì, lo lamento, lo lamento, ti conosco mascherina... Chissà dove ti sei fermata con la spaiderina color eucarestia... Ecco fatto, Sua Santità, si giri pure... asciuga in un fiat... Sua Eminenza si sta infilando i tre quarti di lattice, è in gran suaré, Santità, ecco che intinge l'indice nella Seconda Conchina... solleva il Forcipano dalla Terza, prende il Corpo di Nostro... di Suo, pardon, Signore dalla Prima... su, si tiri pure giù i mutandonini che corro alla pianola.»

Suor Callas è sempre così eccitata quando si tratta di strimpellare sui tasti, ma è proprio negata poverina, e guai se Suor Starfrodita dall'ascella canterina sapesse che s'è arrogata questa funzione di accompagnamento musicale...

Sempre più sentimental-operistico, sempre meno solenne, non è mica *Romagna mia*!

«Un bel respiro, Santità» ordina con la solita amabilità ambigua il Cardinal Ferluci «che si spampana bene.»

Un bel respiro, un bel respiro, non ha mica fiato da buttar via, Lui.

Il Cardinal Ferluci allargando l'orifizio con pollice e indice della sinistra – oh, che bel risucchio immediato – comincia la sua giaculatoria:

«In nomine Patris et Filiis et...»

«No, non questa, l'altra, quante volte glielo devo dire?» protesta gorgheggiante Suor Callas. «Mo' li so ben io i gusti di Sua Santità. Primo non nominare il nome di dio invano, che tanto non è mica quello giusto. Non diamogli modo di sentirsi importante negandolo, tanto ne avrà per poco quel porco.»

«Suor Callas, Suor Callas, moderi la linguaccia, è pur sempre mio zio diretto. Prego, proceda, che son tutta una contraria.»

«Dounca, bisdounca, trî cunchin i fân na counca. Dentar!»

«Grazie, Eminenza. In nomine Matris et Filiae et...» no, pensa Bertino I arrestando il suo amen, meglio dir niente della Spirita Santa, potrebbe saltar fuori la faccenda della Nonna.

«Ecco fatto. Vediamo se Sua Santità adesso riesce a superarla la soglia dei dodici giorni. Dodici e è fatta. Da Pitagora in poi, Santità, chi fa dodici fa tredici.»

Bertino I lascia andare un profondo sospiro, mentre Suor Callas accorre a rialzargli l'elastico del perizoma in vita – sull'ultimo metamero... Oh, che bell'appetito! che prospettiva assoluta gli muove le viscere! E con tutti i Suoi elementi ambulacrali Bertino I si slancia sul sarcofago imbandito di ogni ben di terra... Sì, sì, sì che si può chiudere un occhio, visto il Fine che si schiude su questa mensa... Sono stati, sì, tutti ricacciati indietro dalla Cima delle Cime, il signor dio esistente ha sempre avuto tutto l'interesse a calarsi dall'alto col suo corpo-sangue in quello dei mortali per meglio tenerli giù con la testa... Ebbene: Lui si serve dello stesso dio ma al contrario, per essere spinto dal basso verso l'alto, il Su-Su, tiè... Oh, Suor Callas s'è spostata alla cetra, e via che attacca con la sua solita filastrocca verdiana:

«Indovinello curioso e bello, / in mezzo alla gamba ha un bindello, / ha un bindello che pesa una lira / sempre è mollo e mai gli tira.»

Oh, ecco Suor Starfrodita mettere fuori la testa dallo stipite, calamo e tavolette di cera in una mano, trepidante... Compilare gli *Anales* e leggerli a alta voce è l'unico svago concessole dopo i fornelli a fonderia...

Oh, speriamo sia davvero l'Ultima questa Cena, non s'è mica fatta operare in fronte e sotto l'ascella per fare la cöga in eterno, lei. Con una proboscidina infantile fra le sopracciglia che quando gli tira fa da piffero e la vagina ascellare che a muovere il gomito a zampogna fa da batteria e lei che canta in equilibrio sul suo cavo steso fra dio e Dio, sta perfezionando un numero eccezionale, "Il Trio Lescano Comes Back", tre in una. È una grandartista, lei, del Firmamento destinata a diventare la più fulgida Star... E alzandosi dalla genuflessione e sistemandosi sulla scapola il mini-slip fatto di Sacra Sindone e orletti di zibellino declama:

«Posso dare inizio alla lettura delle ultime cancellazioni, Sua Santità? e già che ci sono ci darò una limatina...»

«Conosco le sue limatine, lascia il vecchio e ci mette anche il nuovo.»

«Ma Santità, il dono della Sintesi, come disse l'Angelo Bazarele nella Scrittura...»

«Suor Starfrodita! gnint kanker neh? che ci faccio rifare tutta La Storia.»

Bertino I dà uno sguardo corale in giro, mentre le Sue ancelle si accovacciano qui e là per l'ora di Lettura e Meditazione: beata gioventù, che articoli! ma che avranno mai le donnine di oggi al posto di un sistema ganglionare a scaletta?

«Attacco: "Inutile aspettarsi da Bertino I memoria di quel principio inferiore ormai ignorato d'ufficio da tutti i testi di storia contemporanea e dai conici prostomi ammessi alle alte sfere del recente e definitivo pontificato: l'Attimo di Vita, per quel che vale. L'Attimo di Vita durava solo qualche decennio e ognuno a modo suo lo passava a gonfiare palloncini colorati dai più svariati nomi e a farli scoppiare con uno spillo che non sembrava mai il proprio, e a questo Attimo di Vita seguiva di regola l'Attimo di Morte, sfuggente questo,..."»

«Ah, la scrif propi un gran ben... Sembra un libretto del Maria Piave.»

«Grazie, Suor Callas. "...conseguenza inevitabile per tutti naturale solo per i più fortunati. I Due Attimi erano metà perfettamente combacianti e simultanee dello stesso Vuoto, fuggente il primo, sfuggente il secondo – oh, una questione di linguaggio antico, non al passo con i tempi..."»

«Darci un taglio, Suor Starfrodita, qua si fa la Storia della Realtà Reale, gnint metafora della metafora metà fora e metà dentar. Confindustria, sorella, non confetti d'Istria!»

«Sì, sua Santità... "Nel primo sembrava che i palloncini colorati fossero svincolati da ogni briglia e nel secondo si faceva appena in tempo – una frazione di secondo: ma che significa oggi una frazione di secondo quando neppure i decenni hanno una consistenza temporale? – a rendersi conto che ognuno li aveva gonfiati e fatti esplodere sempre e soltanto all'interno di quel palloncino gonfiato che era stato lui e che, scoppiando, riassorbiva e reimprigionava tutti gli altri palloncini nel suo pfiii..."»

«Suor Starfrodita, ci sono dei punti di sediziosità neh? Togliere cancellare, cancellare tutto! pallonicni gonfiati non fanno pfiii. fanno bum.»

«Ma Sua Santità! Aspetti il finale almeno...»

«Lo conosco il finale: "E alla base di tutto c'era un sogno e..." Ma saranno mica cose da tramandare ai posteri queste, neh?»

«Break!» s'inserisce Suor Callas. «Tutte giù sul sagrato adesso che è l'ora del Te e di rifare tutto! Cardinal Ferluci, via coll'abemus!»

E fuè l'apoteosi del patto stretto da Teodora e Anastasia nato – NATO ? – dall'irriducibile inventività della signorina Scontrino.

«Habemus Pappa!» annuncia la voce satiricamente servile del Cardinal Ferluci alla Piazza San Pietro in sedicesimo dietro il bunker del collaudo abbinato palline-racchette gremita dalle solite due o tre nuove e anziane ballerinelle comparse con decine di gagliardetti dello "Studio Čajkovskij", pensierino della Badessa airlines.

«*Care* sorelle e care *sorelle*» comincia Bertino I dopo aver fatto "un due tre pronto pronto prova" dentro al microfono: il Testo è tutto scritto. «Poiché, grazie a Me, il futuro è già passato e questo presente sarà nel senso che è futuro...»

Dando inizio alla lettura del Suo discorso, quasi Lui ormai, Bertino I ha tirato un bel sospiro: per il momento ce l'ha fatta. Si può, ovviamente, fare meglio e di più. E non c'è tempo da perdere in osanna se vuole ingurgitar*lo*, digerir*lo* e azzerar*lo* per tempo, quanto basta per fare quel gradinoinoino in più verso un altro appezzamento di infinito, verso la Pallina Una e Trina. Con un timpano teso verso l'interno dello studiolo-smerigliatoio racchette, Bertino I vigila a che punto sono Suor Callas, il Cardinal Ferluci e il divino, ormai in pianta stabile, vaticanizzato soprano Quy Quah con il Te da passare l'indomani all'intronazione quotidiana nella Basilica di Santa Trevoltesanta – domani per modo di dire: non appena la sirena della fabbrica suona le tredici e trenta, cioè subito. L'introduzione è di maestosa semplicità, con le consorelle della Giovane & Informatica nei banchi d'onore, insieme alla crème degli assurti a Strasburgo, una sarcina di masse cubiche di QEQQE ("Questo E Quello Qualunquisti Europei"), mentre gli ancora agognanti stanno a catenella a due a due o a piccoli grappoli sparsi in ogni angolo degli altari minori; quando il canto con organo della divina Quy Quah scuote l'aria, tutti i fedeli si alzano con rimescolio argentino per accostarsi a gambero alla Comunione battendo il tempo con peti occasionali, le figure le conoscono tutti, così affini a quelle binarie dell'*habanera*, dopo cinque minuti c'è il solito parapiglia di casqué che tanto scandalizza Bertino I e Suor Callas, tutta la sua coreografia sprecata a causa delle solite distratte dure d'orecchio. E la divina Quy lancia l'ultimo vocalizzo del Te Tangum:

«"Re! mi fa sol mal! Mo' vien, mo' vien bien, tantum c'est l' même!"»

Tavlèva la Magnifica, insediatasi sotto la cupoletta del Referendario al posto dell'ex-signorina Scontrino, aspetta beata il suo pasto caldo dalla palazzina e, con questa cosa nuova del gradino in più in testa e che si può fare meglio e di più, cerca di dimenticare l'appetito slaccandosi dal blu di Prussia le unghie ormai naturalmente blu.

Il pontificato di Bertino I non si occupa dei poveri di spirito che, se non spariscono come Scopina o non contribuiscono ai fuochi d'artificio come il Sindaco, vengono inviati a poco a poco nel regno dei cieli. Suor Sancia è stata l'unica eccezione: così sprovvista di spirito da non poter essere considerata povera, è riuscita di straforo a evitare la corte marziale e a entrare nel giro delle camerlenghe addette allo stiramento delle reti delle racchette e a ottenere come gratifica di farsi intelare il palato per non insalivare le sfoglie oltre il lecito. Però prima ha dovuto sottoporsi a un'ulteriore prova di ubbidienza.

Allorché sua mamma Dolores è smontata dalla modernissima tradotta a vapore Reggio-Bologna-Ravenna, borsetta di caucciù raggrinzita piena di immaginette policrome della Madonna Nera di Tomemolo, l'adorato figlio unico di boia l'ha innazitutto accompagnata alla Palazzina

Kuncewicz a ammirare la Sacra Collezione. Quale stupore per lei constatare che, prima di inchinarsi sotto il sacro focolare domestico, bisognava indossare una blusa immacolata, molto simile a una camicia di forza coi bottoni – e i lacci (?) – dietro. Mamma Dolores prima di rendersi conto che un'unica Madonna (e mio Dios, en qué condiciones! quelle vellosidades a virgola sotto il naso e il mento, quella tecnica misto-mistica con la crosta in rilievo, e mai visto un Niño Jesus con tanti pisellinos ancora interi!) non può costituire un'intera collezione e che gatta ci cova, è stata fatta accomodare da una sorella con una strana crestina in fronte che, oibò, l'ha legata ben stretta e si è presentata: Suor Starfrodita, dispensiera personale della Vice di Bertino I, Tavlèva la Magnifica. "Encantada" ha risposto mamma Dolores, che in effetti avrebbe gradito qualche spiegazione in più. Quando in alto, sopra la testa, si è acceso un quadrante al neon un po' fastidioso agli occhi,mamma Dolores si è anche resa conto che quella non era una poltrona, ma un lettino e che certo quella luce eccessiva era per dare più liturgia alla lettura dei Testi, anche se, girando il collo a destra e a sinistra, non capiva bene tutti quei cassettini incorporati sui cui ripiani luccicavano in bell'ordine forbicine e tenagliette, perfino dei bisturini, un cacciavite, una chiave inglese, un rasoio da barbiere e una seguccia elettrica. Poi l'adorato figlio unico che ha fatto carriera in Italia e che la vuole con sé le ha bisbigliato: «Adios, madre, ti lascio in buone mani, verrò a trovarti!» e da allora non l'ha più visto. Non sa che è venuto a prender il meritato velo.

Da quel giorno Suor Starfrodita gliene racconta tante e la Dolores non nasconde il proprio imbarazzo né stupore. Mamma Dolores fa sempre di sì col capo – con quel che resta –, Suor Starfrodita ogni volta si scusa, dice sempre di essere alle prime armi e se può reggerle il Testo – anche coi denti, fa niente, e a pagina dopo. È il solito manuale, di "Chirurgia in 24 ore senza spostarsi da casa" stavolta, e è difficile da tener fermo con un labbro e un'arcata dentaria sola.

Adesso mamma Dolores sente un brusio, forse di organo?, di solito Suor Starfrodita suona il piffero e sbatte un braccio a ala, no, è un rumore nuovo, finché vede un trapano ruotarle sopra gli occhi mentre Suor Starfrodita prende a sfogliare il testo mormorando: "Vediamo vediamo... dounca bisdounca... oggi cosa bollirà in pentola? Non resta molto". Per settimane e settimane Suor Starfrodita le ha descritto le icone preesistenti della collezione in modo che riuscisse a distrarsi o a farsi una cultura o a prendere sonno e a non fare i capricci, via, che le madonne immaginarie sono meglio delle pecore per contarle e che lo sa anche lei che l'anestesia rende tutto più sciocco al palato, e zitta o l'avrebbe imbavagliata, e che cos'è una rotula oggi uno stinco di santa domani? Lo stupore di mamma Dolores non ha fine. «Dentro tutto!» dice Suor Starfrodita togliendo il coperchio, e anche lo stupore della Dolores ha fine con il suo pingue corpo spagnolo ridotto al cavo orale e alla lingua e un po' di oculi in alto. Il grido di ribellione è orrendo, tranciato a metà sul più bello, perché anche Suor Starfrodita, con quel poco che c'è, non era più in grado di andare tanto per il sottile.

Il Tenente Albigian, è diventato Generale di Lui alla testa di ottocentomila cloni di prostomio e svariate falangi di teste di QOQQI in erba e, perfettamente invisibile a se stesso, si enuclea nel punto di pura luce da cui scaturisce giorno sì giorno no il "Discorso Ai Futuri Parsifal", tratto dalla famosa Prima E Ultima Enciclica di Bertino I "Et pingem et pongem"; quanto a Amilkan si è sostituita con ogni probabilità e verosimiglianza al Tenente Camerata Albigian, ha cambiato sesso alle reclute invernali e tutto è rimasto virile come prima, con la differenza che adesso la Paralasta viene chiamata "Para, Non Tacchi Donne!". Vulvia, prima di diventare dispensiera personale della Magnifica Vice di Bertino I, a forza di matracci e pappagalli e "Esperimenti di chimica elementare per i più piccini" ha scoperto la formula dell'Umanella III liofilizzata, oggi anche in confezione spray, e l'ha sperimentata con successo immediato nelle tubature del "Mariuolo di Bagdad" e della "Bioteca di Alessandria", subito annessi alla Delfina Bizantina per poco e niente, appalto dei morti in più – perché la "Resurrecturis" è più viva che mai *per gli altri*...

«Su tutte per la merenda, sorelle!» dice Suor Callas. «Sua Santità si ritiri dal balcone o le fans non possono chiedere il Tris. Ci porto io un bel tramezzino col guano dei Titicaca spalmato sopra.»

Di nuovo quell'eco! Suor Scotina, spiccicata a sua madre non fosse per i muscoli, è stata chiamata a dirigere le converse nei lavori più grossi e adibita a passare il dito ovunque abbiano appena pulito e lustrato e passato la cera e a far rifare tutto daccapo con la scusa che è tutto un merdaio, un gran merdaio, e che appena li trova gliela fa vedere lei "come si fa a tenere in ordine il Vaticano di qui, il Vaticano di là il Vaticano". Ecco perché riecheggiando dai corridoi ai musei privati agli appartamenti di preghiera (di farcela), serpeggia ora quell'incomprensibile e atavica eco:

«... aanooo... anoo... ano...»

«Ma insomma, Suor Callas dei miei soppalchi, non me l'ha ancora trovata la spudorata che mi prende continuamente per il triduo?»

Bertino I è molto permaloso, guai se qualche prostomio caldo fa allusione ai Suoi fallimenti di trattenimento nel divin clitello e conseguente Eucarestia-up! n'artra vorta – non è giusto, con tutti gli sforzi che fa per i beni di tutte le Sue intime –, guai a chi non adempie alla sua parte a menadito, fa le gaffes, s'impappina, dimentica i passi! la pena è impensabili esercizi ginnico-spirituali con le palline e le impugnature delle racchette.

Bertino I, addentando la merendina, sa che può fare meglio e di più: mangiare la Terra e non restituirla, tanto per cominciare... E al diavolo le pernacchie delle maicontente.

Quanto a Suor Callas, che stava dilapidando in galera ciò che fuori non aveva mai osato intaccare della legittima, sembra che si sia segretamente intromessa la mai agnicizzata sorella di Bertino I, donna Dulcis degli Insaccati, ex-Pasionaria di Modena, ex-Giana dei Parti, ex-Pia Breccia, poi finalmente Contessa e ora nientemeno che Badessa delle Maiale Crude di San Donnino, titolo che ha dovuto accettare da Bertino I se voleva che le tirasse fuori il figlio e lo assumesse come Cerimoniera, visto che la Giusy sotto sotto all'arzillo ci vuole bene ma a parlaga de bessi lo preferiva per sempre in clausura di Stato.

E di slittamento in slittamento tutto è rimasto identico e trino come prima: Teodora, che non si sarà fatta *pfiii* con l'ago perlato ma una feritina profonda un centimetro e mezzo sul capezzolo sinistro, ha preso il posto di Anastasia nella conduzione dell'inarrestabile Delfina Bizantina; Anastasia il posto lasciato vacante dalla signorina Scontrino, la quale pontifica nella fabbrica di palline da ping-pong – e annessi – *Made in China* messa su per dispetto a dio e agli uomini di chiesa nello spaccio sconsacrato sulla collina, pazienza per lo spaccio e il bar, ma i numeri sul sagrato non sono meno sensazionali di prima.

E se si esclude che nessun'altra Teodora è venuta a sostituire Teodora e che nessun'altra verrà mai più a sognare palloncini colorati in cima a pali della luce o a matite appuntite come guglie, non è successo, per l'appunto, niente. E nessuno si è accorto del cambiamento divinato dalla profezia consegnata dalla Rakam a Teodora bambina, nessuno ha notato l'ulteriore degrado subìto dall'infinito sogno della vita, né che a essa manchi ora più di prima quel certo cordoncino ombelicale che ti faceva fuggire verso le stelle e altre galassie da vivo. E l'attimo della vita non è più fuggente perché il tempo nella Delfina Bizantina, che si allarga a macchia d'olio, viene azzerato boccone dopo boccone dalla famelicità missionaria delle tre signore o signorine sistematesi in pochi Gallia papalmente addobbati e congiunti fra di loro da un bel colonnato doppio più servizi di potenti di mezza Roma e Romagna tutta. Solo la signorina Scontrino è consapevole che si tratta di un manicomio da camera *ad usum Delphinarum* tutte: mascherato da fabbrica del ping-pong: lei sa che ogni profeta viene inviato un po' nel deserto per poi lasciarlo salire senza più mettergli i bastoni fra le ruote. La signorina Scontrino non demorde e per riguardo obbliga tutte le altre a far le prove finali con lei.

Ma prima di tutto questo *part-time* e di altro ancora, ci fu un attimo in cui questa progressiva e trina ascesa sembrò essere messa in discussione da un evento perniciosissimo fra i comuni mortali: la morte.

Se per vita s'intende la vita *e* la morte, e la morte intendendosi fine di sé e basta e al diavolo gli al di là sul mercato, si capisce che ciò non stava bene né alla moribonda – o morta? – né tanto meno alla signorina Scontrino; quando qualcuno telefonava da una certa locanda americana da un paesotto lì vicino con un nome da carestia e informava che una certa Anastasia Kurce... Cecus..., Kuncewicz, suggerì Amilcara, e che loro però conoscevano come l'Antavlèva di Piangipane appunto, era lì sopra in camera, nella *sua* camera, e che fatica risalire all'identità a quell'ora di notte, per fortuna era saltata fuori la patente di guida e sebben scaduta da dieci anni grazie al commissariato centrale eccetera, e che sì, erano anni che l'Antavlèva veniva a stare lì un giorno o due, a volte persino una settimana, una volta un mese, diceva di essere nata lì dentro, in quella camera, oh, certo, prima che ristrutturassero tutto, anni e anni fa, e che a una signora non si chiede l'età; a essere sinceri pensavano tutti che fosse un po' tocca qui, ma una brava signorina, disponibile(?), con le sue belle treccione dietro la nuca (?), no, non sposata, senza prole, che non conosceva più nessuno a Piangipane e veniva qui solo per andare di tanto in tanto a sputare sulla tomba di certo don Serafino, era diventata come una di famiglia e poi guarda che bel guaio, muore e non si sa chi è e chi rintracciare per far portare via la carc... il cadavere e salta fuori tutto quel pandemonio sui nomi che sembra ne siano morte tre o quattro in un colpo... Sì, la professoressa Avverata Infierisemper era appena arrivata, era su in camera, ne aveva constatato la morte, sì, un cac... un cat... un cazzus cerebrale o qualcosa così, cosa doveva fare lui, dirci di restare alla Profe o... e il certificato di decenza (?)? Ma che si sbrigassero, con chi stava parlando lui? visto che erano pochi chilometri, se potevano venire a ritirarlo subito, il cadavere, e che loro di solito chiudono alle undici, sa, in paese, chi c'è c'è e chi non c'è amen, e adesso era già mezzanotte e dieci... E lasciò cadere un complimento pesante su voce gutturale e relativa gola di Amilcara.

La signorina Scontrino non aveva perso una parola stando appoggiata al ricevitore supplementare e si sentì minacciata in tutta la sua fuga gerarchica di successioni, e ci vide lo zampino di Brunilì Rakam dall'oltretomba (cioè dall'interno di se stessa) che rideva a crepapelle ma a denti stretti e diceva ma che profezia e profezia, ci sei cascata, sorellina facciotuttoio! l'ho fatta stampare a mie spese la profezia, l'ho scritta *io*! sono anch'io una giornalista, tiè!... Ma no, la Brunilì non c'entrava: avrà anche fatto carte false pur di entrare nell'Ordine degli Elzeviristi, sapeva compitare e questo le dava la sensazione di dire la sua, ma in quanto a scrivere no, non aveva mai saputo! E perciò la profezia era autentica, sia che l'avesse o no scritta lei: perché le profezie in generale fanno miracoli solo se vergate di pugno dagli analfabeti.

Ma prima di tutto questo *Dopo* perpetuo, la signorina Scontrino, non appena Amilcara aveva messo giù la cornetta e si guardava in giro con occhi sbarrati, si era appartata nel retro del Referendario e aveva stretto un patto con dio: "Se... e se... e se...", *lui* ogni tanto avrebbe potuto sedere alla Sua destra, e che Antavlèva le era preziosa come se stessa, perdere lei era come perdere l'ombra o la generale aureola, l'anello concatenante il mondo dabbasso, il tramite sinequanon, il mastice che teneva unito il Su e il Giù mentre Teodora si sarebbe occupata intanto dell'*underground* periferico-cariziano, perché niente della Terra fosse distratto dal Suo bertinico metabolismo, demandato in parte alle sue parenti in segreto, mentre Lui avrebbe continuato la Sua scalata sferica e definitiva e avrebbe chiuso un occhio su quella che sembrava più una sistemazione definitiva che un vaticano momentaneo, e per giunta fatto in casa. Oh, ma gliela avrebbe fatta capire lei con le buone e con le cattive che il vero *emerso* è il falso *sommerso*, chi è ufficioso e Chi è ufficiale e qual era la Sede adatta alla Sua persona! No, non si sarebbe mai accontentata di Avignone! Intanto, ingrandire sempre di più e poi staremo a vedere, anzi, staranno.

Perché la signorina Scontrino non sta a guardare: fa.

Ma orco d'un can che *suspense* quell'attimo fra la vita e l'immortalità!

E Amilcara farfugliò:

«È morta... è morta la mia diletta...»

Teodora fu presa da un gran senso di sollievo, avrebbe fatto un altro giro col carrozzone e poi sarebbe tornata a casa e avrebbe messo la testa dentro al forno a gas. Era stanca, di una stanchezza totale senza motivo. Non c'entrava la vita né la morte, solo la stanchezza in sé, che sembrava essere la sola origine dell'origine, come se il mondo si fosse autogenerato per una sola ragione: per la stanchezza di essere in forse e per un bisogno di bellezze acquatiche, o al bagno. Per un istante aveva sentito di essere ormai vicina a quel guadagno in perdite, che per dar corso all'evento bastava solo un misterioso tintinnio di qualcosa, come di vetri... Un po' delusa ma indifferente, era arrivata a smaltarsi già otto unghie: quel movimento interno su cui aveva puntato un disegno scherzoso finito in una vendetta mai contemplata nelle sue sorprendenti conseguenze da tragedia immane, quel movimento era scomparso da lei e anche il desiderio fin lì provato di esserne irrigata come ogni altra donna. Se la farina del diavolo andava in crusca, non c'era come la morte altrui per lasciare la tua vita tale e quale, cioè un punto meno al punto di prima. Uno scherzo che non valeva la candela, e i ceri neppure. Le venne voglia di mettersi al volante e pensare a *lei stessa – chi?* A una morta, poiché adesso fra *lei* e lei non faceva più differenza.

Amilcara era pronta sulla soglia, stava per partire, mentre la signorina Scontrino pregava in modo del tutto insospettabile azionando il *soft*.

E Teodora, meravigliandosi di se stessa, della propria stanchezza, recuperando fiato dopo aver preso come un pugno dentro il ventre, guardò le due come se le vedesse per la prima volta e, sollevando il busto e drizzando più in alto che poteva il tozzo collo, avvitò la boccettina dello smalto neutro e disse:

«Vado io. Me la sbrigo io. È mia madre.»

Piangipane:
PRIMA di DOPO

«Ma noi ci siamo già visti! Piacere, Rudy Bertinoro» sbotta l'uomo sudaticcio in canottiera venendole incontro a metà linoleum del corridoio del "Las Vegas Motel", ex-"Locanda delle fantesche belle", ex- "Il Vagito" osteria con cugina. "*Sì, ho pernottato qui una volta*" pensa Teodora, poi corregge il tiro inespresso, "*anzi, due*".

«Sarebbe per la morta...» dice senza guardarlo e avviandosi verso il deschetto-scrivania pieno di piantine grasse con le cime spezzate e tazzine di caffè sporche di rossetti... Era una sua recente qualità quella di essere tanto grassa e di aver trovato modo di scomparire fino al punto che la gente non sapeva più se l'aveva vista e quando... Teodora fa un altro passo, gli gira la schiena: accanto al vaso più grosso di cactus che tiene giù la fòrmica scollata del ripiano c'è la borsetta di coccodrillo di Anastasia riversa e scatoletta di cipria, patente di guida, le iniziali A.K. su un fazzolettino, un borsellino unto con lo scatto d'ottone di una volta.

«Le faccio le mie sentite... signora... signorina Crezis... Crudesc...» mormora l'uomo in braghe corte e sandali. Glielo dice all'altezza del seno, sistemandosi con una mano il cavallo e con l'altra la cinghia sulla canottiera che lascia scoperto l'ombelico. L'uomo scatena fuori da sé una breve e intensa puzza di urina vecchia e di fontina sbrinata.

«Mi accompagna su?» taglia corto Teodora.

«Era lei al telefono signorina... signora... Curtez... Cutref... È terribile...» perde tempo con querula indifferenza il portiere di notte-proprietario-macrò, un uomo. Teodora ha raccolto tutte le cose di Anastasia, chiude la borsetta. Perché non si muove, aspetta una mancia o che altro? uno che tenta con tutte, anche con le parenti delle defunte venute a riprendersi le madri snaturate dalla doppia vita quando le perdono entrambe in un colpo solo?

«Non ero io al telefono...»

«Mi pareva... la voce... ha una bella voce calda calda...»

«Sarei la figlia della morta.»

«Sa, da noi si è sempre registrata... si fa per dire... con un altro nome di quello della patente, Antav...»

«Allora, mi accompagna su o cosa? Non aveva fretta?»

«È su con la nostra Profe... Caffèèè?»

«Avrei una certa premura anch'io» dice Teodora sospirando. Era un'impressione o una manaccia si stava avvicinando a un fianco da dietro e le stava facendo la mano morta?

«Una fortuna che una luminaria di quel calibro abita proprio qui a Piangipane. È su che aspetta le sue istruzioni, signorina...? Mi pare proprio di averla già vista, sa? Fa la presentatrice tivu?»

«Salgo, conosco la strada.»

«Ma allora è venuta qui che io non c'ero! Che peccato!»

«Per quel che mi riguarda, non ci sarebbe stato comunque, lei.»

L'uomo si precipita sul primo gradino, lasciandosi dietro a malincuore la grossa visione di carne e progetti a ore.

...Quella prima volta l'odore di "Violetta di Parma" misto a trasudazione come di cera d'api salmastra che tanto bene conosceva, l'aveva condotta magneticamente alla camera del terzo piano in cui avrebbe giurato che dormiva e soffriva *lei*. Perché da sotto lo spiraglio della porta usciva dolore dilagante come da un cuore che lo stato di veglia aveva dimenticato aperto. Teodora se ne era andata via subito, e nell'andarsene aveva visto sotto il fico la Golf di Anastasia. Era ritornata mesi dopo, era sicura che Anastasia non si sarebbe mossa da casa per non perdere "Aboccaperta" alla televisione, infatti sotto il fico non c'era la Golf, Teodora era entrata e si era fatta dare proprio quella camera lì, la numero 2, dalla donna tutta ammicchi sconsiderati che stava dietro il deschetto. Sapeva di trovarci qualche segno di quei passaggi anonimi e frequenti, il serendipità di un raccoglimento svergognato attorno a se stesse lontane da occhi indiscreti, un'eco di discorsi a voce alta da sole, un modo tragico di truccare te come fossi un'altra, la tua nemica, una donna da sbeffeggiare, senza farlo vedere a nessun altro fuori dallo specchio spudorato... E sotto il doppio fondo dell'armadio Teodora aveva trovato qualche straccio ripiegato religiosamente e palline di naftalina, un fazzolettone tarmato col nodo da sistemare dietro la nuca e bagoline di sorci, una vestaglia di saglia tre taglie in meno di adesso e una crestina inamidata di recente, bianchissima, più volte amorosamente rammendata con odio cieco... E forcine di osso oggi introvabili. E un vasetto di marmellata di mirtilli, marca inglese, con lo stemma della real casa... Anastasia diceva sempre, "Vado là, stavolta ci vado proprio, con l'Aerflot" – in Russia, e ecco dove veniva a cacciarsi: in una Pietroburgo a una scoreggia da casa, in un alberghetto dove l'allegria a ore sentiva l'afta epizootica del passato... Dove le donne non facevano in tempo a essere sventurate o tristi o depresse, bisognava fare le porche subito...

Procede il linoleum sbrindellato a cubi rosso-neri sulla scala; al pianerottolo del primo piano l'uomo le si affianca e le si struscia contro, in attesa. Teodora si sposta, niente la indurrà a precederlo sui gradini che portano al secondo piano. L'uomo si rimette in marcia, schiarendosi la gola, come a dare il segnale di essere pronto a vuotare il sacco scala facendo, a dire quanto sa di quella cliente strana, seminare qualche sospetto pesante nella sua mente e arrivare al particolare più raccapricciante del cadavere della numero 2 doppia senza vista con bidé calda-fredda e bagno fuori: la marmellata spalmata orrendamente attorno al naso. Teodora sale senza fiatare più di quanto le costi ogni nuovo gradino.

L'uomo è costretto a precederla anche quando il ballatoio del secondo piano avrebbe abbastanza spazio per darsi il cambio e scambiarsi una confidenza; gradini di ardesia sbocconcellati, ora, senza copertura di sorta, balaustra con la cromatura screpolata; l'uomo non si dà pace di non starle dietro. Seguire i tozzi movimenti delle anche che si arrampicano spostando atolli di carne coperta di seta nera fiammante, l'alternarsi delle braccia nude sullo scorrimano che sollevano facendolo ricadere un seno dopo l'altro... Oh, avercela nel catalogo di quelle che ogni tanto ci gira la ciribicoccola e hanno bisogno del paio di scarpe nuove, della catenina in più! Di questi tempi di vacche magre le grasse non sono mai grasse abbastanza... Che strano, non fa domande, senza una lacrima, già vestita a lutto come se si sarebbe fatta trovare vestita così... Non sa come e quando, ma lui questa donna cannone, 'sto toc de novänta ce l'avrà.

Una musica rock scatarra fuori un a solo di tamburi dalla numero 6, radiolina difettata, scariche, poi annuncio pubblicitario: "Avete assaggiato il nuovo salamino Dulcis? Dulcis, il salamino-evasione dai soliti insaccati che piace anche alle zie bigotte...".

«Ce l'ho detto che c'è un morto in casa, ma sa come sono i vegliardi d'oggi, non hanno più rispetto di niente, non hanno più il ritegno di una volta, fanno le diete, c'hanno le protesi di sostegno per tutto... Io invece roba sana...» dice l'uomo, un uomo. Teodora continua in silenzio la salita, senza affanno, senza curiosità, il respiro bolso è dovuto a un falso riflesso davanti a ogni scala, ma stavolta riesce a respirare meglio, sente che bisogna abituarcisi alle scale, che non sarà l'ultima, perché appena riportata la mamma a casa parte per Bologna e si lascia cadere nel vuoto dalla Torre degli Asinelli, come una mongolfiera piombata dal cielo... Scricchiolio del piancito secco e scheggiato al terzo piano, nessuna voce di nessun tipo fuori da nessuna porta, penetrante profumo di violetta e concime d'estate al finire. La porta sulla cui serratura s'è chinata quella volta – otturata con mollica di pane – è in fondo al corridoio e sta socchiusa.

«Professoressa Infierisemper, sarebbe la figlia...» sussurra l'uomo dai peli sotto il naso tagliati a spazzola con le due chiccole ben visibili sulla scriminatura. E con espressione contrita, da libidine in stagione morta, risolleva gli occhi su Teodora che dalla porta ci passa appena.

«Era ora. L'ho trovata così.»

«Ha gridato un paio di volte, io e la mia segretaria siamo venuti a vedere, e era già così...»

«...calda e cadavere, signorina... Io più che un certificato di... In quanto alla marmellata attorno al naso, non so che dirle, le restava pur sempre la bocca per respirare se voleva...»

Teodora ha prestato attenzione alla voce ma non alla donna che ha parlato, una voce rauca e flebile, che concepiva frasi marcate da un timbro suicidale... tipo "*E questo è per te*" dopo mesi di vassoi avanti e indietro e carta arancione plissettata... Teodora si avvicina alla sponda del letto: eccola lì, la Antavlèva di Piangipane, Anastasia Cofani, Anastasia Kuncewicz truccata come una sguattera povera a carnevale, mezzo vasetto di marmellata sul naso che pare una ferita sanguinolenta ammuffita, la sua vestaglietta color niente e la crestina bianca per le grandi occasioni quando arriva il Podestà e l'arcivescovo da servire a tavola a puntino. Un ex-fantesca che non ha mai avuto il tempo di cambiarsi per andare a vivere ma l'ha trovato per travestirsi ancora da fantesca e venire a morire come è cresciuta, sgambetto dopo sgambetto, colpo di reni su colpo di reni.

«Morta-morta?» chiede Teodora staccando dal grembo di Anastasia una mano incrociata sull'altra e tre mirtilli allineati sulle labbra serrate in un'espressione di disgustoso furore.

E per la prima volta Teodora levò lo sguardo verso la professoressa Infierisemper. Era vestita metà notte – pantaloni di tela giallastra, un pigiama, chissà – e metà giorno – camicetta verde con alucce sulle spalle e paio di mocassini maschili con pon-pon sulla punta... Ma la faccia, la faccia che adesso Teodora fissava aveva una proprietà strana, già vista altrove, in qualcun altro, proprio come la voce, già sentita: la faccia assomigliava a una nuca, non perché avesse lineamenti e orecchi dalla parte giusta e i capelli dall'altra parte giusta, ma perché non si capiva se presentava il davanti o la schiena, se erano occhi quelli o fermagli di metallo, se era la bocca quella o l'attaccatura dello scalpo, e se i due bitorzoli erano seni o cime di scapole. E anche lei adesso sta strappando qualcosa da un blocchetto che sembra una rivista patinata.

Teodora guardò istintivamente l'orologio al polso, contemplò terrorizzata la possibilità che le venisse porta una ricetta per quattro e si appoggiò al pomolo della spalliera. E sbarrò un istante le pupille non sulla morta ma dentro al proprio corpo non vivo: cos'era questa sensazione di nuovo fra le cosce? il solito scolo vivo della femmina che arriva per la mensilesima volta e poi fa dietro-front? Le sembrò di scoppiare da un istante all'altro, o che doveva scoppiare subito o mai più, aiutando l'incomprensibile galassia a travolgerla andandole incontro... Il palloncino la stava portando invece da qualche altra parte, un'altra. Non succedeva mai niente, si continuava a patire senza darlo a vedere.

«Da parte mia, signorina Teodora, non ci sono impedimenti. Però dovrò far presente che è stato quasi certamente per abuso di come dire, cocaina candita ai mirtilli...»

Ha sentito giusto? l'ha chiamata "Teodora"? come fa a sapere il suo nome? lei non si è mai presentata. O le madri gridano davvero il tuo nome prima di spirare e qualcuno ci fa caso e altri no? Si guarda attorno, sicura di essersi impigliata in un qualche pacco di giornali, o nei rami nudi di un melograno, e che un sorcio le scatta giù dalla schiena e la civetta...

«Eccole il certificato. Ma piuttosto, come farà adesso? Ripassa domani?»

Teodora prende il foglio di ricettario tremando appena e abbassa gli occhi sulla luce dell'abat-jours: "Prof. Ezia Avverata Infierisemper, via della Resurrezione 1/3, telefono...: 'Oggi alle ore 23,15 circa... per ictus cerebrale è deceduta, salvo complicazioni... Si concede il nullaosta per le esequie. Firmato...' ".

Teodora ricorderà a lungo questo sbandamento dei sensi: stava vivendo il presente o il passato ribaltato sul futuro?

«Ho già tutto giù io» dice Teodora. «La trasporto io a casa subito.»

«Per la marmellata...» riprende perentoria la Prof. Ezia.

«Oh, tenga pure il vasetto» risponde Teodora sovrappensiero, come se avesse davanti l'ingorda Brunilì Rakam.

«Ma per chi mi ha preso? Per la marmellata, può pulirgliela via lei. Portare via il vasetto! Mi dia piuttosto trentatremila. E già che c'è, un bel bidé alla morta non guasterebbe. Fra donne...»

«Tutto cosa, signorina...» chiede l'uomo riapparso improvvisamente sulla porta dopo essere sceso a precipizio per le scale e aver controllato invano il registro per il lungo e per il largo. Si sarebbe accontentato anche di un nome fasullo, ma doveva dimostrarle di saperla chiamare correttamente in qualche modo.

"*Il mio nome è Teodora Marietto Cofani Kuncewicz Piangipane, brav'uomo...*", fa una pausa nel pensiero non espresso: anche Delfinattera Bertinoro non sarebbe male tanto per cominciare anche lei a avere qualcosa di ex e un avvenire.

«Il furgone. È un carro funebre. Ho tutto. Anche la cassa.»

«E la moto-cazzoretta?» fa l'uomo, che voleva aver partita vinta a tutti i costi, uno che si vedeva che il destino prima o poi gli dava una mano con tutte, perché ce l'aveva piantata qui. Aveva un'espressione da bullo che ha predisposto tutto, la monta e anche il testamento delle sue avventizie. Forse era proprio così l'uomo sbagliato ideale. Si fissarono. Teodora si aggrappò di nuovo al pomello: gli occhi dell'uomo erano viola e avevano la stessa frenesia cangiante di quelli di Anastasia.

«La moto-carrozzetta la manderemo a prendere.»

Davanti a quel plurale l'uomo fece un inchino servile ma non rinunciatario e svegliò i rinforzi, cioè la tuttofare che, notò Teodora, arrivò traballante e languorosa e ammiccante come l'aveva conosciuta. Anche la segretaria aveva qualcosa di familiare, di vago: il nasino sembrava a metà strada fra quello deturpato e quello rifatto di Anastasia... Tutte queste nuove coincidenze sul passato altrui diedero il colpo di grazia a Teodora che pensò, mentre Anastasia veniva sollevata e trasportata a braccia giù per le scale, che niente di ciò che non la riguardava si asteneva dall'opprimerla. Anastasia fu caricata dietro il furgone nella cassa da morto – di gomma, fregi tipo copertone, il vecchio prototipo *on the road* che non aveva attecchito – e all'uomo e alla donna del Motel diede una lauta, fraternastra mancia. Tipica di chi sta per lasciare la vita, ma Teodora non sapeva se in questi casi si dice anche grazie e non lo disse. Non voleva contentare qualcuno per la prima volta in vita sua, aveva già troppo scontentato la sua mamma sistemata dietro.

Sulla strada superò la bicicletta-motorino truccato di una che pedalava senza bisogno. Rallentando si voltò a guardare quella strana figura nella notte, e non vide niente davanti che non avesse visto di dietro. Era la Prof. Ezia, con la gemma sul manubrio e il fanale sulla ruota posteriore. Per la prima volta da quando aveva fatto la Cresima, Teodora si fece il segno della croce. Arrivata alle porte di Ravenna, nel decidere fra un pedale e l'altro avanti o marcia indietro, schiacciò dentro il mangianastri la cassetta dei cha-cha-cha. Allungò la mano, prese la tabacchiera di

Anastasia nella tasca laterale della borsetta la aprì e se la passò e ripassò sotto il naso. Cominciò quasi subito a ridere per il diffuso pizzicorino, specialmente sotto il seno e nei lobi delle orecchie e un tremore nei garretti, e ridendo e accompagnando a squarciagola "C'ha del cha-cha, por favor" le venne un'idea. Con la morte nel cuore trasse da sotto il sedile il sacchetto d plastica con dentro l'abito rosso coi lustrini da portare in lavanderia e si fermò sulla corsia d'emergenza. Era già arrivata a Borello e fece testa o croce: croce. Bologna. E a San Lazzaro, la prima quindicina e non uno di più. Come contromarca, un palloncino a musetto di maiale ciascuno, e tutto bene. Glieli aveva fatti gonfiare, lei glieli aveva fatti scoppiare con il suo spillone man mano che prendevano posto. Poi rimise in moto. Destinazione: Giro d'Italia.

È entrando nello spiazzo autostradale di Malalbergo, verso le tre del mattino, che la "Violetta di Parma" acquisisce, il motore che si spegne davanti alla porta spalancata del bar deserto, l'ultima sfumatura: di pesciosità sotto nafta.

Teodora esce dall'abitacolo e il suo passo si dirige fiero e estatico verso la macchina incustodita del caffè. Non un'anima viva nel di qua del bar, ma un gran vociare di uomini dal retro che gridavano a proposito di un asso di bastoni. Il proprietario non può averla sentita perché è entrata a piedi nudi. Il più vicino di tutti gli invisibili giocatori stava raccontando – e un altro: «Ma piantala, ce l'hai già raccontata venti volte!» – una storia disgraziata, del figlio ricoverato al neurodeliri per stress da pesistica, una malattia nuova, perché anche la madre aveva sofferto di esaurimento nervoso e adesso per modo di dire che stava bene lei non più di quanto era stata sempre male si era ammalato il figlio, unico, e se c'aveva un briscolino bene altrimenti giocare uno scartino.

«C'è nessuno?» domanda Teodora frangendo un vapore di sigaretta sul lavello del bancone.

«Oscar, dài che c'è una cliente» borbotta una voce.
«Vengooo!» dice da dentro una nenia, e il gerente nell'affacciarsi e vedendo l'enorme donna scarmigliata con la sigaretta fra le labbra resta due attimi incantato con le tre carte in mano sollevate a mezz'aria come a farsi vento. «Se non si fa una partitina con questi tiratardi sa... A questa pompa non si ferma mai tanta gente, proprio come se neanche ci fosse l'autostrada... Desidera?»
«Una Coca» e sbotta a ridere. «E una limonata calda... per la mia amica fuori... In un bicchiere di carta, che gliela porto fuori» dice Teodora guardandolo in tralice. E questa naturale malizia nella voce, da dove spunta?
«La sua amica non si sente bene? Ma no che ce la do in una chicchera.»
«Neanche per sogno. È una di quelle tipe... una mattacchiona... Ha bisogno di una ristrettina... Sapesse... Grazie. Gliela riporto subito... Hehe!»
Reggendo tazza e piattino si reinfila sul sedile del carrozzone, mescola lo zucchero e butta giù limonata e coca. Intanto, che la voce si sparga fra gli avventori. Non sarà facile metterne assieme una quindicina qui, ci sono solo due TIR dietro la casamatta dell'acquedotto/centrale elettrica, e nessun lucore nelle cabine. Musica! "Sì, no, no, sì cha-cha-cha" a tutto volume. Anastasia dietro, nella bara con il coperchio chiodato a lato, le tendine delle vetrate tirate giù, sembra sorridere sotto la luce della luna, incredula di essere lì dentro, morta davvero, è da un'eternità che gliene fanno di cotte e di crude, scoppiettii sembrano solleticare lo stesso timpano della morta e se la morta avesse un pensiero sarebbe se non è roba da matti non lasciarle neanche il tempo di ridarsi un'aggiustatina.
Antavlèva non è più vestita da serva: il bellissimo abito di Teodora, rosso sfolgorante, dalla profonda scollatura, le è stato buttato di nuovo sopra e sagomato tutt'intorno, via mutande e reggipetto. Solo la crestina le è rimasta in testa, quel ridicolo e moscio diadema di serva. Prima di arrivare qui Teodora le ha rifatto il trucco e sfatte le trecce

e l'ha ripulita qui e là del più grosso, come fa con le incrostazioni sui parafanghi e attorno alla carrozzeria.

Qualcosa che ha a che fare con il tempo ha perforato la morte di quel corpo, l'ha reso di nuovo come bollente dal suo regno di polvere dissimulata in tanta carne profferta con ciglia finte, tette procaci, labbra saporite di fragola e cacao, i fluenti capelli biondo cenere sciolti attorno alla scollatura. E, mio dio, una gran voglia di darsi una grattatina lì, sotto la bifida. E il dolore, scotto, fesso, stolido che di nuovo mima una manfrina specchiandosi e torna a scorrere... Il cadavere ha una sensazione di gonfiamento, e di putritudine giovialona, esterna però, facile da estromettere, che intanto che sta lì dentro va in visita qui e là a organi intrepidi e bussa a porte vive e fa storcere coane uterine ammaccate dal coma ma ora frementi di una loro inespugnabile vita nella morte. C'è all'interno del corpo uno sciabordio marino di liquidi tristi di maschi in branco dentro la stessa zattera. I postumi della vita aleggiano scoreggiando fuori a risme una poesia buia festonata in alto da un'aureola di lucine da luna-park, in basso da palloncini colorati attorno alla cassa rappresi nell'istantaneo grugnito dello scoppio.

Teodora prende il sacchetto dei palloncini, ce n'è ancora un bel po' di contromarche. Va bene anche Pisa per slanciarsi nel vuoto, forse ci sono meno problemi di ringhiere protettive da scavalcare, ma non è sicura che la scala la farà passare dopo il primo torciglione.

Quando rientra nel bar e posa tazza e piattino sul bancone tutti gli uomini stanno ritti nel vano della porta del retro, silenziosi, con le carte penzolanti in mano.

«Ehi, nonnini, io sì che c'avrei il modo giusto di tirar mattina. Ah, ma io non c'entro... Fuori c'è la mia amica che è in vena... vuole essere risuscitata dai bigoloni... hehe!»

Era proprio così che si diceva nei casini, come si era fatta insegnare da Vulvia nelle rare ore buche dell'organizzazione del suo scherzo filiale? era così che doveva essersi espressa la sua adorata mamma troia?

E tutti uscirono da dietro il bancone, sparpagliando le carte dove capitava. Nello stesso momento apparvero tre uomini nel bar, in canottiera e blue-jeans e tuta e uno con la camicia bianca e cravatta slacciata; restarono parecchi attimi perplessi a seguire i contorni neri delle labbra rosse che finivano di truccarsi slumacandosi nello specchietto del portacipria sopra quella montagna di carne di femmina a piedi nudi vestita di nero.

«Un panino con la mortadella e una birra... Tira aria di morte in giro, fuori» disse uno per darsi un tono nel silenzio rotto dallo scroscio della birra alla spina. «Col coperchio giù... È uno scherzo?»

«Sì, tesoro, è uno scherzo: da prete. Ma che morto e morto! È la mia amica stramba che la dà via a occhi chiusi e guai a dirle niente! Non si muove né fa una piega, puoi girarla davanti e didietro, basta che chiavi e non parli. E le piace da morire farsi dare i pizzicotti. Contromarca? Diecimila, prezzo di fine stagione!» e Teodora estrae dalla scollatura un palloncino e si mette a gonfiarlo.

«Son tutte allegre così a quest'ora dalle vostre parti? ma che simpatica la gringhellona!»

Per ultimo sul vano della porta sul retro Teodora incrociò lo sguardo assatanato, da cane bastonato, di uno che le pareva di aver già intravisto di recente ma che non sapeva dove andare a pescare. Lui uscì dal bancone, zoppicava leggermente, portava dei bei stivali, tipo ultima moda giovane, ma non lo era da un bel pezzo. E aveva anche molto gel attorno a quel che la calvizie aveva risparmiato... Teodora adesso era circondata, ne arrivarono altri quattro da fuori lo spiazzo, e lei dava contromarche e istruzioni e pacche sulle mani a quelli più intraprendenti.

«Giù le sgrinfie, te. Io sono già fatta, due giorni che sbrodo, cocco. Son scarica. La mia amica fuori... Oh, che gusti che gusti! Diecimila a prepuzio, prego, un affarone, gente. Ma mi raccomando: non una parola o smette e devo rimettere in moto. Una sveltina e via sotto a chi tocca. Può andare avanti fino a quindici se fate i bravi.»

Riuscì a metterne insieme una dozzina esatta. Meglio che niente. E uscì precedendoli fino al carrozzone. Poi accese le lucine e Anastasia ridiventò la sirena rosseggiante di paillettes sotto una marea di iridi fisse come scaglie. Era sempre stato il sogno di ogni uomo fare all'amore in una cassa da morto con una viva che fingeva del contrario. Dalle bocche spalancate dei vecchi bambini in canottiera uscì un'esclamazione di meraviglia: e che ci comperi oggi con diecimila lire?

Il vecchione imbrillantinato dall'aria di galletto impenitente incolla il naso al vetro per primo: sì, è proprio lei, la signorina Cucurucucù delle due cagne per volta a febbraio, la padrona della Delfina Bizantina, la pesatrice della bilancia gigantesca, la gran völva, che sorride con le guance risucchiate in dentro, come se trattenesse una risata. L'aveva sempre pensato lui che è una con una rotellina in più.

«Su, avanti il primo palloncino gonfiato... Dal retro, bestia, passa dietro...» e Teodora solleva per lui la portiera posteriore; cessa la musica e si sente il *clap* della cassetta spinta fuori dal mangianastri. Silenzio. Grilli. I soliti sferragliamenti di cerniere.

Teodora fece in tempo a intascare centodiecimila lire, e a punzecchiare undici delle dodici marche che non prendevano quota, prima che il guardiano del canile si riprendesse dallo stupore e sborsasse le sue diecimila. Nessuno le ha chiesto di spegnere le lucine, era come essere sui dischi volanti e contemporaneamente stare al tirassegno con la donna dei fucili di quando avevi sedicianni, l'uccello sempre in tiro e al massimo ti beccavi una fotografia di te che sparavi e la spalla nuda di lei.

Nessun rumore, solo rispettosa e angosciosa attesa, una macabra allegria accelera i battiti del cuore: l'amore, la finta morta. Dentro il furgone i colpi dell'undicesimo si susseguono rapidi e ansima lui, e l'altezzosa sacerdotessa del Festino non era sempre stesa nella cassa, a volte messa di sbieco e era una elasticità strana della gamba sollevata con un pugno stretto alla caviglia a dare una sensazione di ubbidienza, di freschezza e agilità di finimenti muscolo-ghiandolari. Quando scese – era un mingherlino lì col nonno camionista che l'aveva preso su per fargli provare amore per il mestiere – disse spavaldo ma a voce bassa:

«Gente, una cozza così non l'ho mai provata. Un po' frolla intorno, ma la figa dentar l'è sempre la figa, a venti come a cinquanta. Un fenomeno.»

Il nonno gli diede una pacca sulla spalla e pensò che era riuscito nell'intento di attaccare tunnel a tunnel, carico e scarico, multe e menù a prezzo fisso, culi allegri di piazzuole di sosta e chilometri e chilometri assaporando l'odore del pelo di una femmina e l'ultima rata del salotto di vera pelle. Era sulla buona strada, sarebbe diventato un padroncino anche lui. E finalmente toccò all'uomo con il maialino rosa color carne che svolazzava contro una ruota con le orecchie flosce perché aveva fatto in tempo a sgonfiarsi. Salì il guardiano emozionatissimo mettendo su per prima la gamba buona, si guardò attorno, tutti quanti se ne erano andati, solo quella bamboccìona stava fuori seduta su un parafango a fumare, non era capace nemmeno a aspirare il fumo; lui non doveva dimostrare niente a nessuno e era esonerato dal prenderla per le lunghe... Ma l'amore della conquista a tutti i costi fu anche questa volta irresistibile, la tentazione di avviare un discorso seducente più forte dell'immediata possibilità spalancata sotto di concluderlo tacendo come da ordine.

«Signora Cunvisstz... sono io... il guardiano di Ferrara... quello delle cagne...»

Sarà stato che l'odore del vecchio gastone era intollerabile, brillantina e tanfino di indigestione, sarà stato che sotto il naso della morta il gorgonzolato di colonia tuttiusi poteva anche resuscitare i morti, successe che il busto della signora scattò in alto e le gambe irrigidite e pari si stiracchiarono un istante con virulenza e scaricarono un'immane energia nel basso ventre dell'uomo che si stava manipolando di fianco alla defunta, con ogni buona creanza. L'uomo colpito a tradimento andò a sbattere contro il cristallo che si frantumò in mille pezzi ai piedi di Teodora mentre dal tintinnio scaturiva un rantolo e un grido come di ragazza:

«Noo, a fare la serva no!»

«Antavlèva!» gridò il guardiano. «Ma sei l'Antavlèva che ci ho dato un passaggio sul carro!»

Anastasia aveva urlato fuori la sua inconfessabile ignominia di gioventù: la signora era stata a servizio.

«Gianni!»

«Ma sei vecchia come il cucco te!»

«Noo!»

Gianni sentì esplodergli dentro una scaturigine luminosa che prendeva a dare i numeri al contrario, "meno uno meno due meno tre meno quattro meno cinque... RAI!" Era la televisione di Stato? No: era la targa completa.

Con mani e piedi Anastasia prese a spingerlo giù dalla parte del cristallo saltato, orripilata, l'omone non reagiva, erano troppi i calendari da toglierci tutti i trecentocinquantasei fogliettini in un colpo solo. Rotolò fuori, cadde a peso morto sul selciato senza staccare la mano piantata nella camicia all'altezza del cuore, scoppiato in infinitesimali bei rai di luce ultraterrena nel firmamento del gran tòc de völva dei suoi sogni, gli occhi sbarrati sotto la gonna di Teodora a pochi centimetri da lui stecchito sopra un bel po' di resti di palloncini.

Teodora sta rigida a gambe larghe, smorta, più morta che viva, due rivoletti nerastri le colano giù dall'interno delle cosce, si diramano sulle ginocchia, sfociano fra le dita dei piedi nudi. Teodora è diventata signorina.

Anastasia con un balzo smonta dal carrozzone, già con le mutande in una mano e il reggipetto nell'altra.

«Su, su, bastardona mia, basta con gli scherzi che abbiamo perso tempo abbastanza, via di qua... Non dire niente amore mio che va bene così... Sono venuti gli operai del Comune a mettere a posto? Ah, quel cretino del Sindaco! far saltare il P38! E adesso stiamo fresche, chissà cosa penserà il Colonnello di noi, altro che fare una filiale nella

Sirte. Dài, ostia, monta, sei ancora lì impalata? dài che non è successo niente. Ma cos'è che perdi lì in mezzo? Oh! la mia... la mia bambinona! la mia stellina! Ad l'èra ura... Ha detto qualcosa l'infermiera? È una falsa! Ma non crederai davvero che io... un dito! Ah, e adesso caro conte delle mie cosiddette ti sistemo io per le feste, l'ergastolo ti faccio dare... Dài, monta su che arriva gente, non voglio grane con questo qui... Eh no eh, niente bis!»

Ma per Teodora è troppo tardi. La mano brandisce l'ago argentato della bilancia impugnato per la goccia nera. Teodora ha slanciato il braccio in alto, sente che il sogno se la porta via e lei sfibrerà in aria, e se lo volge contro e... ehehe!...

E.

Fine

Sinossi

Hanno scritto di

Vita standard di un venditore provvisorio di collant:

.... Di certo da tempo nella narrativa italiana non compariva un essere tutto istinto, appetito, voglia di arrivare, quale il Celestino Lometto, sentina di tutti i possibili vizi e difetti, macchina inesauribile di invenzioni sulla via del male, della frode, dell'intrigo... Busi usa un linguaggio sempre ad alta tensione,... Esatti spunti 'mitici', motivi di trama... sorreggono uno smisurato tessuto linguistico, sempre felice, sempre degno di un'eredità colta... da un Gadda ormai definitivamente 'ingegnere'.

RENATO BARILLI, "Alfabeta"

... Scrittore straordinariamente emotivo, sempre più disposto a narrare che a narrarsi, Busi determina e controlla il proprio tessuto romanzesco passando dal primo al secondo libro e negando, per una volta almeno, l'eventualità di quella fatale caduta che spessissimo si verifica tra la pienezza e la complessità dell'opera prima e il sostanziale impoverimento che contraddistingue la seconda. *Vita standard di un venditore provvisorio di collant* è la cifra stupendamente derivata, infatti, dalla disperata ironia del *Seminario sulla Gioventù.*

GIUSEPPE MARCHETTI, "La Gazzetta di Parma"

... *Vita standard* è un libro di ambizioni palesi e nascoste tutte giustificate dalla evidenza della sua solida architettura e dalla verificabile vitalità dei suoi personaggi.

DOMENICO PORZIO,"Panorama Mese"

... *pastiche* stilistico, mescolanza sapiente di aristocratismi e plebeismi, voci iperletterarie e accenti dialettali, in un moltiplicarsi di punti di vista e affollarsi di materiali compositivi che travalica ogni regolarità di strutturazione romanzesca... L'esuberanza stilistica di Busi si sfrena nel proiettare in una dimensione allucinatoria le immagini di una realtà sanguigna e squallida, brutalmente vitale e putridamente inquieta.

VITTORA SPINAZZOLA, "L'Unità"

... Busi è tutto verbalità, di quegli scrittori che giocano a sfaccettare la frase con tre-quattro immagini, lasciando schizzare via gli aggettivi dalle loro sedi naturali per raccoglierli poi su una linea di senno quanto mai compunto... Il libro di Busi... mi pare cosa tutt'altro che trascurabile, così che la sua stessa magmatica abbondanza è un vivacissimo segno di vita.

ENZO SICILIANO, "Corriere della Sera"

... Busi, che non lascia al suo lettore un attimo di requie (pareva che non si potessero scrivere cinquecento pagine, o quasi, senza ammmazzare di noia il lettore), che si abbandona a un estro narrativo ben nutrito di adeguati studi (dal romanzo a colpi di scena, diciamo Walter Scott, ai formalisti maestri dell'artificio, fino alle più recenti macchine per raccontare) si permette di affrontare l'orrido e il macabro. Ma non è un giallo. È anche questo, come *Seminario sulla Gioventù*, un romanzo in cui il sarcasmo, l'invettiva, l'accusa lasciano intravvedere un carattere tenero.

OTTAVIO CECCHI, "Rinascita"

... Busi è un uomo cólto ma uno scrittore istintivo: ciò che legge e apprende gli va difilato nello stomaco. Busi è uno scrittore di pancia. Mangia molta cultura e consuma molta vita... La sua scrittura ha questo sapore acre... di materia organica in procinto di putrefarsi. Leggere questo romanzo di Busi è come passeggiare per i campi della pianura padana, quando l'aratro ha appena spaccato le zolle e sale dalla terra l'odore sgradevole della cacca ma anche la promessa di un buon raccolto.

ANGELO GUGLIELMI, "Paese Sera"

... un romanzo a sfondo giallo, paradossale per la sua verbalità scatenata, per i suoi ardori e le sue spiritosaggini. (Vogliamo dircene qualcuna? "Lometto preso per il collo di un utero quarantenne che sapeva il feto suo"; "Angelo teme i *bis* come Adamo i biscioni"; "da solo si preparava a un salto nel voto che lei non aveva mai sciolto".) A cosa porta tutto ciò? In generale ad annoiare il lettore... Il romanzo sembra quasi nutrirsi della propria discontinuità di scrittura. Comincia con delle espressioni davvero incredibili: "aveva le mani piene delle carezze convesse del primo mestruo"; "la venditrice di gelati fa recitare grecamente il rimmel delle ciglia". Ci piacerebbe sapere: perché non in latino o arabo?

GIACINTO SPAGNOLETTI, "Il Tempo"

... *Vita standard* è una festa del romanzo. Busi è un grande scrittore, non perde il filo dei personaggi, li fa parlare, pensare, agire, li seziona anche troppo e alla fine sono quasi privi di interesse tanto sono stati apertamente analizzati... Un libro importante e indicativo, e un libro che si rivaluterà con gli anni.

ANONIMO, "Viva Milano"

... I numerosi personaggi sono, fin dal loro apparire e nonostante le molte mutazioni, delineati con un'incisività degna del miglior realismo, e l'energia e l'inventiva della sua prosa barocca si accompagnano a un umorismo intelligente e inesorabile.

... La vitalità, la densità e la sfrontatezza fanno di *Seminario sulla Gioventù* e di *Vita standard di un venditore provvisorio di collant* due dei romanzi italiani più godibili di questi anni. E due dei più seri.

"The Times Literary Supplement"

«La Delfina Bizantina»
di Aldo Busi
Collezione Scrittori italiani e stranieri

Finito di stampare
nel mese di dicembre 1986
presso la Arnoldo Mondadori Editore S.p.A.
Stabilimento N.S.M. di Cles (TN)

Stampato in Italia – Printed in Italy